Au cœur
de ma nuit

L'auteur

Sarra Manning a fait des études de journalisme avant d'intégrer la revue féminine anglaise *J17*. D'abord auteur, elle a ensuite été rédactrice puis a rejoint l'équipe d'*Ellegirl*. Elle travaille aujourd'hui pour de nombreux magazines féminins et de mode : *What To Wear, Elle, Seventeen, Heat*. Elle a publié également d'autres livres pour adolescents.

Du même auteur,
dans la même collection :

Vous avez aimé

Au cœur
de ma nuit

Écrivez-nous
pour nous faire partager votre enthousiasme :
Pocket Jeunesse, 12 avenue d'Italie, 75013 Paris.

Au cœur de ma nuit

Sarra Manning

Traduit de l'anglais par Julie Lafon

POCKET JEUNESSE

Titre original :
Let's Get Lost

First published in Great Britain in 2006
par Hodder Children's Books.

Loi n° 49 956 du 16 juillet 1949 sur les publications destinées
à la jeunesse : avril 2008

ISBN 978-2-266-16818-2

À ma mère, Regina Shaw

« Ton souvenir surgit de la nuit où je me trouve. »

Une chanson désespérée, Pablo Neruda

Tous mes remerciements à Jane Davitt, pour ses suggestions et ses encouragements, à Sarah Bailey, pour n'avoir jamais douté de moi, et à Annakovsky, pour le nom.

« On est toujours tenté de se perdre avec ceux qui se sont peut-être déjà perdus. »

Angela, quinze ans

1

Je savais que cette fête serait nulle. C'est presque toujours le cas. Pourtant, j'étais partagée entre la peur et l'excitation, j'avais l'impression d'avoir un petit oiseau au creux de l'estomac, qui battait des ailes et tentait de se nicher sous ma cage thoracique.

J'ai pris un bain, exfolié ma peau, rasé mes jambes, mis du lait hydratant, puis j'ai essayé de discipliner mes cheveux. Quelques jours auparavant, j'avais eu une expérience désastreuse avec une paire de ciseaux. D'abord, sur la boîte de teinture, il était écrit « Nuit Étoilée » : j'espérais qu'une fois l'opération terminée (après avoir taché de noir toutes nos serviettes de toilette), je ressemblerais à l'héroïne mystérieuse d'un film français, le genre de fille qui a plein d'amants et passe sa vie à débattre du sens de la vie dans les cafés. En réalité, j'avais l'air d'une sorcière gothique. Bref, j'ai fini par couper quinze centimètres de cheveux et je me suis retrouvée avec une coupe courte ébouriffée qui rappelait davantage

Amélie Poulain qu'Emily Strange. Et encore, avec la bonne lumière.

Toujours est-il qu'il ne me restait pas assez de cheveux pour les rassembler en queue-de-cheval, alors j'ai fait deux couettes nouées avec des élastiques pailletés qui traînaient dans la salle de bains. L'effet était plutôt sympa dans le genre bizarre et tape-à-l'œil. Mais il était temps que je prenne rendez-vous chez le coiffeur.

Je n'avais résolu qu'une infime partie de mon dilemme. Debout, en culotte à fleurs, devant mon placard plein à craquer, je devais maintenant déterminer celle que je voulais être ce soir. J'adore changer de peau, me transformer, moi, l'ado maigrichonne de seize ans, en femme fatale. J'hésitais entre la bohémienne chic façon Kate Moss et la décontractée sexy style Marissa Cooper dans *Newport Beach*. Le genre rockeuse, c'était complètement dépassé : qu'est-ce qui m'avait pris d'acheter cette robe vintage en dentelle, déchirée sous le bras ?

Après avoir respiré à fond, je suis entrée dans la chambre de mes parents. Même en retenant ma respiration, je sentais encore les effluves presque imperceptibles de son parfum à elle, Eternity pour femme de Calvin Klein. Je ne sais pas comment lui arrive à fermer l'œil ici, c'est sans doute pour cette raison que, la plupart du temps, il finit par s'endormir à son bureau.

Tous ses vêtements étaient soigneusement rangés par couleur. Un arc-en-ciel de robes et de jupes suspendues dans le placard, dont on ne savait que faire. C'était leur rendre service que d'y jeter un petit coup d'œil, non ? J'ai fini par dénicher une robe noire toute simple que je ne lui avais jamais vue. Une robe stricte avec des manches trois quarts, que les magazines de mode qualifieraient de chic minimaliste. « Pourquoi pas ? » ai-je pensé en l'enfilant. Elle était censée mettre en valeur mes formes, sauf que je n'avais pas grand-chose à mettre en valeur, alors le tissu pendouillait un peu. Bizarrement, la robe s'arrêtait juste au-dessus de mon genou, mais j'avais beaucoup grandi au cours de l'été. Dans un de ses tiroirs, j'ai trouvé un collant résille qui s'accordait à merveille avec mes talons roses, et j'ai piqué un peu d'ombre à paupières gris fumé dans ses affaires de maquillage rangées sur la coiffeuse.

J'avais l'air plus âgée, j'allais pouvoir acheter des cigarettes et du vin sans être obligée de me justifier sur ma date de naissance. Tout ce qu'il me fallait, c'étaient des pièces sonnantes et trébuchantes pour le gentil monsieur de la caisse.

Emprunter de l'argent à mon père, ça demande beaucoup de diplomatie. Et la diplomatie, ça me connaît. Je suis entrée dans son bureau sans frapper et me suis plantée devant lui, la main tendue.

— Donne-moi vingt livres. J'en ai besoin !

Mon père n'est pas un père comme les autres. Pas du tout. Ils ont dû briser le moule après l'avoir conçu. Il enseigne la littérature américaine à l'université, raison pour laquelle mon petit frère Félix et moi, on a été baptisés d'après des personnages de Henry James. Une fois, j'ai essayé de lire *Portrait de femme*, vu que je porte le nom de l'héroïne, Isabel Archer. C'est peut-être la seule fois en deux ans qu'il a eu l'air un peu fier de moi. Mais j'ai laissé tomber au bout du premier chapitre. Ça l'aurait tué, Henry James, de glisser une virgule ou un point dans son texte, de temps en temps ? Par contre, j'ai vu le film avec Nicole Kidman. Question : quel genre de cinglé peut baptiser sa fille unique d'après une pauvre femme obligée d'épouser un crétin misogyne qui ne s'intéresse qu'à son argent ? Mon père, tiens.

Le regard perdu dans son verre de vin rouge, il a levé la tête et ouvert des yeux ronds devant mon look étudié.

— Mais qu'est-ce que c'est que cette tenue ?

— Une robe, ai-je répondu, laconique.

Pas question de dévier du sujet.

— Vingt livres, papa.

— Alors, tu sors ? a-t-il demandé d'un ton cassant.

Il me faisait le coup de la question rhétorique.

— Oui, on est vendredi soir, je sors. Je serai rentrée avant onze heures. Alors, tu me les donnes, ces vingt livres ?

— Ce n'est pas la peine de crier, Isabel.

Il m'a jeté un de ses regards perçants mais, en seize ans, ils avaient perdu de leur efficacité.

— Et pourquoi devrais-je te donner vingt livres ?

— Très bien, ai-je rétorqué d'un ton égal. Je rentrerai à pied, en pleine nuit, à l'heure où les bars se vident, puisque tu ne veux pas me donner d'argent pour prendre un taxi. Je suis sûre que tout ira bien. Et dans le cas contraire, tu auras au moins réussi à économiser vingt livres.

Mon petit discours méritait un Oscar. Je n'ai pas eu besoin d'aller jusqu'au bout : il a déposé deux billets de dix froissés dans ma main tendue.

— Maintenant, veux-tu bien cesser de geindre et me laisser tranquille ?

— C'est comme si c'était fait.

J'ai foncé vers la porte avant qu'il puisse changer d'avis.

— Amuse-toi bien avec tes Amerloques.

— Et ne rentre pas trop tard, m'a-t-il dit.

Mais je sentais que le cœur n'y était pas et, avant de refermer la porte, je l'ai vu porter son verre à sa bouche.

On a envoyé Nancy à l'épicerie du coin qui proposait quatre bouteilles pour douze livres, parce qu'on lui donnait facilement vingt et un ans. Toutes ces séances d'UV avaient donné à sa peau une teinte acajou et un aspect tanné qu'on ne rencontrait pas souvent chez les filles de seize ans.

— Prends du sauvignon, ai-je ordonné en cherchant mon eye-liner dans mon sac pour maquiller Dot.

Elle avait un look tellement nunuche qu'on ne nous laisserait jamais entrer, même si la fête étudiante où l'on avait prévu de s'incruster promettait d'être minable.

Tandis que j'approchais l'eye-liner de son œil en lui tenant fermement le menton, j'ai vu Elsa faire la grimace à Nancy.

— On devrait plutôt prendre des Bacardy Breezer[1], a-t-elle gémi. Pourquoi faut-il toujours qu'on achète du vin ? Il n'y a jamais de tire-bouchon dans ces soirées et...

— Quel âge tu as, douze ans ? Tu veux des bonbons et de la glace avec ton soda ?

— Aïe ! Tu as failli me crever l'œil ! s'est écriée Dot.

J'aurais pu opter pour un compromis et demander à Nancy d'acheter une bouteille de vodka à mélanger avec du jus de fruits, mais je sais d'expérience qu'il vaut mieux réprimer sans attendre les signes avant-coureurs de rébellion.

— Sauvignon, ai-je répété d'un ton implacable.

Puis, comme un vrai chef doit savoir se montrer

1. Ce qu'en Angleterre on appelle des « alcopops », des boissons pauvres en alcool additionnées de soda, qui visent avant tout les ados. (*N.d.T.*)

magnanime, j'ai accepté de faire une petite concession.

— À la rigueur, vous pouvez acheter deux bouteilles de sauvignon et deux de vin rouge, si vous voulez.

Hochements de tête, sourires forcés, protestations de Dot qui, soi-disant, allait attraper une conjonctivite tandis que j'essayais d'agrandir ses yeux porcins avec un trait d'eye-liner : voilà, on était enfin prêtes à partir.

J'avais raison au sujet de la fête. *Mucho nullissimo*. C'était plein d'étudiants partis pour une autre année universitaire. En débarquant dans le salon avec nos bouteilles qui tintaient dans le sac en plastique, j'ai entendu une fille glisser à sa copine :

— Alors je lui ai dit : « Maman, tu ne comprends pas, je suis un esprit libre. »

Non mais, les étudiants ! Plus prétentieux, tu meurs.

Je me suis empressée de fausser compagnie aux autres : Elsa avait déjà renversé du vin rouge sur ses vêtements, et on n'avait aucune chance de rencontrer un beau garçon en restant scotchées les unes aux autres. J'ai embarqué une bouteille de sauvignon et je suis allée chercher un tire-bouchon à la cuisine. Là, je suis tombée sur la scène typique : le groupe de gens en train de débattre d'un programme télé débile parce qu'ils n'ont rien d'autre à dire et rien d'autre à partager. Un type avec une énorme tache de naissance sur la figure a essayé d'engager la conversation, mais je lui ai fait clairement comprendre qu'on ne jouait pas dans la même catégorie. Il m'a traitée de sale bêcheuse et s'en est retourné déblatérer sur *Smallville*. Comme si je pouvais m'intéresser à cette andouille avec sa tache de vin.

Armée de ma bouteille, je suis retournée me mêler à la fête avec le bruit sourd de la techno dans les oreilles, surprenant ici et là des gens occupés à se peloter ou à se rouler des joints en se donnant des airs de rebelles.

J'étais à deux doigts de crever d'ennui. Une fille sanglotait dans l'escalier après s'être disputée avec son copain ; un couple était bien occupé sur le canapé pendant qu'un petit groupe de binoclards les observaient en bavant d'envie ; une queue se formait dans le couloir, devant la porte des toilettes, tandis que quelqu'un vomissait dans le lavabo de la salle de bains. Bref, une fête pareille à toutes les autres fêtes où j'avais traîné. Il fallait vraiment que je songe à me trouver des soirées plus classe.

Une barrière de sécurité pour enfants interdisait l'accès à l'étage : je l'ai enjambée et me suis faufilée dans le couloir. La plupart des portes étaient verrouillées mais en poussant la dernière, je me suis retrouvée dans une espèce de débarras rempli de cartons qui puait le renfermé ; j'ai ouvert la fenêtre pour respirer à pleins poumons l'air froid de la nuit puis, installée sur le rebord avec les jambes dans le vide, j'ai siroté mon vin en me demandant comment j'avais pu penser que cette soirée bousculerait le train-train de ma vie minable.

J'avais vidé la moitié de ma bouteille, et commençais à me sentir agréablement partir, quand j'ai entendu la porte claquer derrière moi. J'ignore comment je n'ai pas atterri dans le jardin, la colonne vertébrale en miettes. Je me suis retournée pour scruter l'obscurité.

— Désolé. Je ne voulais pas te faire peur, a dit quelqu'un d'une voix éméchée.

Une lumière aveuglante, émanant de l'unique ampoule qui se balançait au bout de son fil dénudé, a inondé la pièce, et j'ai dû me protéger les yeux de la main.

— Merci, à cause de toi j'ai failli me tuer. Tu ne devrais pas être ici, de toute façon.

— Toi non plus, a répliqué l'inconnu en titubant jusqu'à moi.

Il avait une énorme tignasse et un grand nez. Aucun intérêt. Et voilà qu'il se remettait à parler :

— J'ai failli m'étaler sur cette fichue barrière !

Avec un haussement d'épaules, je lui ai tourné le dos.

— Qu'est-ce que tu fabriques ? a-t-il demandé en se rapprochant. Il y a des endroits plus sûrs qu'un rebord de fenêtre pour s'asseoir.

J'ai pris une lampée de vin tiède en levant les yeux au ciel.

— Je profite du silence. Alors soit tu la fermes, soit tu t'en vas.

Il s'est éloigné et j'ai entendu un craquement tandis qu'il s'asseyait.

— Tu es vraiment mal élevée, a-t-il remarqué d'un air songeur.

À croire qu'enfoncer des portes ouvertes était une vocation chez lui.

— Et toi, tu es vraiment gonflant. Surtout, ne te sens pas obligé de rester.

Il a poussé un soupir outragé avant de se retrancher dans le silence. J'ai tenté de me concentrer sur le contact rugueux du mur contre mes talons et de compter les étoiles dans le ciel, mais il avait rompu le charme.

Je me suis retournée pour l'observer. Il était avachi sur une chaise branlante, le regard braqué sur moi. Il avait des yeux incroyables, d'un bleu gentiane, ma couleur préférée quand je fréquentais encore le cours d'arts plastiques.

Je devais être un peu ivre parce que je lui ai fait part de ma pensée ; il s'est redressé d'un coup et m'a demandé comment était le cours.

— Mais de quoi tu parles ?

— J'aurais dû prendre arts plastiques, moi aussi, m'a-t-il expliqué d'un ton mélancolique. Je déteste la philo.

— Bla-bla-bla, ai-je rétorqué avant de prendre une autre gorgée de vin. Arrête ton baratin, nullos, je ne suis pas cliente.

— Est-ce que je peux en avoir une goutte ? m'a-t-il demandé poliment.

Soit il était encore plus soûl que ce que j'imaginais, soit il avait le cuir plus dur qu'un rhinocéros. Avec un soupir, je me suis penchée pour lui tendre la bouteille. Il avait de longs doigts et les ongles les plus rongés que j'aie jamais vus.

— Mais tu t'es coupé les cheveux ! s'est-il exclamé. C'est sympa. Chic et grunge à la fois.

Finalement, c'était plus facile de le laisser poursuivre son délire. D'autant qu'entrer dans la peau d'une autre, de cette fille qui traînait avec des garçons ivres aux yeux bleu gentiane, c'était le truc le plus marrant de ma semaine.

— J'avais envie de changer, ai-je répondu d'un ton désinvolte en jouant avec une de mes mèches. Au fait, c'était quand, la dernière fois qu'on s'est vus ? Ça fait longtemps.

Il a froncé les sourcils en faisant la moue. Il avait les lèvres boudeuses.

— Je crois que c'était au festival de Glastonbury. Tu étais avec Dean. Mais vous avez rompu, pas vrai ?

J'ai secoué la tête en me mordant les lèvres pour ne pas sourire.

— Oui, je l'ai plaqué. Une vraie plaie, ce type. Et

un mauvais coup, en plus. (Puis une pensée horrible m'est venue à l'esprit :) Toi et moi... on n'a jamais...

Il est parti d'un bel éclat de rire.

— Enfin, Chloé, si c'était le cas, je serais très vexé que tu ne t'en souviennes pas. Tu es bizarre, ce soir.

— J'ai dû boire un coup de trop, comme toi.

Je me demandais qui pouvait donc être cette Chloé. Il avait l'air de bien l'aimer.

— Hé, tu te souviens de la fois où on s'est embrassés ?

M. Gentiane venait d'étendre ses jambes et ne faisait pas mine de me rendre ma bouteille. Il portait un jean et des Converse usées jusqu'à la corde.

— Ta bouche avait un goût sucré, tu m'as dit que tu avais bu du café avec des tonnes de sucre, et j'ai pensé que tous les baisers devaient avoir le même goût, mais ce n'est pas le cas.

Plus moyen de l'arrêter. Il continuait à jacasser à propos de cette fête où il était allé avec la mystérieuse Chloé. Ils s'étaient soûlés et avaient fini par s'embrasser derrière un canapé. Il avait l'air obsédé par ce souvenir.

À la fin, je me contentais de répondre par un grognement ou un « ouais » de temps à autre, histoire de ne pas le vexer. Il n'était pas près de gagner un prix d'éloquence, celui-là.

Il commençait à faire froid, alors j'ai fermé la fenêtre. Je voulais récupérer ma bouteille avant qu'il ne la vide.

— ... et tu m'as répondu que c'était compliqué à cause de Dean mais, à l'époque, il sortait avec Molly, alors...

Comme je m'avançais vers lui, il s'est adossé pour me regarder, une expression un peu hébétée sur le visage.

— Rends-moi ma bouteille, ai-je lancé de ma voix la plus impérieuse, ce qui n'est pas peu dire.

J'ai tendu la main vers la bouteille mais il l'a prise dans la sienne et m'a fait asseoir sur ses genoux. Décrit comme ça, son geste pourrait sembler délicat, en réalité, je me suis écroulée sur lui, et ça n'avait rien d'élégant.

J'ai voulu me relever mais il m'a retenue par la taille.

— J'avais oublié que tu étais aussi jolie, a-t-il murmuré, puis il a essayé de m'embrasser.

— Attends une seconde ! me suis-je écriée.

Là, il a commencé à me caresser la nuque. Ça faisait si longtemps que personne ne m'avait touchée ! La voilà, ma raison, je persiste et je signe ! Alors j'ai glissé mes bras autour de son cou et mon nez a heurté le sien tandis qu'il essayait de coller ses lèvres aux miennes.

— Juste un petit baiser, a-t-il supplié.

Il a fermé les yeux et je l'ai embrassé.

Je n'ai jamais pris l'initiative avec les garçons, à moins que je doive jouer au jeu de la bouteille et me retrouve enfermée pendant deux minutes dans un placard malodorant sous un escalier. D'ordinaire, j'attends que le type se jette sur moi. Mais là, ses lèvres étaient très douces, et j'ai pris son visage à deux mains pour déposer des petits baisers sur sa bouche boudeuse. Je l'ai mordillée doucement, alors il a ouvert les yeux tout à coup et m'a rendu mes baisers avec fougue. Mais, même si sa bouche se faisait plus pressante, il continuait à me caresser la nuque avec douceur.

Au bout d'un moment, on s'est écartés l'un de l'autre, et il a déclaré :

— Tu vas me faire mourir avec tes baisers.

Ce type était vraiment bizarre.

— Alors je devrais peut-être continuer, ai-je murmuré et il m'a embrassée à nouveau.

Pour une fois, ça ne me dérangeait pas qu'il mette la langue ; d'habitude je trouve ça dégoûtant, mais lui au moins ne cherchait pas à me récurer les amygdales. Il était très doux et venait de reposer la main sur ma nuque...

— Isabel ! Enfin, tu es là, ça fait des heures que je te cherche !

Je me suis écartée de M. Gentiane. Nancy était plantée devant moi, les mains sur les hanches.

— On y va. Cette fête est pourrie, a-t-elle grommelé avant de s'apercevoir que j'étais aimantée à quelqu'un. Enfin, si tu arrives à te décotcher !

M. Gentiane ne semblait pas pressé de me laisser partir. Quand j'ai voulu me relever, il a resserré son étreinte autour de mes hanches, pendant que Nancy restait là à nous regarder avec une mine dégoûtée.

— Laisse-moi, ai-je ordonné d'un ton sec, et il a obéi.

— Qui c'est, ton copain ? a demandé Nancy en se précipitant vers la porte au cas où l'inconnu se serait jeté sur elle ; pourtant, il suffisait de la regarder...

Comme il n'existait aucune façon digne de s'éclipser après avoir embrassé goulûment un parfait inconnu qui me prenait pour quelqu'un d'autre, je me suis contentée de répondre : « Personne », en essayant de me recoiffer.

— Je m'appelle Smith, a-t-il lancé en tirant sur son tee-shirt vert délavé. Comment connais-tu Chloé ?

Nancy a agité les bras en faisant tinter ses bracelets.

— Mais de qui tu parles ? Elle s'appelle Isabel, espèce d'idiot. Sans blague, tu viens d'embrasser ma copine et tu n'es pas fichu de retenir son prénom ! Pauvre type !

J'ai fixé le plancher dans l'espoir qu'une trappe s'ouvrirait sous mes pieds et que je me retrouverais dans une autre dimension. J'avais profité de l'ivresse de ce garçon pour me faire câliner. Pas de quoi être fière.

Quand j'ai finalement trouvé le courage de lever les yeux, Smith – un nom vraiment débile, ses parents devaient le haïr – m'observait d'un air ébahi.

Mais en voyant ma tête, il s'est fendu d'un sourire renversant.

— Isabel, a-t-il murmuré afin que moi seule puisse l'entendre, tu me dois une bonne explication.

En guise de réponse, je suis sortie de la pièce en trombe en tirant Nancy par la main.

2

Je ne sais pas trop ce qui s'est passé ensuite. Je me rappelle vaguement avoir vomi dans des W-C non identifiés, et m'être essuyé la bouche avec du papier toilette.

Toujours est-il que je me suis réveillée sur mon paillasson avec mes clés à la main, sans comprendre comment j'avais atterri là. C'était sans doute mon instinct qui avait guidé mes pas. De là à ramper dans l'escalier jusqu'à mon lit, c'était peut-être trop demander.

Au prix d'un effort surhumain, j'ai consulté ma montre (deux heures et demie du matin), puis je me suis rallongée sur le sol avec un petit soupir. J'aurais bien passé là le reste de la nuit : j'avais l'impression d'avoir la tête dans un étau.

Mais j'imaginais la scène à laquelle j'aurais droit si mon père choisissait ce moment pour descendre et s'il me trouvait vautrée sur le seuil. Alors je me suis traînée tant bien que mal jusqu'à l'étage. Après avoir envisagé de me déshabiller, j'ai préféré m'écrouler sur mon lit, la tête dans l'oreiller. Tout cet alcool absorbé puis régurgité m'avait épuisée : on aurait pu jouer de la perceuse au-dessus de ma tête, je n'aurais pas bougé d'un cil.

C'est l'été où Félix est né, j'ai sept ans, et elle porte sa robe blanche à fleurs roses, qui moule son ventre bombé.

Le sable crisse sous nos pieds. Elle m'entraîne au bord de l'eau en me tirant par la main. J'ai mon seau rouge avec moi ; de temps à autre, on s'arrête, le temps que je ramasse un coquillage ou un galet poli et lustré par le va-et-vient incessant des vagues, que j'ajoute avec satisfaction à mon tas qui grandit à vue d'œil.

— Tu es une petite fille très maligne, Belle, me dit-elle d'un ton approbateur.

Je fouille dans le seau et j'en ressors le plus beau coquillage, un bigorneau orangé, que je dépose dans sa main. Je ne dis jamais rien dans ces rêves-là, c'est elle qui parle pour nous deux.

— Merci, ma chérie, murmure-t-elle.

Elle se redresse, scrute la mer en se protégeant les yeux du soleil, et ses cheveux sombres brillent d'un tel éclat dans la lumière éblouissante qu'ils ont l'air de s'animer.

— Reste ici, Belle.

Elle lâche ma main et me fait asseoir sur le sable. Je la regarde s'avancer vers l'eau, les yeux fixés sur le sol comme si elle cherchait quelque chose.

La marée commence à monter et elle ne semble pas remarquer l'écume blanche qui vient lui lécher les pieds. J'essaie de l'appeler, de la mettre en garde, mais aucun son ne sort de ma bouche, je suis paralysée. Je ne peux que la regarder s'enfoncer dans la mer : le bas de sa robe se gonfle d'eau et les fleurs roses semblent flotter à la surface.

Mon seau se remplit de larmes et je ne vois bientôt plus que sa tête émerger des flots. Je me frotte les yeux de mes poings et quand je regarde à nouveau, elle a disparu. Je hurle mais personne ne peut m'entendre, personne ne peut m'aider. Je ne m'arrête plus de crier et soudain, il me relève et me secoue brutalement.

— Qu'est-ce que tu lui as fait ? s'écrie-t-il.

Il se dresse de toute sa taille, dos au soleil, et je ne vois plus que son visage sombre, déformé par la colère.

— Cesse ce vacarme et dis-moi ce que tu lui as fait !

Je suis revenue à moi : j'étais assise bien droite dans mon lit, je hurlais encore, la gorge sèche, tandis qu'il me fixait d'un regard noir. Dans son dos, Félix me dévisageait avec inquiétude. Faux jeton, va. Derrière ces traits angéliques et ce petit corps frêle vêtu d'un pyjama Superman se cache une vraie brute. Quand je ne pousse pas des cris d'orfraie au beau milieu de la nuit, il passe le plus clair de son temps à me pincer, me frapper et à me montrer ses fesses.

— Ma parole, Isabel, a aboyé mon père, tu es hystérique ! Arrête ça tout de suite !

Je me suis tue d'un coup, en me mordant la langue au passage. J'ai laissé échapper un gémissement et je l'ai vu serrer les dents.

— Isa ? Tu vas bien ? On dirait que tu viens de te faire attaquer par des zombies. (Félix s'est écarté de mon père, une expression de dégoût sur le visage :) Berk ! Tu transpires de partout.

La robe noire me collait à la peau et, dans mon sommeil, j'avais arraché le drap-housse du matelas. À supposer que ce soit possible, il me regardait avec encore plus de mépris que d'habitude.

— Voilà une illustration parfaite de ce qui arrive lorsqu'on va dans des fêtes pour se soûler jusqu'au coma éthylique, a-t-il commenté d'un ton morne. Et je te serais reconnaissant de ne pas garder tes chaussures pour dormir, tu vas finir par déchirer les draps.

— J'ai fait un mauvais rêve, ai-je marmonné avant de me murer dans le silence.

Il me fixait de ce regard inquisiteur que je connaissais bien, malheureusement. Le même que lorsque je suis sur le point de donner un « mot compte triple » au scrabble, ou quand j'ai dit un mensonge de trop, que je n'ai qu'une envie, rentrer sous terre, et qu'il lui suffit d'une pichenette pour me pousser dans le trou.

Mais, visiblement, il avait décidé que tout ça ne valait pas la peine de se donner tant de mal.

— Va prendre une douche, Isabel, et retourne te

coucher. Tu nous as fait perdre assez de temps avec tes simagrées.

Après cet épisode, je n'ai pas pu fermer l'œil. J'ai écouté les bruits de la nuit : le passage d'une voiture, les miaulements furieux d'un couple de chats et le grésillement du lampadaire devant ma fenêtre. Pourtant, rien de tout ça ne parvenait à couvrir le bourdonnement de ma tête et, pour finir, j'ai renoncé à dormir : j'ai allumé la télé et regardé sans le son de vieux films en noir et blanc jusqu'à ce que le soleil filtre à travers les rideaux et chasse les ténèbres de ma chambre : alors, seulement, je me suis assoupie.

3

L'école était censée être une priorité maintenant qu'on préparait l'examen final. À croire qu'on était subitement devenues des adultes, sous prétexte qu'on n'était plus obligées de porter cet horrible uniforme vert bouteille et qu'on avait la permission de sortir pendant les heures d'étude. C'était l'état d'esprit général, n'empêche que pendant tout le temps où je suis restée assise sur cette chaise inconfortable dans son bureau avec Elsa, Nancy et Dot, Mrs. Greenwood faisait de son mieux pour nous donner l'impression d'être en sixième.

— Je veux absolument éviter le même scénario que le trimestre dernier, a déclaré Mrs. Greenwood d'un ton grave en cherchant des signes de remords sur nos visages. (Je sentais Dot trembler à côté de moi mais j'ai soutenu le regard noir derrière ses lunettes à double foyer.) Je ne tolérerai aucune persécution à l'encontre d'autres élèves et la campagne de sape persistante que vous avez menée contre certains éléments de votre classe est impardonnable. (Elle a frappé le bureau de son stylo.) Nous avons dû faire appel à la psychologue scolaire ! Et tous les téléphones portables doivent être désormais remis au professeur en début de cours.

À ces mots, Elsa a réprimé un gloussement. Nancy, quant à elle, semblait se réjouir à l'idée que son Nokia ait pu causer de tels dégâts.

— Comme vous le savez, la question de votre renvoi temporaire a été évoquée mais, à la lumière des événements récents, le conseil d'établissement a estimé qu'il valait mieux enterrer l'affaire...

Un murmure scandalisé s'est élevé et Mrs. Greenwood a fait tomber son stylo.

— Toutes mes excuses... Isabel, ma formulation manquait de tact...

— Ne vous inquiétez pas, Mrs. Greenwood, ai-je répondu avec un sourire tranquille. Ce n'est rien. Je n'ai même pas relevé...

Elle m'a adressé un signe de tête reconnaissant.

— Bref, même si aucune mesure n'a été prise le trimestre dernier, j'ai l'intention de vous tenir à l'œil, toutes les quatre. Malheureusement, nous n'avons pas pu vous séparer, le père d'Isabel estimant qu'elle a besoin du soutien de ses amies en cette période difficile.

Elsa s'est remise à ricaner mais Mrs. Greenwood l'a fait taire d'un raclement de gorge avant de se lancer dans un discours sur l'exemple à donner aux plus jeunes, bla-bla-bla, les excuses qu'on devait à Lily Tompkins, gna-gna-gna, et terminer sur la rengaine habituelle :

— Nous pourrions facilement retirer aux terminales leurs privilèges, vous savez.

Je n'avais qu'une hâte, sortir de là et oublier son sermon – hélas, elle m'a retenue d'un geste.

En me retournant, j'ai vu Dot, déjà près de la porte, qui me regardait en haussant les épaules, l'air de dire : « Qu'est-ce que tu fiches ? », mais Mrs. Greenwood lui a fait un signe de tête sans équivoque. J'en avais ras le bol de ces signes de tête, qui étaient toujours le prélude à...

— Alors, Isabel, tu tiens le coup ? m'a-t-elle demandé d'une voix qui suintait la sollicitude. Franchement ?

— Oui, ai-je répondu en examinant la cuticule de mon index gauche.

— J'ai parlé à ton père de cette formidable thérapeute familiale de ma connaissance, qui organise des séances en groupe avec des adolescents en situation...

— Je n'irai pas ! me suis-je écriée.

Rester dans une pièce à écouter une bande de minables qui ressassent leur dépression, non merci ! J'en ai ma dose à la maison

— C'est ce que ton père m'a dit. Bien qu'il se soit montré un peu moins véhément, a-t-elle ajouté avec un mince sourire. (Je pouvais m'imaginer au mot près leur conversation.) Mais si tu changes d'avis...

— Tout ce qu'il me faut, c'est fixer une date pour repasser mon examen de maths.

Ma réponse lui a coupé le sifflet. Elle avait dû s'imaginer qu'on aurait une petite conversation amicale, que je finirais par craquer et lui avouer que la vie sans ma mère était un cauchemar et moi, je pensais : « Compte là-dessus, ma vieille. »

Du coup, elle a reporté son attention sur mon dossier scolaire.

— Dans tous les cas, tu as d'excellents bulletins et nous avons bon espoir que tu décroches une place à Oxford. Mais si jamais tu patauges, n'hésite pas à nous en faire part, à moi ou à ton professeur principal.

— Non, ai-je répliqué avec fermeté. (J'avais vingt dans toutes les matières et je ne voyais pas pourquoi les choses changeraient.) Je veux juste vivre une vie normale, comme avant.

— Isabel, j'ai bien peur que les choses aient changé, a-t-elle repris d'une voix douce en pianotant sur son clavier d'ordinateur. Tu as perdu ta mère.

Les gens n'ont pas arrêté de me répéter le même refrain pendant tout l'été. Tous ces proches et ces voisins bien intentionnés qui se présentaient chez nous avec leurs Tupperware... et les mêmes mots : « tu as perdu ta mère ». Comme si je l'avais oubliée dans le bus et qu'on l'avait entreposée aux Objets perdus en attendant que je vienne la réclamer.

Mrs. Greenwood attendait toujours que je m'effondre sur le tapis de son bureau. J'ai commencé à remuer sur ma chaise.

— Je vais être en retard pour le cours de français, lui ai-je rappelé.

Elle m'a gratifiée d'un grand soupir qui a fait voler les feuilles de mon dossier scolaire.

— Très bien.

Finis, les hochements de tête compréhensifs, l'expression de son visage qui semblait dire : « Je suis ton amie et pas seulement ton proviseur. »

— Très bien. Et même si cette photo répugnante n'a pas été envoyée de ton téléphone, je ne me fais aucune illusion sur l'identité de la responsable. C'est ta dernière chance, jeune fille.

J'ai senti son regard rivé sur moi alors que je quittais la pièce, et j'ai fermé la porte avec assez de force pour lui faire comprendre que je ne m'avouais pas vaincue.

Je suis entrée au moment où le professeur faisait l'appel. Un silence de plomb s'est abattu sur l'assistance tandis que tous les visages se tournaient vers moi. Et pour une fois, ce n'était pas pour examiner mes vêtements ou ma nouvelle couleur de cheveux. Non, ils s'imaginaient que moi, la fille la plus populaire et la plus redoutée du lycée, j'avais changé au cours de l'été, tout ça parce que le ciel m'était tombé sur la tête, et que ça se verrait sur ma figure. Comme si toutes les larmes que je n'avais pas versées avaient tracé des sillons indélébiles sur mes joues.

Au moindre signe de faiblesse, ils se mettent à vous tourner autour tel un banc de requins attirés par l'odeur du sang. Avec un sourire dédaigneux – ma marque de fabrique – je me suis dirigée d'un pas désinvolte vers le siège vide à côté d'Elsa. Un soupir de déception parfaitement audible a parcouru la salle de classe.

J'ai entendu chuchoter dans mon dos pendant le reste de la semaine. De toute façon, j'avais l'habitude. Pas parce que j'étais la plus jolie fille de l'école, la plus drôle, ni même la plus intelligente. Mes bonnes notes étaient le fruit d'efforts constants et de soirées passées à travailler bien après minuit, les doigts tachés d'encre et une montagne de manuels scolaires assommants sous les yeux. Non, si j'ai gagné ma place au sommet de la hiérarchie du lycée, à la tête de la clique la plus exclusive de toutes les cliques exclusives que compte cet endroit, c'est parce que je suis la plus ignoble peste qui ait jamais arpenté les sacro-saints couloirs du lycée pour filles de Brighton.

Dans mon esprit, l'école ressemble à ces documentaires sur les grands fauves qui passent sur Discovery Channel : c'est la loi du plus fort. Ce n'est pas juste, ce n'est pas bien, mais c'est ainsi. Au collège, j'ai passé deux ans à me faire piquer l'argent de mon déjeuner par une bande de filles plus grandes et plus moches que moi, qui se moquaient de mes vêtements, de ma coiffure et de mon léger zézaiement, pourtant à peine perceptible. Alors, en arrivant au lycée, il était plus que temps pour moi de me réinventer.

Je suis la reine de la rumeur. De l'insulte voilée. Du coup de coude assorti d'un clin d'œil et d'un sourire narquois. C'est comme ça que je règne sur cette école. J'ai mes trois sous-fifres. Je désigne celle qui sera mon bouc émissaire de la semaine et elles s'acharnent sur la pauvre fille, puis le reste du lycée prend le relais. Ce ne sont peut-être pas de grands fauves, non, plutôt des moutons sans cervelle.

N'allez pas croire que ça me plaît. Si j'agis de la sorte, c'est pour sauver ma peau. J'ai hâte de quitter le lycée, de filer à l'université et de devenir quelqu'un d'autre : jouer les pestes professionnelles, c'est épuisant. Je n'ai pas le droit de baisser ma garde ou de montrer mon vrai visage pendant ne serait-ce qu'une seconde. Et si j'ai payé le prix fort pour acquérir mon statut, je me demande quelquefois si ça en vaut la peine.

Mais je me souviens trop bien de ce que c'est que de manger à la table des loosers à la cantine. Ou de rôder dans les vestiaires jusqu'à ce que tout le monde soit parti avec le maigre espoir qu'on ne me coursera pas dans la rue, cette fois-ci. Ou encore de se retrouver la tête dans les toilettes avec quelqu'un qui tire la chasse (non que j'en sois déjà arrivée à ce genre d'extrême). Alors je fais ce que j'ai à faire.

Quant à Lily Tompkins, elle l'a vraiment cherché. Elle est allée crier sur tous les toits que Nancy *l'avait fait* avec un garçon d'un lycée voisin. Je ne connais même pas les détails. Je sais seulement que si je n'avais pas pris les choses en main, cette idiote aurait saboté mes plans. Alors quand, à l'occasion d'une fête, Dot l'a vue disparaître dans la salle de bains avec un ami du frère de Nancy, qui porte toujours une casquette à l'envers comme s'il sortait du ghetto... on peut dire que tout est sa faute.

Je me suis faufilée vers Nancy qui regardait l'élu de son cœur draguer une blonde hilare.

— J'adorerais savoir ce que Lily fabrique aux toilettes avec son fan de tuning, ai-je chuchoté. Peut-être qu'elle lui montre son nouveau piercing au nombril. Sinon, je ne m'explique pas pourquoi il avait le nez dans son décolleté.

Je n'ai jamais dit à Nancy de foncer là-bas. Je me dois d'ailleurs d'ajouter qu'en prenant une photo avec son téléphone, elle a fait preuve d'un esprit d'initiative que je ne lui connaissais pas.

— J'aimerais que Dot soit là, elle adorerait voir ça. C'est très Paris Hilton, ai-je commenté quand elle m'a montré la photo étonnamment nette de Lily à genoux.

À beaucoup d'égards, j'étais parfaitement irréprochable. Ce n'était pas mon idée d'envoyer la photo à tous les gens listés dans le répertoire de Nancy, qui s'étaient eux-mêmes empressés de la transmettre à leur propre répertoire. Lily avait déjà reçu la fameuse photo avant d'avoir quitté la salle de bains. Quand bien même elle ne l'aurait pas reçue, que tout le monde fasse des bruits de succion sur son passage lui aurait peut-être mis la puce à l'oreille.

Elle a éclaté en sanglots et, après avoir ingurgité cinq sachets d'aspirine pour bébé, elle s'est fait hospitaliser pour subir un lavage d'estomac, cette chochotte. Ma dernière semaine de cours a été rythmée par l'arrivée à la maison de lettres en provenance de l'école, les avertissements disciplinaires et la menace d'une exclusion qui n'a finalement pas eu lieu. Alors, si Lily se trouvait sur ma liste de boucs émissaires avant, maintenant elle figurait en tête d'affiche avec son nom inscrit en lettres de trois mètres de haut.

J'ai adopté un profil bas pendant le reste de la semaine : j'en étais encore à surfer sur la vague de ma nouvelle notoriété. J'étais « la fille qui a perdu sa mère » (marque déposée). Dans leur propre intérêt, les gens se tenaient à distance respectable, aussi ai-je été un peu surprise quand Lily en personne s'est dirigée vers notre table vendredi, à l'heure du déjeuner.

J'ai levé la tête de mon assiette de salade au poulet défraîchie, je lui ai jeté mon fameux regard qui tue, et j'ai repris ma conversation avec Dot.

— Elle est bleue avec de minuscules motifs géométriques. (J'essayais de décrire la jupe que je projetais d'acheter pendant le week-end.) On dirait du Marc Jacobs.

— Elle a l'air cool, a répondu Dot en lorgnant du côté de Lily qui se balançait d'un pied sur l'autre.

— Oui, mais je ne sais pas avec quoi la met...

— Isabel, est-ce que je peux te parler une minute ?

J'avais parfaitement entendu Lily, mais j'ai continué à chanter les louanges de la jupe auprès de Dot, comme s'il s'agissait d'une magnifique pièce haute couture.

— Écoute, Isabel, je crois qu'on devrait essayer de régler le problème.

Dot a esquissé un sourire.

— Hé, Isa, tu as entendu ce drôle de caquètement ?

Il m'a fallu des années pour perfectionner le haussement d'épaules nonchalant dont je l'ai gratifiée.

— Ce doit être ton imagination.

Lily devait avoir de sérieuses envies de suicide, car elle s'est assise sur le siège vide à côté du mien. Pire encore, elle m'a touchée. J'ai regardé ses gros doigts qui enserraient mon bras et, d'un geste lent, je me suis dégagée.

— Le trimestre dernier... on a toutes les deux fait des trucs... tu sais, et j'ai pensé, a-t-elle bafouillé, avant de s'exclamer avec colère : Isabel, j'essaie de te faire mes excuses !

— Est-ce que tu vas réussir à formuler une phrase compréhensible avant que la cloche sonne ?

Le menton dans la main, j'ai regardé sa lèvre inférieure qui tremblait.

— Pourquoi tu veux t'excuser, au juste ?

— Je crois qu'on devrait oublier le passé, et puis j'ai eu envie de te le dire toute la semaine... Voilà, je suis désolée pour ta mère.

— Quoi, ma mère ? Pourquoi tu es désolée ?

Elle a eu un petit rire nerveux et a cherché une aide du côté de Dot (!), mais cette dernière fixait son sachet de chips sans bouger.

— Je suis désolée pour ta mère, a répété Lily. Pour ce qui s'est passé.

— Tu fais bien. Parce que, en y réfléchissant, c'était vraiment ta faute.

Quel spectacle fascinant que de voir le sang refluer de son visage – on aurait cru que quelqu'un venait de tourner le bouton de contraste sur une télé !

— C'est horrible, ce que tu dis, a-t-elle hoqueté. (Son gloss rose pétant paraissait encore plus vulgaire sur sa peau blafarde.) Je ne pensais pas que tu réagirais comme ça.

Elle ne m'apprenait rien. Comme les autres. Ils auraient tous voulu que je me montre sous un jour plus doux, plus vulnérable, histoire qu'enfin ils n'aient plus peur de moi. Ils pouvaient toujours courir.

— Eh bien, tu t'es trompée, ai-je rétorqué avec une moue de dédain. Je suis toujours la même. Tu comptes rester assise ici ?

Lily a essuyé ses yeux qui se remplissaient de larmes – pour changer !

— Ta mère est morte ! s'est-elle écriée en s'assurant que tout le monde à la cantine avait les yeux rivés sur nous. Et si tu avais un peu d'humanité, tu te montrerais plus concernée !

La main sur le cœur, j'ai pris un air faussement outragé.

— Écoute, ma cocotte, j'ai perdu un parent, et alors ? Ça ne change rien : tout le monde sait que tu n'es qu'une sale vicieuse. Je n'aimerais pas être à ta place, tu sais.

Ça l'a clouée sur place. Apparemment, elle n'était pas disposée à bouger, alors d'un coup de coude, en me levant, j'ai renversé sur elle le contenu de ma canette de Coca Light à moitié pleine. Un déluge de gouttes marronnasses et poisseuses s'est abattu sur son haut blanc.

— Tu devrais porter du noir, lui ai-je lancé en ramassant ma veste et mon sac. C'est moins salissant.

— Espèce de garce !

Dot lui a donné un coup d'épaule en passant.

— Je devrais aller voir Mrs. Greenwood pour lui raconter ce que tu as dit sur sa mère.

En traversant la cantine d'un pas tranquille, j'ai

songé que, d'une certaine manière, je pouvais remercier Lily : désormais, les autres filles n'auraient plus pitié de moi. Elles me dévisageaient avec crainte, l'air de se demander : « À quand mon tour ? » Mais ça, je savais gérer.

4

Quelqu'un a tiré les rideaux dans un grincement assourdissant et une lumière aveuglante a inondé la pièce.

J'ai saisi un oreiller pour m'en couvrir la tête mais Félix faisait déjà des bonds sur le lit.

— Debout, Isa ! Il est neuf heures, ça fait un bail que je suis levé.

Je me sentais fragile, comme le personnage du *Patient anglais*[1]. La veille, Dot était passée après le lycée et elle avait abusé de mon hospitalité.

D'abord, elle s'est mise en pétard parce que le frigo ne contenait qu'un bocal de cœurs d'artichauts et un morceau de fromage moisi, et qu'il lui fallait sa dose de Coca Light. Ensuite elle a voulu qu'on PARLE, ou du moins que je parle de ce que je ressentais, histoire qu'elle puisse compatir gentiment. Pour finir, j'ai dû la pousser vers la sortie et je lui ai claqué la porte au

1. Film d'Anthony Minghella (1997). *(N.d.T.)*

nez avant qu'elle ait le temps de comprendre ce qui se passait. Elle est restée un moment sur le seuil, je voyais son petit visage affligé me scruter à travers le panneau en verre dépoli de la porte.

Et il m'a fallu des heures pour convaincre mon corps qu'il avait besoin de sommeil. J'ai même sorti le Henry James de ma table de nuit au cas où ses phrases ampoulées m'aideraient à m'endormir. Finalement, j'ai allumé la télé et regardé une émission de poker jusqu'à ce que les cartes deviennent floues.

J'ai ouvert un œil, le temps de voir mon père éteindre la télé, puis je me suis retournée dans mon lit pour grappiller quelques minutes de sommeil supplémentaires.

Hélas, lui ne l'entendait pas de cette oreille, et j'ai senti des mains arracher les couvertures. Je me suis roulée en boule en gémissant : « Quoi ? Il y a le feu ? » J'étais certaine d'avoir senti une odeur de brûlé, mais ce devait être le rêve que je faisais avant qu'on vienne me réveiller brutalement. Cette fois, elle se promenait dans notre ancienne maison et, au moment où elle disparaissait par la porte d'entrée, l'édifice entier s'enflammait comme une torche.

— Non, Isabel, il n'y a pas le feu. (Devinez quoi ? Il avait réussi à se raser, il avait d'ailleurs une vilaine entaille sous le menton.) Est-ce trop demander que tu te lèves à une heure décente ?

Je n'ai pas répondu. Je n'allais sûrement pas argumenter, même s'il est médicalement prouvé que les adolescents ont besoin de plus de sommeil.

— Je vais prendre une douche, ai-je marmonné en m'asseyant sur le bord du lit, le temps que la sensation de tournis se dissipe.

Puis j'ai donné une tape à Félix qui s'était emparé de mon oreiller pour essayer de m'assommer avec. Vu son derrière rebondi, il était temps qu'on surveille sa consommation de sucre, à celui-là.

— Je viens d'avoir une femme épouvantable au téléphone, la mère de Dot, s'est plaint mon père alors que je me frottais les yeux. Je l'ai trouvée bien agressive pour un samedi matin : elle m'a informé qu'il n'y avait rien à manger à la maison, et que Félix et toi étiez à deux doigts de la malnutrition. (Il a reniflé de dédain, estimant sans doute que cette histoire de quota de cinq fruits et légumes par jour ne le concernait pas.) Et puis j'ai voulu faire une machine mais il ne nous reste plus de lessive.

J'avais réussi à cumuler deux heures de sommeil ponctuées de terribles cauchemars, pour autant, il n'avait pas l'intention de me lâcher.

— J'ai utilisé de la poudre, dans le tiroir... ai-je répondu d'un ton vague. Je retourne me coucher. Je me sens hypermal.

— Isabel. (Il avait une façon bien à lui de dire mon nom, comme si le seul fait de le prononcer lui était insupportable.) Tu vas prendre une douche, t'habiller, puis nous irons au supermarché.

— Allez, Isa, on va s'amuser ! s'est écrié Félix en me lançant un regard suppliant qui signifiait, en substance : « S'il te plaît, je t'en supplie, ne me laisse pas seul avec lui. »

— Très bien, comme tu veux...

Et manifestement, sa mission de la journée consistait à éprouver mes dernières limites – avec son sourire le plus condescendant, mon père m'a dit :

— Modère ton enthousiasme, s'il te plaît.

Pour une virée au supermarché (et ce genre d'activité ne figure pas vraiment sur la liste de mes passe-temps favoris), ç'aurait pu être pire. Puisqu'il ne conduit jamais sauf s'il y est obligé, il a décidé qu'on ferait le trajet à pied, bien que, Félix et moi, on ait essayé de lui faire entendre que monter la colline chargés de sacs de course pleins à craquer relevait de l'esclavage.

— Sottises, ça vous fera le plus grand bien, a-t-il ricané en dévalant la pente à toute allure.

J'ai vissé les écouteurs de mon iPod sur mes oreilles pour ne pas entendre Félix raconter ses idioties habituelles.

On s'est un peu inquiétés en voyant la mine déroutée de mon père devant le procédé qui consiste à introduire une pièce dans la fente du caddie. Pourtant, il s'est adapté assez vite et, bientôt, on filait à travers le rayon des produits frais comme si on avait fait ça toute notre vie.

Je ne savais pas trop qui allait cuisiner les cour-gettes, poireaux et autres brocolis qu'il entassait allé-grement dans le caddie pendant que Félix me faisait des grimaces horrifiées dans son dos. Mais, sincère-ment, je ne voulais pas rompre le traité de paix fra-gile qu'on avait instauré, alors je me suis rabattue sur les fruits parce que ça se mange vite et que ça permet d'éviter le scorbut.

C'est en arrivant dans l'aile dix-huit – celle des chips, cacahouètes et autres saletés – que notre joyeuse excursion familiale a tourné au cauchemar. Sans réfléchir, j'ai attrapé un assortiment de chips sur un présentoir mais à son regard, on aurait cru que j'étais en train de dévaliser un stock de ciga-rettes.

— Ah non ! s'est-il emporté en m'arrachant les sachets des mains. Je ne veux pas de ces cochonne-ries à la maison.

Félix avait déjà les bras chargés de crackers au fromage.

— Mais on ne peut pas manger que des légumes ! s'est-il exclamé d'une voix suraiguë où perçait l'indi-gnation. Maman nous laisse toujours...

C'était plutôt bizarre de l'entendre prononcer le mot interdit, comme si quelqu'un venait de jurer dans une église. Chez nous, personne ne l'employait depuis des semaines.

— Je te demande pardon ? a dit mon père d'un ton glacial.

— Je n'ai rien fait de mal.

La lèvre inférieure de Félix tremblait tel un cerf-volant par un jour de grand vent.

— Pourquoi je ne peux pas... ?

— Laisse tomber, ai-je rétorqué en l'arrêtant d'une tape sur l'épaule. Apparemment, les chips entrent dans la même catégorie que le crack, la cocaïne et, oh, je ne sais pas, moi, ces fêtes où on se soûle jusqu'au coma éthylique.

Mon père s'est agrippé si fort à la barre du caddie que les jointures de ses doigts ont blanchi.

— Tu as quelque chose de pertinent à dire, Isabel, ou tu comptes poursuivre avec tes remarques acides ?

Le problème, c'est que je ne sais pas la fermer. C'est plus fort que moi, je n'ai jamais su. J'ai haussé les épaules avec un sourire d'une telle arrogance que si moi-même je m'étais vue à ce moment-là, j'aurais eu envie de me coller une paire de claques.

— Si deux paquets de chips sont censés précipiter la civilisation occidentale dans le chaos, j'imagine qu'on n'achètera pas de vin, dis-je perfidement.

Les discussions ayant trait aux énormes quantités d'alcool qu'il ingurgite n'avaient pas non plus, semblait-il, droit de cité. Il a plissé les yeux, à se demander comment il arrivait encore à manœuvrer le caddie.

— Tu es vraiment odieuse, a-t-il répondu en se tournant vers Félix qui marchait derrière nous comme une âme en peine. Oh, va les chercher, tes satanées chips.

J'ai regardé Félix s'éloigner.

— Je sais bien que tu me détestes, mais ne t'en prends pas à lui.

Cette remarque m'a valu une autre œillade assassine tandis qu'il jetait un flacon d'adoucissant dans le caddie.

— Je ne te déteste pas, Isabel. Je te trouve irrespectueuse, têtue et très désagréable, c'est tout.

Félix s'est avancé vers nous en serrant contre lui des paquets de chips de toutes sortes. Il devait s'attendre à une autre dispute, loin de se douter qu'on n'en avait pas encore terminé avec la première.

— J'ai été beaucoup trop indulgent avec toi, Isabel, a poursuivi mon père. Mais ces scènes ont assez duré et...

Avec un sourire tranquille qui l'a laissé pantois, j'ai lancé en m'éloignant :

— Fous-moi la paix.

C'était tellement libérateur ! J'avais dressé une barrière entre nous, qui existait déjà de toute manière, sauf que désormais on n'était plus obligés de s'en approcher.

J'allais traverser Western Road et prendre la direction de la plage quand j'ai senti quelqu'un me rattraper par l'épaule. À son expression, j'ai pensé qu'il devait regretter que les châtiments corporels soient interdits par la loi.

— Comment oses-tu me parler de la sorte ! Je veux des excuses sur-le-champ !

— Enlève ta main de mon épaule, ai-je rétorqué d'un ton assez calme, tu es à deux doigts de me broyer un os.

Il m'a lâchée et nous sommes restés là à nous défier du regard. J'en arrivais à me demander s'il voyait autre chose en moi qu'une liste d'adjectifs résumant toute la déception que je lui inspirais.

— J'attends toujours tes excuses, Isabel.

Un type est passé juste à côté de nous. Sans avoir vu son visage, j'ai trouvé quelque chose de familier dans son maintien et sa coiffure façon permanente ratée. C'était ce garçon, Smith ou quelque chose comme ça, que j'avais rencontré à la fête.

— Je n'ai pas le temps, ai-je répliqué en m'en allant.

Je savais qu'il n'essaierait pas de me rattraper : ça lui aurait demandé trop d'efforts.

Smith marchait vite, d'un pas un peu gauche et bondissant (on aurait dit qu'il était propulsé par les semelles de ses baskets), et ça m'amusait de le voir aussi libre, à des lieues de se douter que je l'épiais. Comme quand je suis dans le bus et qu'en scrutant l'intérieur d'une maison je vois des gens vautrés sur le canapé en train de regarder la télévision : j'ai l'impression d'emporter un petit bout de leur vie avec moi.

Il est entré dans un magasin de fringues, a passé en revue des piles de vieux vinyles d'occasion et des livres de poche poussiéreux. J'ai flâné parmi les portants chargés de robes en polyester qui sentaient le moisi : j'essayais de me fondre dans le paysage, mais je devais avoir l'air vraiment suspect, d'après les regards soupçonneux que me lançait la momie aux cheveux bleutés qui tenait la caisse.

Jusqu'alors, je n'avais pas pu l'observer en détail. Le soir où je l'avais rencontré, il faisait sombre et j'avais beaucoup bu ; aujourd'hui, la lumière du jour adoucissait ses traits anguleux et sa mâchoire un peu carrée, lui donnant l'air plus sage. Par contre, elle n'arrangeait pas son nez. Quelqu'un de gentil le qualifierait d'aquilin ; quelqu'un de moins sympa dirait en « bec d'oiseau ». J'ai pu contempler les lèvres que j'avais embrassées, aussi pleines et charnues que dans mon souvenir. Sa coiffure était ridicule, manifestement il ne connaissait pas le brushing. Mais ce qui me plaisait chez lui (et ce type me plaisait malgré son prénom stupide et sa tendance à embrasser des filles parce qu'il les prenait pour quelqu'un d'autre), c'était sa sérénité. Il dégageait une grande impression de calme, même si ses longues mains délicates fouillaient fébrilement parmi les piles de disques ou de livres. Soudain, je ne voyais plus que lui.

Il m'a frôlée en se dirigeant vers la sortie et j'ai dû me plaquer contre un portant plein de manteaux. J'ai attendu qu'il referme la porte derrière lui, puis je suis sortie à mon tour, le plus discrètement possible, et j'ai eu le temps de le voir disparaître dans le café-tabac voisin.

J'ai fait mine de lire les annonces proposant des massages suédois exotiques tout en l'épiant à travers la vitre, et je l'ai vu acheter un paquet de cigarettes et des chewing-gums. Comme il traversait le café, j'ai pris conscience que j'étais à découvert. Je me suis précipitée vers le commerce le plus proche, une quincaillerie, et j'ai feint d'admirer les tournevis en vitrine – waouh ! une scie électrique ! – en m'imaginant les dégâts que je pourrais faire avec l'un de ces joujoux.

D'abord j'ai cru que c'était le vent mais non, quelqu'un venait de me taper sur l'épaule. Et avant de me retourner, je savais déjà que c'était lui.

J'avais oublié à quel point ses yeux étaient bleus. J'étais à deux doigts de composer des sonnets dans ma tête, célébrant des immensités marines et des cieux limpides : je devais vraiment manquer de sommeil. Il m'observait en fronçant les sourcils.

Je me sentais aussi mal que s'il m'avait surprise en train de voler à l'étalage. J'avais les joues cramoisies et il me fixait d'un œil froid.

— Tu me suivais ?

Je n'avais pas grand-chose à dire pour ma défense et, d'ailleurs, je ne maîtrisais pas encore tout à fait l'art de riposter du tac au tac. Alors je me suis contentée de hausser les épaules, les yeux rivés sur mes ballerines usées jusqu'à la corde.

— Eh bien... ?

Pour toute réponse, j'ai commencé à jouer avec une mèche de cheveux, et il s'est mis à taper du pied, l'air impatient.

— Va te trouver quelqu'un d'autre à harceler.

J'ai fini par lever les yeux et je suis restée scotchée. Je me sentais sur le point de dire quelque chose d'irréparable, même si mon cerveau essayait de mettre le holà.

— Pas mon truc, ai-je fini par marmonner.

Et ce devait être vrai parce que j'étais comme clouée sur place.

Un mince sourire s'est dessiné sur ses lèvres.

— Tu ne sais parler qu'en monosyllabes ?

— Ouais.

Si je ne parvenais pas à me calmer, il valait mieux que je m'en tienne à des monosyllabes, justement. Vive le minimalisme ! Il allait peut-être me trouver mystérieuse, énigmatique – et ç'aurait été sans doute le cas si mon estomac ne s'était pas mis à gargouiller bêtement pour me rappeler que je n'avais rien mangé depuis l'omelette au fromage moisi que je m'étais préparée la veille.

À nouveau, j'ai piqué un fard énorme. Smith, lui, s'est contenté de rire.

— On dirait que ton ventre, lui, a beaucoup de choses à dire, en revanche, a-t-il déclaré avec un grand sourire.

Le genre de sourire qui aurait fait tomber n'importe quelle fille à la renverse. Mais je n'étais pas ce genre de fille.

— Mon ventre n'a jamais su la fermer, ai-je riposté tandis que mon estomac laissait échapper un autre grognement.

Un silence, puis :

— Peut-être que ton ventre accepterait une invitation à déjeuner. Tu peux venir si tu veux.

C'était une drôle d'expérience que de marcher dans la rue à ses côtés. Aux yeux des passants, on devait forcément être ensemble. En fait, je me creusais la cervelle pour trouver une remarque amusante mais rien ne venait. Smith ne semblait pas s'en formaliser et, en traversant la rue, il m'a retenue par le coude comme s'il craignait que je me jette dans le flot des voitures.

Ces deux dernières années, j'ai pas mal dégusté avec les garçons. J'ai peur de ne pas être normale, tout ça parce que je ne ressens rien quand un type me touche les seins ou m'embrasse goulûment. Et pourtant, il a suffi que Smith pose la main sur mon coude pour que j'en aie des frissons dans tout le corps.

Une fois de l'autre côté de la rue, je me suis dégagée d'un geste brusque. Il n'a rien dit, par contre il a gardé ses distances pendant le reste du trajet – peut-être avait-il peur que je l'accuse de harcèlement sexuel ? Je savais, avec certitude, qu'il regrettait de m'avoir invitée à déjeuner. Je pouvais presque lire dans ses pensées.

Mais quand on est entrés dans le café, la tension est retombée. L'odeur du bacon et du café fraîchement moulu a réveillé ma faim tandis qu'on s'installait à la table du coin. Lorsque la serveuse a eu pris la commande, on s'est retrouvés en tête à tête avec le sel et le poivre.

— Alors, comment tu t'appelles, déjà ? a demandé Smith en ôtant la cellophane de son paquet de cigarettes.

— Isabel, ai-je répondu avec réticence. Je déteste mon prénom. Enfin, comme tout le monde, j'imagine.

Après avoir fouillé dans la poche de sa veste, Smith en a sorti une boîte d'allumettes.

— À ton avis, pourquoi je me fais appeler par mon nom de famille ? Moi, je trouve ça joli, Isabel.

— Alors c'est quoi, ton prénom ?

Il a secoué la tête et m'a souri, montrant une rangée de dents blanches et de jolies fossettes.

— Ça, je n'ai aucune intention de te le dire.

— Pourquoi ? C'est un secret d'État ? ai-je demandé, intriguée, tandis que la serveuse apportait les cafés.

Smith a hoché la tête d'un air solennel mais une lueur espiègle dansait dans ses yeux.

— Je pourrais te le dire...

— ... mais il faudrait que tu me tues ensuite, c'est ça ?

Avec précaution, j'ai bu une petite gorgée de mon café.

— Tu es sûre que ça va suffire, cinq morceaux de sucre ?

Il devait me prendre pour une désaxée.

— J'ai besoin de glucose pour me réveiller.

Smith a souri à nouveau avant de jeter un coup d'œil appuyé à sa montre.

— Il est midi.

— Justement.

Un autre silence s'est installé. J'ai recommencé à siroter mon café en faisant mine de ne pas remarquer qu'il m'observait avec insistance. Aucun fond de teint au monde n'aurait pu cacher les énormes cernes sous mes yeux et j'avais à peine eu le temps de rassembler mes cheveux en une queue-de-cheval négligée. Je portais le tee-shirt de scout de Félix, ma veste d'uniforme du lycée et un jean : c'étaient les seuls vêtements propres que j'avais pu trouver. Si j'avais été une *fashion victim*, j'aurais pu prétendre que je m'habillais androgyne chic mais pour une ado de seize ans un peu godiche, c'était peu crédible.

Smith s'est penché vers moi et m'a dit gentiment :

— Tu ne m'as pas expliqué pourquoi tu détestais ton prénom. Il doit y avoir une histoire là-dessous.

— Isabel Archer, c'est le personnage d'un roman de Henry James, ai-je répondu bien qu'il n'ait sans doute jamais entendu parler de cet auteur.

Je n'avais toujours pas la preuve qu'il cachait un gros cerveau derrière sa frimousse pas si jolie que ça.

— *Portrait de femme* ?

— Euh... oui, ai-je bredouillé en piquant une de ses cigarettes. Tu l'as lu ou tu as seulement vu le film ? (Je n'ai pas attendu sa réponse.) Mon père est professeur de littérature américaine et il était à fond sur Henry James quand je suis née. On ne fait pas plus déprimant comme bouquin : Isabel se fait complètement bouffer par le type qu'elle a dû épouser et, soyons francs, qui irait baptiser sa fille d'après une dépressive qui déteste sa vie ?

J'ai conclu avec un soupir d'exaspération qui a fait voler les serviettes en papier sur la table, puis j'ai fermé les yeux. Pourquoi n'étais-je pas capable d'adopter un comportement normal avec un garçon modérément mignon ? J'étais censée lui poser des questions, glousser à chacune de ses blagues et, de manière générale, me montrer charmante, spirituelle, comme quatre-vingt-dix-neuf pour cent de la population féminine. Au lieu de quoi, j'étais... disons... vraiment trop égale à moi-même.

— Désolée, ai-je marmonné.

Il m'a regardée, l'air méditatif, et s'est rapproché.

— Est-ce que tu peux garder un secret ?

— Quel genre de secret ? ai-je voulu savoir, méfiante.

— Le genre secret. Tu sais ce qu'est un secret, non ?

— Oui ! ai-je aboyé. Allez, dis-moi... s'il te plaît. Tu vois, je demande gentiment.

Il a laissé le suspense s'installer pendant une dizaine de secondes, se contentant de me lancer un regard fixe, histoire que je perde tous mes moyens, puis il a paru se radoucir.

— J'ai été baptisé d'après le personnage d'un livre, moi aussi, a-t-il dit à voix basse en jetant un coup d'œil furtif alentour – un poil exagéré, tout de même.

— Ah bon ? Qui ?

— Tu as lu *Ne tirez pas sur l'oiseau moqueur*[1] ?

Je l'ai dévisagé avec incrédulité.

— Sans blague ! Tes parents t'ont appelé Boo ? C'est pourri !

Il a eu un petit rire de gorge.

— Tu viens de ruiner la chute de mon histoire.

---

1. Classique de la littérature américaine considéré comme un plaidoyer en faveur des droits civiques des Afro-Américains, écrit par Harper Lee (1960). *(N.d.T.)*

J'ai levé les yeux au ciel.

— Bon, tu t'appelles comment, alors ? Laisse-moi réfléchir. Jem ? Scout ? Ça ne peut pas être Calpurnia, tout de même...

Il restait de marbre tandis que j'énumérais des prénoms.

— Atticus ? Tu as une tête à t'appeler Atticus, maintenant que j'y pense. (Il a froncé imperceptiblement le nez, ce qui est très risqué quand on a un aussi grand nez.) Atticus ! Je n'y crois pas !

— Parle moins fort, a-t-il chuchoté en me donnant une tape sur le bras. Je n'ai pas envie de lire la nouvelle en première page des journaux.

J'ai écrasé mon mégot dans le cendrier.

— C'est un nom qui se mérite.

— Mes parents militaient contre l'apartheid et la bombe atomique, et ils ont dû s'imaginer que je ferais de la politique et que je changerais le monde.

— Allez, viens nous aider à combattre le racisme, mon petit Atticus, ai-je lancé en m'étranglant de rire. Dis-moi, tu avais un logo *Peace & Love* sur ton Babygro ?

Une fois partie, on ne m'arrêtait plus, mais Smith n'avait pas l'air de se vexer. Ou alors il espérait secrètement que son calvaire allait bientôt prendre fin et que je retournerais dans mon asile de fous.

— Tu es vraiment jolie quand tu souris, a-t-il dit en penchant la tête. Tu devrais sourire plus souvent.

Ce n'était pas le genre de réplique destinée à me mettre dans tous mes états, pourtant j'ai dû me mordre la langue pour ne pas protester. J'ai cherché des yeux la serveuse : franchement, ça ne prenait quand même pas des heures, de faire fondre du fromage sur une assiette de patates !

Et, pour une fois, les forces supérieures étaient de mon côté : deux assiettes fumantes ont fait leur apparition sur le passe-plat. J'ai donc pu me tourner vers Smith, qui pianotait sur la table, et grommeler :

— Je crois que notre commande arrive.

Au prix d'un terrible effort de volonté, j'ai réussi à ne pas me jeter sur mon assiette. J'ai mangé à petites bouchées délicates et féminines, en prenant garde à ne pas pousser des grognements de satisfaction.

Chaque fois que je levais les yeux, nos regards se rencontraient, il ouvrait la bouche comme s'il s'apprêtait à dire quelque chose, je lui répondais par un vague sourire et me remettais à manger.

Enfin, en dehors de quelques fragments de patate et de fromage fondu, il ne resta bientôt plus rien dans mon assiette. Il s'était montré supersympa avec moi, m'avait invitée à déjeuner, et je commençais à chercher un moyen de m'éclipser poliment.

— Tu écoutes quel genre de musique ? a-t-il demandé tout à coup.

— Un tas de choses. Les Shins, les Babyshambles

même si je trouve Pete Doherty vraiment pitoyable, tous les albums de Belle & Sebastian. Et un peu de Destiny's Child pour me détendre.

J'ai sorti mon iPod de ma poche pour lui montrer mes goûts éclectiques.

— Cool... Cool... Je n'arrive pas à croire que tu écoutes ça, a-t-il ricané en consultant ma *playlist* d'Oasis. Camera Obscura ? Je suis impressionné. On échange ?

— On échange quoi ? ai-je demandé mais il avait déjà sorti son propre iPod sur la table.

— Je te prête le mien pendant une semaine. Toi, tu prends le mien. On fait ça tout le temps, avec mes amis.

— Tu es sûr que ce n'est pas un plan tordu pour me refiler ton iPod cassé ? ai-je demandé d'un ton las.

Il m'a gratifiée d'un autre de ses fameux sourires.

— Dis donc, tu es sacrément méfiante. Regarde, je conserve même mes écouteurs, ils sont un peu crades.

— Comment peux-tu être sûr que je vais aimer ce que toi, tu écoutes ?

— Et comment peux-tu être sûre du contraire ?

J'ai fini par accepter son iPod en faisant la moue : son idée me paraissait tout de même un peu suspecte.

— Et si je le casse ? Si je le fais tomber en courant après le bus ? Si jamais... ?

— Arrête avec tes « si » et donne-moi ton numéro

de téléphone, qu'on convienne d'un rendez-vous la semaine prochaine pour refaire l'échange, a-t-il poursuivi d'un air imperturbable.

— Je vais devoir te donner mon numéro de ligne fixe, je n'ai plus un sou pour recharger mon portable. J'ai vraiment besoin de trouver un petit boulot.

— Je croyais que tu étais étudiante. Quel âge as-tu ?

Je n'ai même pas cillé.

— Dix-huit ans, et toi ?

— Je viens d'en avoir vingt.

Tandis qu'il enregistrait mon numéro, j'ai soupesé son iPod dans ma main. J'avais l'impression qu'il renfermait un message obscur. Toutes ces chansons – celles qu'il écoutait quand il était triste, d'autres qui lui rappelaient telle ou telle fille – qu'il devait se repasser inlassablement, c'était la bande-son de son cœur, en quelque sorte. Et puis, il y avait les morceaux rapides et violents pour lesquels il devait monter le volume dans la rue. Toutes ces musiques permettaient de sonder son âme.

J'étais en train de lui expliquer qu'il ne devait pas m'appeler pendant la journée sous peine de mort (enfin, c'était surtout moi qui risquais ma vie si mon père décrochait le téléphone), il me regardait d'un air un peu étonné quand quelqu'un a frappé à la vitre du café. J'ai sursauté si fort que j'ai manqué tomber de ma chaise.

Smith a levé les yeux, a fait un signe, et soudain une ribambelle de gens ont débarqué dans le café et l'ont salué à grand renfort de poignées de main.

— Smithy ! Où tu étais passé hier soir ?

— On parlait justement de toi.

— Tu as l'argent que tu me dois ?

Tout un tas de garçons et de filles qui se comportaient comme s'il n'y avait pas plus cool qu'eux sur terre. Et au milieu, Smith, adossé à sa chaise, qui, visiblement, était très apprécié. Lui, populaire ?

Je ne crois même pas qu'il m'ait vue, très calme, rassembler mes affaires – embarquer ses cigarettes –, me lever et le laisser à sa foule d'adorateurs.

Avant de sortir, j'ai entendu une fille minuscule, avec la frange la plus parfaite que j'aie jamais vue, lui demander d'une voix stridente :

— C'était qui ?

Je me suis arrêtée, la main sur la poignée de la porte, le temps d'entendre Smith répondre d'un ton vague :

— Oh, juste une fille.

5

Une semaine plus tard, je n'avais toujours pas décoléré.

Il aurait pu répondre : « une fille que j'ai rencontrée à une fête il y a quelques jours », ou : « une fille à qui je fais assez confiance pour lui révéler mon vrai prénom, aussi horrible soit-il », ou encore « une fille exaltée, hors du commun, que j'ai convaincue d'échanger nos iPod pour avoir une occasion de la revoir ». Non, j'étais « juste une fille », une fille qui s'était retrouvée assise en face de lui par pur hasard, de façon inexplicable !

J'étais tentée de balancer dans les toilettes son fichu iPod et ses musiques débiles et pleurnichardes. Or, j'avais envie de les écouter, ces chansons, et l'idée de passer en correctionnelle pour destruction volontaire du bien d'autrui ne m'amusait pas du tout. Même si l'autrui en question l'aurait bien mérité.

Seule bonne nouvelle, en rentrant du café, j'avais constaté que les courses au supermarché, contre toute attente, s'avéraient un succès : la cuisine regorgeait de victuailles. Y compris une véritable cargaison de cochonneries. Conformément à mes prédictions infaillibles, après m'avoir reniée, mon père avait laissé Félix remplir le caddie de tout ce qu'il voulait.

Autre bonne nouvelle, mon père avait décidé de ne plus m'adresser la parole. Ce qui me convenait tout à fait. Ça donnait du : « Félix, peux-tu dire à ta sœur que ses baskets usées ne sont pas un élément de décoration et qu'elle doit les enlever de l'entrée immédiatement ? » et du : « S'il te plaît, Félix, dis à ta sœur de ne pas utiliser mon saint-émilion 2002 pour son entrecôte bordelaise. »

J'aurais pu renchérir. Mais je n'avais rien à lui dire, de toute façon. De plus, cela signifiait que j'avais carte blanche pour piquer des sous dans son portefeuille. Qu'aurait-il pu y faire ? « Félix, peux-tu demander à ta sœur si elle m'a volé de l'argent ? »

Une semaine entière s'était écoulée sans même qu'on échange des civilités à propos du temps et, ce vendredi soir, je finissais de préparer un chili con carne à tomber par terre, satisfaite du travail accompli, quand le téléphone a sonné.

Félix s'était déjà rué vers l'appareil ; je l'ai rattrapé par la ceinture et il a poussé un hurlement inhumain.

— Lâche-moi !

— Alors écarte-toi du téléphone, ai-je répondu d'un ton menaçant.

Non que j'aie attendu un appel en particulier. Excepté peut-être celui de quelqu'un qui avait dû donner mon iPod à l'un de ses amis débiles.

J'ai décroché le téléphone d'une main pendant que, de l'autre, je m'efforçais de tenir Félix à distance.

— Allô ?

C'était sans doute l'un des étudiants de mon père voulant négocier d'une voix tremblante un délai supplémentaire pour son devoir et...

— Isabel ? C'est Smith. On est censés se revoir, non ?

— Oh, salut. Euh... oui.

« Que Dieu me foudroie dans la seconde. »

Il a ri doucement.

— Tu recommences avec tes monosyllabes.

J'ai lancé un regard noir à Félix qui, adossé au frigo, répétait : « Qui c'est ? », comme si ce coup de fil était l'événement de l'année.

— Ne quitte pas, ai-je marmonné avant de couvrir le combiné de ma main. C'est pour moi ! Va-t'en !

— Mais, Isa...

— Dégage !

Félix m'a fait un vilain geste en sortant de la pièce.

— Tu es toujours là ?

— Oui.

Manifestement, il attendait que j'en vienne au fait.

— Comment va mon iPod ? Il est toujours entier ?

Un silence pesant s'est installé, et j'ai senti monter ma tension artérielle.

— Oui, à ce sujet... est-ce que d'habitude il fait ce truc bizarre quand tu essaies de le mettre sur pause pour...

— Quel truc bizarre ?

J'ignorais que ma voix pouvait si facilement grimper dans les aigus.

— Isabel. Isabel. Je plaisante, a-t-il susurré. C'était une blague.

— Je sais.

Quoi ? Il s'imaginait que je n'avais pas le sens de l'humour ? J'ai ri intérieurement. Un peu.

— Bref, ça te va si on se voit ce soir ?

J'ai hasardé un soupir, censé lui faire comprendre que j'étais une fille débordée, avec un agenda surchargé, qui ne pouvait pas se libérer dans la minute.

— Eh bien, j'avais prévu d'aller à La Cave avec mes amies, ai-je expliqué d'un ton vague. Et puis j'ai un dîner avant.

D'abord, il n'a rien répondu – je percevais des bruits étouffés de conciliabules –, puis il a lancé d'un ton distrait :

— Cool. Mes amis y vont aussi. Huit heures, ça te va ?

Ça ne m'allait pas du tout : je ne voulais pas qu'il se retrouve en présence du Trio Infernal ; mais mon chili était en train de brûler.

— Faut que j'y aille, ai-je glapi en reportant

mon attention sur la cuisinière. Rendez-vous à huit heures.

Puis j'ai raccroché avant de me ruer vers mes casseroles.

Le riz mijotait à feu doux. Je passais mentalement en revue le contenu de mon placard en préparant la salade quand mon père et Félix sont arrivés, bien que l'un d'eux n'ait pas été officiellement invité à dîner.

Mon père a jeté un regard suspicieux au plat de chili qui trônait sur la table, sans pourtant se risquer à un commentaire. J'ai sorti une autre assiette du placard et l'ai posée devant lui.

Nous avons dû écouter le compte rendu interminable de Félix au sujet d'une maquette qu'il était censé fabriquer pour le cours de géographie. Mon père hochait la tête en souriant, allant jusqu'à proposer son aide et ses atlas : à croire qu'il participait au concours du meilleur père de l'année.

Puis il a levé les yeux vers moi et a ajouté avec le plus grand calme :

— Félix, peux-tu dire à ta sœur qu'elle arrête de jouer avec sa nourriture et essaye de manger un peu ?

On était repartis pour un tour. Félix n'a eu qu'une nanoseconde d'hésitation.

— Isabel, arrête de jouer avec ta nourriture et essaie de manger un peu, a-t-il répété d'un air ravi, et j'ai profité d'un moment d'inattention de mon père pour lui donner un coup de cuillère sur la main.

La loyauté fraternelle et ce petit crétin, ça faisait deux.

À la seconde où Félix a fini son assiette, je me suis levée.

— C'est ton tour de débarrasser la table. Il y a des framboises pour le dessert.

Ils se trouvaient encore dans la cuisine quand je suis descendue vingt minutes plus tard. Après d'interminables tergiversations, j'avais opté pour une petite robe d'été rose avec un décolleté plongeant et un ourlet festonné, complétée d'un jean et d'une paire de grosses boots pour contrebalancer l'effet aguicheur. L'ensemble n'était pas vraiment le comble de la sophistication, mais j'avais épinglé sur ma robe une broche en papier fabriquée en cours d'arts plastiques, et j'avais soigné mon maquillage.

Il y a des astuces pour paraître plus vieille, et s'en mettre des couches sur la figure n'en fait pas partie, à moins de vouloir ressembler à une prostituée. Les femmes plus âgées ont dépassé le stade de la nouveauté avec le maquillage, et elles préfèrent s'en tenir au détail. Après avoir appliqué assez d'anticernes pour gommer mon air de fille battue, j'avais mis un soupçon de fard à paupières vert irisé – style : « je me contente du minimum » – et un peu de rouge à lèvres déniché lors de ma dernière razzia dans les boutiques. En revanche, j'avais renoncé à discipliner mes cheveux, préférant me visser la casquette de Félix sur le crâne.

J'ai réussi à atteindre la porte d'entrée sans attirer l'attention. J'en étais même à enfiler ma veste, mais j'ai dû rebrousser chemin pour récupérer le fameux iPod laissé sur la table de la cuisine. Félix et mon père étaient absorbés dans leur conversation, et peut-être qu'en me faufilant sur la pointe des pieds...

— Où vas-tu ?

J'ai glissé l'appareil dans ma poche.

— Oh, maintenant tu me parles ?

Félix a levé les yeux au ciel avant de me faire signe de la boucler, mais il pouvait aller se faire voir, celui-là.

Mon père m'a gratifiée d'un sourire sans joie.

— Isabel, je t'ai posé une question et j'aimerais que tu y répondes.

— Je sors, ai-je aboyé en me ruant vers la porte. Et je ramène les autres. Elles dormiront ici, alors ne déboule pas dans ma chambre sans frapper demain matin. OK ?

— Reviens ici immédiatement !

Il commençait à élever la voix, et je savais qu'il allait bientôt endosser son rôle de juge et de bour-reau.

J'ai fait volte-face.

— Non ! N'y pense même pas ! me suis-je écriée alors qu'il esquissait un pas vers moi. Je sors et tu ne pourras pas m'en empêcher. Si tu touches à un seul de mes cheveux...

Sans crier gare, il a appuyé son front contre la rambarde de l'escalier. Il s'agrippait à la rampe comme un naufragé à un radeau, et son geste m'a suffoquée. Il semblait... vaincu, ce qui signifiait, j'imagine, que j'avais gagné.

Pourtant, en claquant la porte si fort derrière moi que le panneau de verre a vibré, bizarrement, je n'avais pas l'impression d'avoir remporté une victoire.

6

J'ai dû courir pendant tout le trajet jusqu'à La Cave. Il a commencé à pleuvoir tandis que je descendais Trafalgar Street, mais je n'ai ralenti l'allure qu'en atteignant Gloucester Place pour ne pas arriver hors d'haleine.

J'ai aperçu Smith qui m'attendait devant les marches menant au club. Il se tenait voûté sous la pluie qui se muait en averse. J'ai accéléré le pas en le voyant consulter sa montre. Je me suis creusé la tête pour trouver une excuse justifiant mon retard sans avoir à invoquer ma trois cent dix-septième dispute avec mon référent parental.

En me voyant traverser la rue, il a agité la main et a souri comme s'il était content de me voir. Ou de récupérer son iPod. Ou soulagé à l'idée de se retrouver bientôt au chaud et au sec. Ou pour une autre raison encore.

— Salut. J'étais sur le point de renoncer.

— J'avais un truc de prévu, ai-je répondu, un tantinet crispée. Je suis certaine de t'avoir dit que j'avais un truc de prévu.

— Je croyais que c'était ça, ton truc de prévu, a-t-il protesté.

Il s'est penché vers moi comme pour m'embrasser sur la joue et, sous l'effet de la surprise, j'ai reculé. Surtout qu'il me semblait plus grand, plus svelte, plus séduisant (enfin, pour peu qu'on s'habitue à son nez, ce qui n'était pas mon cas !) que dans mon souvenir, et puis il sentait bon. Il me fallut quelques secondes pour prendre mes marques.

— J'avais un dîner, aussi.

À croire que je n'étais pas capable d'aligner plus de trois mots.

— Tu recommences avec tes petites phrases, m'a-t-il dit d'un ton taquin.

— Oui, ça m'arrive souvent.

J'ai fermé les yeux, au comble du désespoir, et quand je les ai rouverts il me faisait signe de le suivre.

— Tu viens ? a-t-il crié par-dessus le déluge. J'ai une entrée en rab.

J'ai scruté les ténèbres du club pour m'assurer que mon videur préféré n'était pas dans les parages, prêt à ridiculiser mes efforts pour jouer les filles de dix-huit ans. Apparemment, il ne travaillait pas ce soir.

— Je suis censée retrouver mes copines, mais bon... c'est d'accord.

Le Trio Infernal pouvait bien se débrouiller sans moi, ai-je pensé en suivant Smith dans l'escalier. Devant la porte se tenait une fille insignifiante avec une liste de noms à la main, qui ne me donnerait probablement pas beaucoup de fil à retordre.

— Je suis sur la liste de Duckie. Smith. Non, juste Smith. Et mon entrée est valable pour deux.

Je suis restée là, les mains dans les poches, m'efforçant de prendre l'air détaché comme si c'était mon droit le plus strict – non, mon privilège – d'entrer avec ce garçon désespérément branché, avec son haut de survêtement vintage, qui figurait sur la guest-list du groupe le plus en vue de la scène locale. Je ne trouvais pas ma prestation des plus convaincantes et, du coin de l'œil, j'ai vu le videur foncer droit sur moi.

Je me suis empressée de lui tourner le dos. Hélas, il semblait rompu aux manigances des filles comme moi.

— Quel âge ? m'a-t-il demandé de loin.

— Dix-huit ! me suis-je exclamée d'un ton offusqué par une question si déplacée.

J'avais mis de l'ombre à paupières comme les vieilles, non mais !

— C'est quoi, ta date de naissance ? m'a-t-il lancé à la figure.

Il comptait peut-être m'impressionner.

Je n'ai pas cherché midi à quatorze heures, je me suis contentée d'ajouter deux ans.

— Le 8 août 1987. Et mon signe astrologique, c'est Lion, ai-je ajouté avec obligeance.

« C'est ça, bonne idée de contrarier un gros type déjà très en colère. »

Il ne me croyait pas, je le voyais bien. Il m'examinait avec insistance comme si ma date de naissance était tatouée sur ma peau.

— Tu mens. Moi, je te donne quinze ans, grand maximum.

Je n'ai pas eu à simuler l'indignation.

— Je n'ai pas quinze ans !

— Carte d'identité, a-t-il ordonné, impassible, en tendant la main.

— Pourquoi est-ce que vous vous en prenez toujours à moi ?

— Carte d'identité, a-t-il répété.

J'étais déjà en train de fouiller mes poches de façon parfaitement inutile, quand j'ai senti le bras de Smith sur mon épaule.

— Elle est avec moi. Il y a un problème, Franck ?

Car, bien entendu, il connaissait le videur. Et vas-y que je te tape dans la main alors qu'un simple « bonsoir » aurait suffi !

— Pas de problème, mon pote. Seulement, ta copine, elle a moins de dix-huit ans, donc elle n'entre pas.

— Je ne suis pas sa copine ! ai-je répliqué d'un ton cinglant, qui m'a valu un autre regard médusé de Smith. On est juste... euh, aucune importance. Et j'ai dix-huit ans.

Smith a resserré son étreinte autour de mes épaules et j'ai grimacé un sourire de vieux briscard.

— Elle a vraiment dix-huit ans, je t'assure. Tu peux me croire.

Il y a eu un silence lourd d'attente, puis le videur s'est esclaffé :

— C'est ce qu'elle t'a dit ? Ouais, mon œil. Écoute, elle peut entrer mais si je la vois boire de l'alcool, je vous vire tous les deux.

Smith s'est répandu en remerciements, comme si le type venait de nous accorder une immense faveur, mais moi, j'ai tourné les talons.

— C'est toujours le même sketch, me suis-je lamentée. C'est vraiment gênant.

— Oui, j'imagine, a-t-il dit puis, après un silence, il a demandé : Tu as dix-huit ans, n'est-ce pas ?

— Oh, ne commence pas. On passe à autre chose, s'il te plaît.

— OK, on laisse tomber.

On s'est frayé un chemin à travers la foule en jouant des coudes. À se demander pourquoi ils étaient si sélectifs à l'entrée : l'endroit était un bouge au plafond bas avec des murs poisseux et noirâtres qui créaient une atmosphère confinée. Une odeur de renfermé imprégnait l'air moite et enfumé. Je me sentais à la fois nerveuse et excitée, j'éprouvais une sensation bizarre en bas de la colonne vertébrale, qui

74

se propageait doucement à l'ensemble de mon corps, et quand Smith m'a pris la main pour m'entraîner vers un groupe de gens assis sur la banquette du fond, mes doigts se sont mis à trembler.

J'ai compris que j'allais devoir parler à des inconnus : soit le genre de compagnie que je détestais par-dessus tout.

— Tu ne veux pas aller plutôt au bar ?

— Quoi ? Non, viens, je vais te présenter tout le monde ! s'est-il exclamé avec enthousiasme.

On aurait dit un gros chien hirsute et affectueux impatient de montrer à son maître l'oiseau mort qu'il tenait dans sa gueule. En m'approchant du groupe en question, j'ai pu constater que j'avais affaire à une secte de musicos intégristes qui semblaient tout droit sortis d'une publicité pour les téléphones portables, le genre à traîner élégamment leurs guêtres dans des clubs miteux.

— Je vous présente Isabel, a lancé Smith en guise de salut.

J'ai agité la main avec mollesse tandis qu'il énumérait des noms que j'oubliais aussitôt. Après avoir été gratifiée de plusieurs hochements de tête, j'ai pensé que le plus dur était passé, mais Smith m'a poussée sur les quelques centimètres de siège encore disponibles.

— Tu veux boire quelque chose ?

— Je viens avec toi, ai-je suggéré en faisant mine

de me lever mais, d'un geste ferme, il m'a contrainte à me rasseoir sur le skaï poisseux.

— Non, reste ici et fais connaissance. Qu'est-ce que tu veux ?

Impossible de surmonter cette épreuve en restant sobre.

— Une vodka avec du Coca Light. Double, la vodka, ai-je précisé d'un air décidé – à croire que j'avais bu assez d'alcool dans ma courte vie pour avoir des exigences particulières.

À sa décharge, Smith n'a pas jugé bon de me rappeler qu'on risquait tous les deux de gros ennuis si la moindre goutte d'alcool franchissait mes lèvres. Il s'est contenté de fouiller les poches de son jean avant de me jeter un paquet de cigarettes.

— Au fait, merci d'avoir embarqué mes clopes, la dernière fois.

— De rien, ai-je répondu malicieusement avant de le congédier d'un geste : plus vite il me rapportait un verre, plus vite je pourrais faire fi de mon handicap social et briller en société.

Enfin, c'était l'idée de départ, du moins.

À mon avis, le principal intérêt de la cigarette, hormis celui d'écourter de quelques bonnes années une existence mortellement ennuyeuse, c'est qu'elle permet de s'occuper les mains lorsqu'on se retrouve seule avec huit amis intimes d'un type qu'on connaît à peine.

Je me suis tortillée sur la banquette pour tourner le dos à la fille assise à côté de moi et me suis concentrée sur l'activité qui consiste à sortir une cigarette du paquet puis à la tasser contre sa paume avant de l'allumer. Activité qui m'a bien pris dix secondes. Ensuite, j'ai tiré sur ma cigarette en priant pour que mes cheveux n'aient pas l'air d'avoir subi une coupe au sécateur. Il commençait à faire très chaud sous ma casquette.

— Tu connais Smith depuis longtemps ? a soudain demandé la fille assise en face de moi, et je me suis aperçue que huit paires d'yeux m'étudiaient avec une indifférence feinte.

— Non, ai-je marmonné.

Je suis vraiment douée pour mettre un terme à une conversation. Il était impossible de rebondir sur une réponse aussi laconique, alors j'ai grimacé un sourire, mon interlocutrice m'a gratifiée d'un regard vide, et j'ai tenté de communiquer par télépathie avec Smith pour qu'il rapplique au plus vite avec les verres. Mes trucs de Jedi n'ont servi à rien : il a mis des plombes à revenir ; quand, enfin, il est arrivé, ma jambe tremblait contre le bord de la table et j'en étais à la moitié de ma deuxième cigarette.

Je ne m'étais jamais sentie aussi soulagée de voir quelqu'un. Il s'est assis face à moi et m'a tendu ma vodka.

— Et voilà.

Je l'ai remercié et j'ai pris une grande gorgée de mon verre en grimaçant un peu.

Smith s'est tourné vers la fille assise à côté de moi.

— Le père d'Isabel enseigne la littérature américaine à l'université, a-t-il expliqué d'un ton flatteur. C'est quoi, son nom ?

— Le professeur Clarke, ai-je répondu et la fille a eu un frémissement convulsif qui a fait miroiter ses cheveux rouges dans la lumière du club.

— Je l'ai en littérature contemporaine, a-t-elle déclaré en me jetant un regard accusateur, comme si c'était ma faute. Il est... assez sarcastique...

— C'est une peau de vache, tu veux dire ? ai-je ajouté d'un ton doucereux.

Elle m'a fait un sourire hésitant, l'air de se demander si je plaisantais ou non.

— Tu as de la chance d'avoir choisi anthropologie culturelle, a-t-elle dit à Smith dont le genou n'arrêtait pas de heurter le mien sous la table, jusqu'à ce que je m'écarte de lui pour qu'il ne sente pas ma jambe trembler.

— Oh, j'avais oublié que tu étais étudiant, ai-je lancé avec plus d'agressivité que je ne l'aurais voulu.

— Hé ! On jurerait que tu viens de m'accuser d'être un satyre ou d'aimer les Spice Girls ! Oui, je suis étudiant. Ça te pose un problème ?

Je haïssais ces étudiants qui assiégeaient notre répondeur avec leurs problèmes de dissertation. Ou qui venaient dîner une fois par mois à la maison et tenaient des discours pompeux dans l'espoir d'impressionner mon père.

J'ai senti mon visage se décomposer d'horreur, mais je me suis ressaisie et j'ai bu une grande rasade de mon verre.

— Je reviendrai plus tard sur le sujet, d'accord ?

Smith a ri et il s'est penché pour ajuster ma casquette. J'ai dû me faire violence pour ne pas reculer, car mon front commençait à transpirer, et il m'a caressé la joue.

— Tu es une sacrée enquiquineuse, tu sais, a-t-il dit, l'air désarçonné.

C'est bête, mais un geste anodin, le simple contact de la peau contre la peau peut vous mettre dans tous vos états. Ses doigts qui caressaient mon visage me donnaient envie de me réfugier contre son épaule. Je me suis levée.

— J'ai quelqu'un à voir.

Le quelqu'un en question, c'était mon propre reflet dans le miroir des toilettes. Le spectacle n'était pas beau à voir. L'anticernes s'était estompé, révélant des ombres violettes, comme sur une photo floue ; le fard vert et le rouge à lèvres contrastaient violemment avec mon teint livide. Enfin, cette vodka bue l'estomac vide n'arrangeait rien du tout.

Une fois enfermée dans un des boxes, je me suis assise sur le siège des toilettes, la tête dans les mains : je me fourvoyais en pensant que je passerais l'épreuve. Avec pour seuls représentants du sexe masculin un universitaire insensible de quarante et un ans qui ne pouvait pas me voir en peinture et un gamin de neuf ans qui s'amusait à me péter dessus, pas étonnant que je ne sache pas comment me comporter avec Smith.

— ... Où a-t-il été la chercher ?

— Et surtout, où est-elle allée chercher cette casquette ?

Je me suis raidie. Rien de tel qu'une réflexion sur votre couvre-chef pour vous faire passer l'envie de vous apitoyer sur votre sort.

— Et puis, tu as vu comme elle est mal élevée ? Elle n'a pas ouvert la bouche, elle est restée assise là avec une tête de six pieds de long. Pas étonnant qu'elle soit de la famille de l'autre vieux ronchon.

J'ai étouffé un gloussement bien que, en vérité, il n'y ait rien de drôle à devoir rester enfermée dans des toilettes pendant que deux filles top branchées vous taillent en pièces.

— Je ne sais pas... (J'ai dû tendre l'oreille pour les entendre par-dessus l'écoulement du robinet.) ... Elle a l'air trop jeune pour Smithy. Il a un goût atroce en matière de filles.

Après un silence, elles se sont écriées en chœur :
— Chloé !

— Et puis il y a eu cette fille en première année... Comment elle s'appelle, déjà ? Celle avec le tatouage ringard, qui a laissé tomber en cours d'année... alors que tout le monde sait qu'elle a dû se faire avorter.

— Sans parler de son coup de cœur pour Molly, bien qu'il n'ait aucune chance, et des rumeurs...

— On en perd la tête avec ses histoires !

Un autre silence. Je suis restée assise là, figée d'horreur : apparemment, le garçon qui m'avait plus ou moins tapé dans l'œil traînait un paquet de casseroles derrière lui.

— Ça, il s'est comporté comme un beau salaud au premier semestre. Enfin, disons que je connais bien le petit grain de beauté qu'il a...

— Sur les fesses ! Ah oui !

— Alors, toi aussi ? Je me suis toujours posé la question.

— C'est un peu un rite intiatique. Tu sais, tu dilapides toute ta bourse en alcool en l'espace de deux semaines, tu sèches les cours et tu couches avec Smith.

— Au fait, tu crois qu'il a couché avec Sœur Sourire ?

— Avec la fille du professeur Ronchon ? Je ne préfère pas y penser. En même temps, peut-être que ça lui ferait du bien, à l'autre pimbêche.

— Peut-être même qu'elle enlèverait sa casquette...

Je n'ai pas pu entendre la suite, la porte s'est refermée sur elles. Les bras croisés, j'ai contemplé le trou qui ornait mon jean au niveau du genou en m'efforçant de chasser Smith de mon esprit. D'effacer toutes ces images de lui : sa façon de se mordre la lèvre inférieure quand il réfléchissait. Ou ses belles mains qui s'envolaient quand il parlait, et les fois où il m'avait touchée. Parce que, franchement, si on nous mettait côte à côte, je tapais au-dessus de sa catégorie. J'étais jolie, enfin dans mon genre, super-intelligente et populaire alors qu'il n'était qu'un étudiant rachitique avec des amis assommants, un nez immense et de magnifiques yeux bleus.

Rien que de penser à lui et à ces choses intimes qu'il avait faites avec d'autres filles sous les draps me donnait la nausée. À côté d'eux, je me sentais minuscule, invisible, reléguée à l'arrière-plan.

Je suis retournée dans la salle en titubant. Pas question de retrouver Smith et sa cour de tristes sires qui se demandaient tous jusqu'où j'étais allée avec lui. Après avoir subtilisé une pinte de bière posée sur le comptoir, j'ai fendu la foule en jouant des coudes pour m'isoler dans un coin, de l'autre côté de la piste de danse.

La bière était tiède et éventée mais je l'ai vidée d'un trait parce que j'avais envie d'être ailleurs. Après, le monde autour de moi est devenu flou. J'ai continué à piquer des verres sur les tables, dont je vidais le contenu. Bière, vin, vodka, et même du whisky pur, alors que je trouve ça immonde. Mais j'aimais bien l'état dans lequel me mettait l'alcool : plus rien n'avait d'importance, ni moi ni les autres. J'avais l'impression que le monde rampait à mes pieds.

J'ai dansé, ce qui ne m'était jamais arrivé hors de ma chambre. Et, puisque je ne parvenais pas à trouver Dot et la clique, j'ai parlé à des gens qui traînaient près des enceintes... ou, plus précisément, j'ai bafouillé des inepties. J'avais du mal à articuler, je ne sentais plus mes dents et mes lèvres étaient comme du caoutchouc. Même quand j'ai glissé sur le sol mouillé et que je suis tombée à la renverse, je suis restée assise par terre à regarder toutes ces paires de jambes qui s'agitaient autour de moi et les jolies lumières du club jusqu'à ce qu'une inconnue me relève.

— Je te trouve hypercool !

Elle n'arrêtait pas de répéter la même phrase tandis que je me balançais au rythme des Kills, les bras écartés pour garder l'équilibre.

— On devrait passer du temps ensemble, toutes les deux. Qu'est-ce que tu en penses ?

Je lui ai tapoté l'épaule en souriant et, d'un ton très calme, j'ai répondu :

— Je crois que je vais être malade.

— OK, à plus tard, m'a-t-elle lancé comme je m'éloignais. Souviens-toi : tu es la plus belle !

J'avais vaguement conscience que les toilettes seraient le meilleur endroit pour vomir mais, sans réfléchir, j'ai ouvert une porte, pris une grande bouffée d'air iodé, et j'ai décrété que, oui, j'avais toujours envie de vomir.

Je me trouvais dans une petite cour derrière le club, où je pourrais attendre tranquillement que les muscles de mon tube digestif se mettent au travail. Mes vingt en biologie me servaient donc à quelque chose. Les mains sur les genoux, j'ai commencé à tousser ; juste au moment où une main se posait sur mon dos, tout l'alcool que j'avais ingurgité a décidé de sortir.

Un geyser de vomi a jailli de ma bouche, et j'avais toujours vaguement conscience de cette main qui me frottait le dos avec douceur. Enfin, mon estomac a paru se calmer et je me suis redressée pour me retrouver nez à nez avec Smith.

— Ça va ? a-t-il demandé avec inquiétude.

Je me suis essuyé les lèvres et j'ai regardé ma main maculée de rouge. Mon bonheur était complet.

— Isabel, tu te sens bien ? Tu veux que je t'apporte un verre d'eau ?

— Ça ira, ai-je balbutié mais, soudain, les spasmes ont repris.

— Tu as dû prendre un coup de chaud, a-t-il commenté et, brusquement, sans que j'aie le temps de l'arrêter, il a arraché ma casquette pour écarter mes cheveux de mon visage. Tu ferais mieux de l'enlever.

— Merci pour ce bon conseil, ai-je maugréé.

Ma remarque a coïncidé avec une nouvelle montée de bile et je me suis remise à vomir piteusement.

Enfin, ça s'est arrêté. J'ai touché mon front en priant pour que Smith débarrasse le plancher.

— Ça va ? a-t-il répété.

Il commençait à m'agacer avec sa sollicitude et ses doigts qui écartaient mes mèches de cheveux poisseuses de transpiration. Je lui ai arraché ma casquette des mains.

— Dégage, ai-je aboyé en lui montrant la porte. Laisse-moi tranquille.

— Pourquoi es-tu toujours si agressive ?

Sa remarque n'était en rien une accusation, elle tenait juste du constat, et je l'ai dévisagé avec étonnement.

J'imagine que j'étais toujours ivre, même après m'être vidé l'estomac, parce que je lui ai dit la vérité. Pour une fois.

— Je suis timide, ai-je confessé, si bas qu'il a dû se pencher pour entendre. Je suis *vraiment* timide, et si les mots sortent comme ça, c'est parce que j'ai du mal à parler aux gens. (Je me suis tue quelques instants.) Et puis, je... oui, je ne suis pas quelqu'un de très gentil. Je suis une vraie garce, si tu veux tout savoir.

— Ne dis pas des choses pareilles. (Son ton était presque suppliant.) Je fais vraiment des efforts, là, Isabel.

— Personne ne te le demande. Je suis sûre que tu peux te trouver une fille plus facile à mettre dans ton lit.

— Ce n'est pas ce que je veux... Enfin, si. Je te trouve mignonne mais j'ai aussi envie de te connaître.

— Tu te fatigues pour rien, ai-je répliqué en me détournant si brutalement que j'ai manqué m'étaler par terre, et il m'a retenue par le bras. Il n'y a rien à voir, compris ? Une fois que tu me connaîtras, tu regretteras de t'être donné tout ce mal. Je ne suis pas celle que tu crois. Qu'est-ce que tu t'imagines, qu'en grattant un peu tu vas révéler mon côté sensible et gentil ?

Son visage était dans l'ombre mais je distinguais quand même ses traits.

— Tu as peut-être peur que quelqu'un te perce à jour et découvre, justement, que tu es sensible et pas aussi mauvaise que tu le prétends.

— Mouais, c'est ça. Merci pour cette analyse perspicace, docteur Freud.

— Bon, eh bien, à plus tard.

Il a tourné les talons. J'ai grogné un vague salut, puis je me suis ruée vers la porte du club en déchirant au passage ma robe maculée de vomi.

7

Les autres restaient introuvables. En temps normal, j'aurais été folle de rage à l'idée qu'elles m'aient plantée, mais j'étais trop occupée à m'imaginer les reparties cinglantes que je servirais à Smith.

Comme je montais en chancelant les marches qui menaient à la mezzanine, j'ai entendu une voix qui ressemblait beaucoup à celle de Dot.

— Tu crois qu'elle va venir ? On devrait peut-être l'appeler...

— On est vraiment obligées ?

Nancy avait besoin de se faire remonter les bretelles un bon coup.

— De toute façon, son portable ne marche plus depuis que son père a confisqué son argent de poche. Pathétique ! Oublie Isabel. Maintenant, si on allait discuter avec ces types, là-bas, dans le coin lounge ?

L'espace d'une seconde, j'ai envisagé de les rattraper, histoire de passer un savon à Nancy. Mais je n'avais pas le cœur à ça. Je me suis adossée au mur (qui ne me soutenait pas beaucoup) et j'ai passé ma langue pâteuse sur mes dents. Un petit tour aux toilettes s'imposait pour me rafraîchir.

Après avoir jeté un coup d'œil furtif autour de moi (au cas où le Trio Infernal rôderait dans les parages), j'ai dévalé l'escalier en réfléchissant à une tactique, ce qui n'arrangeait pas mon mal de tête. Puis je me suis souvenue que, lors de ma dernière soirée ici, j'étais sortie avec un garçon dans une ancienne cuisine au-delà du bar. J'ai poussé la première porte et, miracle des miracles, derrière se trouvait un évier où je pourrais tranquillement me débarrasser du goût de vomi qui m'emplissait la bouche.

Je me suis arrêtée net en apercevant Smith assis sur un plan de travail, la tête dans les mains. Il a levé les yeux comme je fermais la porte.

— Dégage !

J'ai levé les mains en l'air, histoire de lui montrer que je n'étais pas armée.

— Donne-moi cinq minutes pour me brosser les dents et, promis, je te laisse ruminer en paix.

Il m'a regardée, les bras croisés, tandis que je fouillais mon sac à la recherche de ma brosse à dents. J'aime bien me brosser les dents après le déjeuner, je ne vois pas où est le problème, mais à voir Smith me dévisager avec des yeux ronds, on aurait cru que je venais de sortir une pipe de crack.

J'ai étalé une tonne de Colgate sur ma brosse, consciente que Smith observait chacun de mes gestes comme si c'était la première fois qu'il assistait à une démonstration d'hygiène dentaire. Je me suis mise au travail en l'ignorant royalement. J'ai attaqué les dents du bas en comptant jusqu'à soixante, puis je suis passée aux dents du haut. Je ne suis pas une maniaque de la propreté, mais dès lors qu'il s'agit de mes dents j'ai tendance à virer un peu... obsessionnelle.

— Dis-moi que je rêve, a-t-il marmonné, les traits déformés par l'incrédulité (je rajoutais du dentifrice sur ma brosse pour répéter toute l'opération).

Je ne pouvais pas l'envoyer promener parce que j'avais la bouche pleine de dentifrice, mais après avoir terminé, je lui ai lancé avec un regard noir :

— Tu veux ma photo ?

Smith a souri.

— Quel âge as-tu, dix ans ?

J'ai aspergé mon visage d'eau froide pour ôter ce qui restait de mon maquillage, et j'ai entrepris de me refaire une beauté. Il me regardait avec intérêt.

— Tu es plus jolie sans ces trucs sur la figure.

— Cause toujours. Alors, pourquoi tu déprimes seul dans ton coin ? Qu'est-ce qu'il y a de si grave ?

Car pour moi, il avait tout, hormis peut-être une coupe de cheveux présentable et un petit nez bien dessiné.

Il est resté pensif quelques instants.

— Je n'ai pas besoin de raison particulière pour déprimer.

— C'est peut-être à cause de tout ce rock geignard que tu écoutes. Tu devrais te mettre à la disco. Un peu de Gloria Gaynor et tu pourrais repartir du bon pied.

Smith a laissé échapper un ricanement.

— Je rêve ou tu viens de faire de l'humour ?

— Ne te réjouis pas trop vite.

J'avais repris forme humaine. Pas au point de postuler pour une agence de mannequins, mais je n'avais plus l'air de sortir d'un hôpital. Puis, parce que je n'avais aucune envie de regagner le club, et surtout parce que j'avais sincèrement envie de savoir, j'ai demandé à nouveau :

— Sérieux, pourquoi tu t'isoles dans cette cuisine avec la tête de quelqu'un qui va se taillader les veines ?

— Je n'ai pas l'intention de me suicider. C'est juste un passage à vide, tu vois ?

— Oui, je vois, ai-je répondu doucement, et je ne sais pas si c'était le ton résigné de ma voix, mais il a levé les yeux, l'air étonné.

— Les filles comme toi ne connaissent pas les passages à vide. Tu es jolie et tu peux obtenir tout ce que tu veux.

J'ai ouvert la bouche pour protester, il a levé la main :

— Ferme-la, Isabel. Tu es là avec tes « personne

ne me comprend, je joue les garces et j'en souffre »,
alors que tu as la belle vie. Tu as vraiment la belle
vie.

J'aurais dû exploser de colère – les mots « crétin
condescendant » me sont aussitôt venus à l'esprit.
Pourtant, quelque part, j'avais envie d'être cette
fille-là. La fille qu'il s'imaginait. Celle qui n'avait
pas d'autres soucis que sa coupe de cheveux ou ses
amis qui ne la comprenaient pas.

Et Smith ? Il m'avait bien demandé de la fermer ?
Personne n'avait jamais osé m'ordonner une chose
pareille. Il me regardait par en dessous avec un sourire circonspect : sans doute sentait-il que j'hésitais
à lui en coller une.

— Peut-être bien. Peut-être aussi que je cache
toutes sortes de secrets terribles dont tu n'as même
pas idée.

Il a éclaté d'un rire incrédule auquel j'ai répondu
par mon sourire le plus exaspérant. Puis je me suis
adossée à une chaise, juste à côté de ses chevilles
osseuses dépassant de ses chaussettes en laine rouge.

— Tout le monde a des secrets, Atticus. Tu es
bien placé pour le savoir.

Ma remarque l'a fait sortir de ses gonds aussi sec.

— Je t'ai dit de ne pas m'appeler comme ça.

— Alors, qu'est-ce qui te tracasse ?

C'était moi, j'en étais sûre, parce que je lui avais
clairement fait comprendre qu'il n'aurait pas accès à
la visite guidée de ma petite personne.

— Allez, tu peux me dire ce qui ne va pas. Ce n'est pas comme si on fréquentait les mêmes gens. On ne se connaît même pas. Disons que c'est ta récompense pour m'avoir tenu les cheveux pendant que je vomissais.

— Ça n'a aucun intérêt, a-t-il protesté avec une petite moue, signifiant par là qu'il mourait d'envie de s'épancher.

— Mais si. Allez, accouche.

Voilà ce qui s'appelait se faire prier pour pas grand-chose. Il s'est mordillé la lèvre inférieure pendant quelques secondes, l'air indécis, puis il a soupiré :

— C'est à cause d'une fille. C'est toujours à cause d'une fille, non ?

J'ai eu toutes les peines du monde à cacher ma satisfaction. Plusieurs garçons avaient décrété que j'étais une allumeuse parce que j'avais refusé d'aller jusqu'au bout. Mais jusque-là, je n'en avais jamais rencontré un qui se désole autant d'avoir été rejeté.

— Elle ne sait même pas que j'existe, a-t-il poursuivi d'un ton morose. Et je dois l'écouter ressasser au sujet de ces types qui sont loin d'être aussi dévoués que moi. Ils ne s'intéressent pas vraiment à elle, c'est juste pour le sexe. Ils n'ont jamais passé la nuit à vérifier ses références bibliographiques pour la dissert' qu'elle devait rendre le lendemain, ils ne savent pas qu'elle est désagréable et soupe au lait le mat...

En un éclair, j'avais compris que ce n'était pas moi, la cause de la crise existentielle de Smith. J'étais seulement la fille de passage, qu'il avait draguée alors qu'il en pinçait pour une étudiante stupide !

— Quel minable tu fais ! me suis-je écriée.

Smith s'est levé mais je m'élançais déjà vers la porte. Je l'ai entendu jurer entre ses dents : « Garce. »

— Tu es pathétique, ai-je conclu d'un ton cinglant avant d'ouvrir la porte d'un coup d'épaule.

J'ai dévalé l'escalier comme si j'avais le feu aux trousses. Je ne me rappelais pas avoir été aussi furieuse. Je croyais que Smith était différent, en réalité il ne valait pas mieux que les autres. En parlant des autres, justement, je me suis mise à leur recherche. J'ai trouvé Dot qui traînait près d'un distributeur de cigarettes et jetait des œillades enamourées à une bande de gars qui s'amusaient à pulvériser des canettes de bière. Franchement, on ne pouvait pas la laisser seule une minute, celle-là.

— Cet endroit est pourri, ai-je crié par-dessus la musique. Viens, on s'en va.

Elle n'avait pas l'air des plus réjouies de me voir. En fait, elle a même eu l'audace de grimacer.

— Il n'y a pas le feu, a-t-elle gémi en ébauchant un geste vers l'un des garçons, éclaboussé par un flot de bière mousseuse. Je crois que j'ai un ticket.

J'ai jeté un coup d'œil à l'objet de sa concupiscence : pas mal, dans le genre Néanderthal.

— Il est affreux, ai-je commenté avec une moue de dégoût. Tu devrais t'acheter des lunettes.

Dot s'est renfrognée, ce qui lui donne un double menton.

— Moi, je le trouve assez mignon. Dans son genre.

— Mouais, à la rigueur, si tous les autres mâles sur terre devaient tomber raides morts. De toute façon, tu n'as aucune chance.

La bouche de Dot s'est mise à trembler et, l'espace d'une seconde, j'ai éprouvé un brin de culpabilité.

— Si je te dis ça, c'est pour ton bien, ai-je protesté, mais elle s'est éloignée.

— Je vais chercher Elsa et Nancy, a-t-elle lancé par-dessus son épaule, me faisant clairement comprendre qu'elle ne voulait pas que je l'accompagne.

Après avoir traîné mes guêtres à travers le club en prenant l'air farouche afin de décourager tous les types aux mains moites, je me suis postée près de la piste. Adossée au mur, j'ai regardé ces gens qui avaient l'air de passer un bon moment. Peut-être faisaient-ils semblant, peut-être ces sourires et ces déhanchés n'étaient-ils qu'une parade, peut-être que la jolie blonde avec le haut argenté se jetterait sur le pot de glace en rentrant chez elle parce qu'elle n'était pas capable de se faire des amis. Décidément, j'avais besoin de me reprendre.

Je m'efforçais de chasser mes idées noires quand j'ai aperçu Smith avachi sur une banquette. Je ne marchais pas une seconde dans son jeu : il s'imaginait qu'en restant assis là, avec l'air d'un condamné à mort, quelque petite bécasse naïve finirait par venir le consoler. Le cas échéant, il ferait mine d'être ivre, cette technique avait sans doute très bien fonctionné pour lui par le passé.

Il était doué pour jouer les torturés, il fallait bien l'admettre. Ses doigts pianotaient nerveusement sur son genou et ses yeux tristes semblaient perdus dans le lointain... En suivant la direction de son regard, j'ai remarqué deux filles près du DJ. Dans l'obscurité, il était difficile de deviner à quoi elles ressemblaient. Ce que je voyais bien, en revanche, c'était Smith et l'attente qui se lisait sur ses traits : il aimait quelqu'un qui ne l'aimait pas.

Je l'ai rejoint malgré moi, comme si mes pieds agissaient sans l'accord de mon cerveau. Je pensais toujours que j'avais affaire à un traître qui aurait dû s'abstenir de faire des avances quand le cœur n'y était pas. Mais mes pieds ne m'écoutaient plus, et je me suis retrouvée plantée devant lui.

Il a levé les yeux vers moi et m'a crié par-dessus les riffs de Bloc Party :

— Va-t'en !

— Il faut que je te parle, c'est important.

— Tu as trouvé d'autres remarques blessantes à me lancer à la figure ? a-t-il ironisé en me tournant le dos.

Je me suis penchée pour lui toucher l'épaule et, de près, je l'ai trouvé étrangement beau.

— Ne fais pas cette tête, ai-je supplié et, du bout des doigts, j'ai effleuré la commissure de ses lèvres comme pour effacer les traces de son chagrin. Viens avec moi.

J'ai pris sa main chaude dans la mienne pour l'aider à se lever de la banquette.

— Tu n'en as pas marre d'envoyer des signaux contradictoires ? a-t-il grommelé.

Ce qui ne l'a pas empêché de me suivre et, comme on restait coincés à l'entrée du club, il est passé devant moi. En resserrant mes doigts autour des siens, j'ai senti des milliers de minuscules ondes électriques parcourir mon corps.

Smith m'a précédée dans l'escalier menant à la rue. Même le souffle d'air glacial qui nous a fouetté le visage n'a pas réussi à me dégriser. J'étais toujours soûle. Je devais être soûle, c'était la seule explication, car je lui ai caressé le visage et j'ai joué avec ses cheveux

Il s'est penché vers moi et m'a enlacée. Ses mains ne se sont pas égarées sous ma taille, il m'a simplement serrée contre lui, mais c'était fantastique. J'ai passé les bras autour de sa nuque, et même le vent froid qui soufflait dans mes cheveux ne pouvait pas s'immiscer entre nous.

— C'est quoi, ton problème ? a-t-il demandé doucement. Tu ne peux pas te choisir une personnalité et t'y tenir une fois pour toutes ?

Je n'ai pas répondu, j'avais enfoui mon visage dans le creux de son cou, contre la peau douce et chaude, et je m'y sentais bien. J'ai déposé un baiser à cet endroit-là, et il est parti d'un petit rire qu'il a tenté de déguiser en toux virile. Je n'avais qu'une envie, l'embrasser et, apparemment, c'était réciproque.

Quand il m'a enfin embrassée, j'ai senti qu'il en avait envie pour de bon. Ses lèvres... difficile de décrire ces choses-là, c'est trop intime. J'éprouvais la sensation bizarre d'avoir chaud et froid en même temps, d'expérimenter à la fois les ténèbres et la lumière. Ses bras me berçaient contre lui, sa main me caressait la hanche pendant que l'autre me tenait par la nuque, et j'avais l'impression que c'étaient les seuls ancrages qu'il me restait.

— On va chez moi ? a-t-il murmuré.

Ses mains s'égaraient là où personne n'était allé auparavant (du moins, pas sans se prendre une gifle), alors je me doutais bien qu'il n'avait pas l'intention de m'offrir un café avant de me ramener chez moi.

Si on avait été les acteurs d'un film de science-fiction avec des effets spéciaux, si la rue avait disparu autour de nous, dans un ralenti du plus bel effet, pour laisser place au décor de sa chambre, je n'aurais pas eu l'ombre d'une chance. Mais la rue n'avait pas bougé et Smith attendait ma réponse, les yeux rivés sur moi.

— Chez toi ? ai-je répété. Ça sent l'embrouille. Peut-être que tu devrais m'embrasser encore.

— Peut-être, a-t-il convenu avec ce sourire malicieux qui me donnait envie de le croquer.

Et qui a donné lieu à d'autres baisers et à d'autres caresses.

— Mais qui c'est, ce type ?!

Le cri perçant de Nancy a cassé l'ambiance aussi sûrement que si j'avais reçu un seau d'eau froide à la figure. En tournant la tête, j'ai vu Nancy, Elsa et Dot, bras croisés, qui m'observaient, incrédules, tandis que Smith continuait à embrasser un petit carré de peau particulièrement sensible situé derrière mon oreille gauche.

Je me suis dégagée d'un geste brusque.

— Lâche-moi !

— C'est lui, a chuchoté Nancy. C'est le minable qu'elle a rencontré à la fête, la semaine dernière.

Trop occupée à repousser les assauts de Smith, je n'ai pas pu répliquer.

— Dis-leur de nous lâcher, a-t-il murmuré à mon oreille.

Ses mains encerclaient mes poignets, ses doigts pressaient mon pouls affolé. L'espace d'une seconde, nos regards se sont croisés. J'aurais voulu lui expliquer que j'étais désolée. Que ce que j'allais dire n'était que pour elles.

— Mais arrête, tu me fais mal ! me suis-je écriée d'un ton théâtral en me libérant de son étreinte.

Me tournant vers les autres, j'ai simulé une quinte de toux puis, les yeux levés au ciel, j'ai déclaré :

— Je suis complètement bourrée. Pitié, dites-moi que je n'ai pas embrassé ce type ?

8

— Qu'est-ce qu'il est moche !

Si les rues n'avaient pas été presque désertes et si elle ne m'avait pas acheté des frites, j'aurais poussé Nancy sous la première voiture qui passait. Ç'aurait été l'homicide le plus justifiable de tous les homicides justifiables de l'histoire.

— Un peu, oui ! a renchéri Elsa. J'allais lui dire qu'il ressemblait à Seth Cohen dans *Newport Beach*, mais il est parti avant.

Je marchais devant elles avec Dot, et leurs petits regards sournois commençaient sérieusement à m'échauffer.

— Ignore-les, m'a chuchoté Dot. Elles cherchent à t'énerver. N'entre pas dans leur jeu.

Et depuis quand Dot s'imaginait-elle qu'elle pouvait me donner des conseils ? Mais j'étais trop occupée à méditer une vengeance démoniaque qui remettrait Elsa et Nancy dans le rang pour me pencher sur son cas.

— Qu'est-ce qu'elles fabriquaient quand tu les as trouvées ?

— Elsa était en train d'embrasser le boutonneux qu'elle alpague quand elle n'a personne d'autre sous la main, et Nancy faisait pipi dans des toilettes sales qui n'avaient plus de porte, a répondu Dot, non sans malice.

Je ne lui connaissais pas ce talent. On a échangé un sourire conspirateur.

Faisant volte-face, j'ai braqué un doigt sur Elsa qui s'est arrêtée au beau milieu de son babillage venimeux.

— Quoi ?

— Rien. Juste... j'ai l'impression que tu pètes les plombs, ai-je lancé d'un air innocent en scrutant sa peau sans défaut. Les pustules suppurantes de Gary ont fini par devenir contagieuses. Il faut vraiment que tu te dégotes quelqu'un d'autre.

Affolée, Elsa s'est touché fébrilement le visage tandis que Nancy s'était tournée pour la regarder.

— Beeerk ! Ça veut dire quoi, « suppurantes » ?

— Ça veut dire : qui produit du pus, ai-je expliqué d'un ton las avant de m'en prendre à elle : C'est quoi, ces taches sur ton jean ?

Elsa et Dot ont examiné le jean blanc de Nancy. J'aurais simplement pu faire remarquer que lorsqu'on a un derrière de la taille d'une montagne, le jean blanc n'est pas très indiqué, mais ç'aurait été trop facile. Aucune finesse.

— On dirait... Non, ce serait trop dégueu... Tu t'es fait pipi dessus ?

Maintenant, c'était au tour d'Elsa de prendre une mine dégoûtée alors que Nancy baissait des yeux horrifiés sur son pantalon.

— Non ! C'est juste... cette lumière artificielle qui jaunit tout...

— C'est ça, ma cocotte.

Une fois les prémices de la rébellion fermement endiguées, j'ai pu savourer mes frites en paix.

La soirée avait été longue et peu banale. Pourtant ce n'est qu'une fois blottie dans mon lit à côté de Dot (Nancy et Elsa, désormais rentrées dans le rang, dormaient par terre à côté de nous) que j'ai réalisé à quel point j'étais fatiguée.

J'avais les paupières lourdes avant que Dot n'éteigne la lumière. Je n'ai même pas eu le temps d'enguirlander Nancy parce qu'elle ronflait (ce qui n'était pas le cas) : je m'étais déjà assoupie.

On était dans un avion. Bizarre, parce que la seule fois où je me souviens avoir pris l'avion, c'est l'année où nous avons vécu en Amérique, à l'époque où mon père enseignait à Amherst College. D'ordinaire, pour les vacances, on prenait la route, la voiture chargée à bloc, et il fallait rouler pendant deux jours en plein cagnard pour rejoindre l'Ombrie, où on s'ennuyait à mourir.

Mais là, on avait pris l'avion, ma mère et moi. Je ne

devais pas être bien vieille : mes pieds ne touchaient pas le sol. Je portais une robe rose à fleurs que j'aimais beaucoup étant petite.

Elle me serrait fort la main, son alliance me meurtrissait les doigts, mais je n'osais pas lui dire qu'elle me faisait mal de peur qu'elle me lâche.

— Il faut que tu sois courageuse, Bella, m'a-t-elle dit d'un ton apaisant. Tu dois t'habituer à l'avion. Tiens, des cacahouètes.

Un sachet de cacahouètes s'est matérialisé sur mes genoux, et nous sommes restées là à le contempler. Elle m'a lâché la main pour le prendre et l'a agité à mon intention.

— Allez. Ouvre-le.

Il m'a fallu une éternité pour ouvrir le sachet, mes mains moites se débattaient avec l'emballage, et quand, enfin, j'y suis parvenue, il n'y avait pas de cacahouètes à l'intérieur mais des insectes tout desséchés qui sont brusquement revenus à la vie et ont commencé à ramper hors du sachet.

Je me suis tournée vers ma mère et, une fois encore, je ne pouvais ni crier, ni parler, ni même murmurer. Elle a jeté un coup d'œil aux araignées et autres cafards qui se multipliaient à une vitesse incroyable, surgissaient du paquet pour grimper sur mes bras avec leurs pattes duveteuses.

— Oh, Belle, qu'est-ce que tu as fait ? s'est-elle exclamée avec un soupir las. Ça ne sert à rien de faire la grimace. Ce n'est pas après toi qu'ils en ont.

Elle avait raison : je n'étais que l'obstacle qu'ils devaient franchir pour l'atteindre. J'ai essayé de les chasser, j'ai vraiment essayé. Mais mes mains pendaient mollement le long de mon corps. J'ai tenté d'appeler à l'aide, d'attirer l'attention d'une hôtesse – personne ne m'accordait un regard.

— Tout va bien, m'a-t-elle assuré.

Elle est restée assise, immobile, malgré les filets de sang qui dégoulinaient le long de son visage, de son cou et de ses bras, là où les insectes l'attaquaient.

— Il y a des choses plus graves, pas vrai ? Je t'ai dit de ne pas ouvrir le sachet mais tu n'écoutes jamais.

Son sang gouttait sur moi et soudain, elle s'est affaissée sur le côté...

— Isabel ! Bon sang, réveille-toi !

J'ai entendu un cri étouffé et, en ouvrant les yeux, j'ai compris que c'était moi qui criais.

— Nancy, va lui chercher un verre d'eau. Isa, ça va ?

Dot m'a touché le front.

— Tu as de la fièvre.

Je me suis redressée tant bien que mal et j'ai serré les poings pour qu'elles ne voient pas mes mains trembler.

— C'était juste un mauvais rêve, ça va, ai-je dit d'une voix enrouée.

Le lit semblait réchappé d'un ouragan : la couette gisait sur le sol, les oreillers écrasés avaient perdu leur taie.

— On a cru que tu faisais une crise, a lancé Elsa

d'un air réjoui. Il y a des cas d'épilepsie dans ta famille ?

J'avais l'impression que des doigts glacés m'étreignaient le cœur, le serraient si fort qu'il battait à un rythme frénétique.

— Non, j'ai trop bu hier soir. Ça me donne des cauchemars, voilà tout. Désolée pour le lit, Dot.

Dot s'est assise à côté de moi avec un haussement d'épaules.

— Ce n'est rien, il y a des choses plus graves. Oh, tu es toute pâle. Tu veux que j'aille réveiller ton père ?

J'ai fermé les yeux dans l'espoir que lorsque je les rouvrirais Elsa et Dot auraient disparu. Manque de bol, elles étaient toujours là.

— Non, vraiment, je vais bien.

Nancy est revenue avec un verre d'eau. Elle avait sans doute craché dedans.

— Et voilà, a-t-elle lancé sans la moindre trace de sympathie dans la voix. Je ne vais jamais pouvoir me rendormir après ça.

— Oui, tu nous as fait un de ces cinémas, a ajouté Elsa.

Je savais ce qu'elle pensait : avec mes cheveux collés par la sueur et mon visage livide, je n'avais rien d'exceptionnel ; je n'avais rien de respectable non plus.

J'ai reposé le verre sur la table de nuit et me suis relevée pour aider Dot à arranger le lit.

— Ce n'est pas normal, Isa, ce remake de *L'Exorciste* que tu viens de nous faire. Tu devrais penser à consulter quelqu'un, a suggéré Nancy d'un ton doucereux en se réinstallant dans le nid qu'elle s'était fabriqué avec des couvertures et les coussins du canapé. Tu es peut-être en train de devenir folle. C'est le contrecoup ou un truc comme ça. J'ai lu un article là-dessus.

— Oui, un stress posttraumatique, a renchéri Elsa. Qui expliquerait pourquoi ton détecteur de garçons fonctionne aussi mal : tu pètes les plombs, ma pauvre !

— Je suis peut-être en train de péter les plombs mais vous, vous avez toujours été demeurées, ai-je rétorqué en me réfugiant à nouveau sous les couvertures. Et si vous avez fini de faire des diagnostics sur mon état mental, on va peut-être pouvoir dormir.

Au bout de quelques minutes, toutes trois ronflaient paisiblement. Allongée sur le dos, les membres figés, j'ai compté les ombres au plafond parce que j'avais trop peur de me rendormir.

Par bonheur, Nancy devait s'éclipser à l'aube : le samedi matin, elle prend des cours de théâtre minables, persuadée qu'elle a la trempe d'une star, la pauvre. Elsa suivrait forcément le mouvement, sachant qu'une fois Nancy partie, elle devrait subir seule ma colère pour avoir essayé de me tirer dans les pattes la veille.

Ce n'est qu'en me retrouvant seule avec Dot que j'ai enfin pu respirer normalement.

— J'ai bien cru qu'elles ne s'en iraient jamais, a-t-elle soupiré. Je sais qu'on est copines mais, par moments, je ne les supporte plus.

— Une sacrée paire de garces, ai-je admis avec une grimace désabusée. Cela dit, tu connais le dicton : garde tes amis près de toi...

— ... et tes ennemis plus près encore.

On n'était pas amies pour rien. Elle m'a prise par l'épaule et on s'est traînées jusqu'à la cuisine pour manger notre poids en toasts et œufs brouillés.

Un long silence a suivi, il n'avait rien de pesant. Juste Dot et moi, sans la bande, comme au bon vieux temps, quand la vie était plus simple : on avait huit ans, on jouait aux Barbie en mangeant des BN, et on croyait dur comme fer qu'il suffisait d'être gentilles avec les autres pour qu'ils nous le rendent. Mais on a grandi et les choses ont changé.

C'est pour cette raison que j'ai laissé Dot rester. Elle vaut bien mieux que son statut de méchant sous-fifre. Elle connaît mon véritable moi, malgré tous mes efforts pour l'enterrer. C'est aussi pour ça qu'on est encore amies. Elle en sait bien trop à mon sujet pour que je la laisse sans surveillance.

Elle a levé les yeux et m'a souri.

— Comme au bon vieux temps, hein ?

— On dirait. Tu veux me tresser les cheveux ?

— Bon, ça suffit, j'aimerais savoir ce qui t'arrive,

m'a-t-elle dit calmement en ignorant ma faible tentative d'humour. Où est passée l'ancienne Isabel ? Je te trouve absente. Tu vois de quoi je parle ?

— Non, pas vraiment, ai-je répondu en piquant un morceau d'œuf avec ma fourchette.

— Isa, a-t-elle repris à voix basse. Je sais que tu traverses une mauvaise passe, mais je suis là pour toi.

— Je vais bien, je t'assure. Allez, souris un peu. Tu verrais ta tête, on croirait que quelqu'un est mort.

Son visage est devenu cramoisi.

— Ce n'est pas drôle du tout, Isa. C'est même un peu dur, je trouve.

Et elle m'a jeté un regard noir, tout ça parce que je n'adoptais pas le comportement de circonstance décrit dans le manuel qu'elle avait dû consulter, *Comment gérer le deuil ?*

— Qu'est-ce que tu veux que je fasse ? Que je passe mon temps à me lamenter en me tordant les mains ? Je pourrais essayer, si ça t'aide à te sentir mieux.

— Je ne sais pas, a-t-elle gémi. On dirait que... tu n'es plus toi.

— Mais qui veux-tu que je sois ?

Je voyais bien qu'elle se retenait d'exploser, le front plissé par l'effort et voilà que, oh non ! ses yeux se remplissaient de larmes.

— Je vais bien, Dot. Je veux juste que tout redevienne comme avant et que les gens me traitent comme d'habitude, OK ?

Dot a hoché timidement la tête, puis elle a rapproché sa chaise de la table et le soleil qui filtrait par la baie vitrée a éclairé son visage, révélant ses taches de rousseur. Elle avait le même regard craintif que le jour où on s'était fait prendre en train de voler du vernis à ongles dans un magasin : j'avais d'ailleurs prétendu que c'était son idée.

— Je crois... que ce n'est pas facile pour moi, a-t-elle admis. Je ne sais pas. Je pensais que tu passerais ton temps à pleurer et que tu ne porterais que du noir.

Elle a baissé les yeux sur mon pull bleu vif – elle s'attendait peut-être qu'il se transforme en tee-shirt portant l'inscription : « MA MÈRE EST MORTE ».

— J'en avais l'intention, mais le noir me donne de l'eczéma, ai-je répondu en souriant. (Je me suis penchée par-dessus la table pour prendre sa main.) Est-ce qu'on peut parler d'autre chose, maintenant, s'il te plaît ?

Dot m'a souri avec gratitude.

— Eh bien, hier, Ethan Parker s'est enfin aperçu que j'existais. Et ma mère est sans arrêt sur mon dos, elle me parle déjà de l'université, tu sais ce que c'est...

Elle a porté la main à sa bouche en roulant des yeux horrifiés : je ne pouvais pas savoir ce qu'était une mère, moi qui n'en avais plus.

— Elle te harcèle toujours pour que tu ailles à

Cambridge, histoire de pouvoir raconter à tout le monde que tu tiens de son côté à elle ?

— Oui, oui ! s'est écriée Dot d'une voix suraiguë en hochant frénétiquement la tête. Comme si passer trois ans avec une bande de snobinards arrogants allait m'apporter quelque chose. Ma mère, c'est Bree dans *Desperate Housewives*.

— Au moins, elle n'a pas appris la vie dans un vieux bouquin écrit il y a cent cinquante ans par un type complètement coincé.

Moi-même, j'ai été surprise par tant de rancœur. Dot a hoché à nouveau la tête pour me montrer à quel point elle compatissait. Le plus énervant, c'est que ça me faisait du bien.

On s'est levées d'un même mouvement et avant que j'aie pu comprendre ce qui m'arrivait, elle m'a serrée dans ses petits bras frêles.

— Je suis désolée. Je suis vraiment désolée, ne cessait-elle de répéter.

J'étais certaine qu'elle était sincère mais je ne savais pas quoi faire de sa compassion. Après m'être dégagée, je me suis précipitée dans l'entrée pour aller lui chercher son sac.

— Isa, je serai toujours là pour toi, a-t-elle déclaré en se dirigeant d'un pas tranquille vers la porte, me signifiant par là qu'elle n'avait pas vraiment l'intention de partir.

— Je sais, ai-je répondu en la devançant, mes doigts déjà sur la poignée. Merci.

— Pas de quoi.

Elle s'est écartée, j'ai ouvert et l'ai poussée dehors.

— Si tu parles à quelqu'un de ce qui vient de se passer, je te le ferai regretter, ai-je lancé avec tant de violence qu'elle a reculé d'un pas, manquant s'étaler dans le buisson de lavande.

De nouveau, la tristesse et l'inquiétude se lisaient dans ses yeux.

— OK, a-t-elle bafouillé. Alors... euh... je t'appelle.

— Non, c'est moi qui t'appelle. Si j'ai besoin de toi.

J'ai marqué une pause, histoire qu'elle comprenne bien que cette éventualité était hautement improbable. Puis je lui adressé le sourire le plus faux de mon répertoire.

— C'était sympa. On devrait remettre ça plus souvent.

9

Je ne pleure jamais. Jamais de chez jamais. Je n'écris pas de poésie mièvre. Et je ne suis pas du genre à avoir des confidentes, ces quelques filles triées sur le volet qu'on peut appeler pour pleurnicher sur la cruauté de l'existence. Je gère mes problèmes avec un flacon de détergent dans une main, une éponge à récurer dans l'autre.

Bref, après le départ de Dot, comme je n'arrivais pas à me déloger de la tête son petit discours compatissant, j'ai nettoyé à fond la cuisine et la salle de bains. Je me suis même attaquée à la chambre de Félix, où j'ai trouvé de nouvelles espèces d'amibes dans les tasses et assiettes entassées sous son lit. Ma propre chambre était déjà un parangon en matière d'hygiène, mais le salon et la salle à manger m'ont pris le reste de l'après-midi.

Les seuls endroits où j'évitais de mettre les pieds étaient leur... sa chambre et le bureau. Même si on avait entretenu des rapports père-fille idylliques (laissez-moi rire !), j'aurais fui comme la peste ces montagnes de papier, apparemment classés dans un ordre si précis que seul un diplômé en astrophysique pourrait le décrypter. Et puis il y a les livres. Des grands, des petits. Des vieux, des neufs. Des antiquités aux pages jaunies qui sentent la poussière et le moisi. Dans son bureau, dans le débarras, dans chaque pièce de la maison. Quand je tombe dessus, je me contente d'arranger la pile et je poursuis ma mission visant à éradiquer le moindre grain de poussière rencontré sur mon chemin.

Félix et lui étaient sortis. Ils m'ont laissé un message embrouillé sur le répondeur, à propos d'une razzia dans les magasins de fournitures de dessin et d'un éventuel tour au musée, mais la machine à laver a choisi ce moment précis pour passer au cycle essorage, ce qui n'a guère arrangé mon mal de tête. De toute façon, ils n'avaient sûrement pas envie que je les accompagne.

Ils sont revenus les bras chargés de sacs plastique, avec le projet de louer des DVD pour la soirée, tandis que je tapais le dernier coussin.

J'ai débranché l'aspirateur et en levant les yeux, j'ai vu mon père parcourir notre cuisine d'un regard stupéfait ; la pièce ressemblait désormais à une publicité pour Monsieur Propre.

— Si tu fiches le désordre, je vais te faire regretter d'être né, ai-je menacé Félix en le débarrassant de ses sacs. Je vais ranger ces trucs avant que tu sèmes la pagaille dans les placards.

— Tu as nettoyé l'intérieur des placards ? s'est-il esclaffé en me claquant les fesses tandis que j'essayais d'atteindre une étagère. Tu devrais sortir plus souvent.

Sans prêter attention à lui, j'ai commencé à déballer les courses et à ranger bouteilles et boîtes de conserve selon ma méthode. Oui, j'ai une méthode. Je ne classe pas les objets par ordre alphabétique – même moi, je n'ai pas atteint ce stade de maniaquerie – mais par genre.

J'ai entendu tousser derrière moi et je me suis aperçue qu'il était encore là. Immobile, il me regardait entreposer avec enthousiasme les conserves de tomate à côté des spaghettis.

— Isabel, peux-tu t'arrêter une seconde, je te prie ?

Après avoir rangé la dernière boîte, j'ai pris une grande inspiration et me suis tournée vers lui, impassible. D'un geste, il a désigné la cuisine immaculée.

— Tu as fait un travail formidable.

Au ton de sa voix, on aurait dit que je venais de lui arracher ce constat avec une pince rouillée.

— Mais je me souviens que ta m... Dois-je m'inquiéter de cette obsession pour le ménage ?

— Non, je...

J'ai croisé les bras pour empêcher mes mains de trembler.

— J'aime quand tout est propre et ordonné, voilà.

— Tu te souviens de l'époque où tu te faisais harceler par cette horrible gamine... Comment s'appelait-elle ? Jasmine, Rose, un nom de fleur... ?

— Marguerite, à l'école primaire ?

J'ai frémi au seul souvenir de cette fille obèse de dix ans qui m'avait fait pleurer chaque jour pendant deux mois.

— On ne se doutait de rien mais tous les jours, en rentrant de l'école, tu insistais pour mettre la table et, avec une règle, tu mesurais la distance exacte entre les couteaux et les fourchettes.

Il s'est tu et m'a fixée avec insistance. Je n'ai pas cillé. Hors de question que je m'épanche sur un quelconque sujet.

— N'importe qui d'autre serait content d'avoir une fille soigneuse. Cette maison deviendrait une vraie porcherie si je ne m'en occupais pas.

D'un hochement de tête, il a convenu de mes talents exceptionnels de ménagère.

— J'ai abordé avec Félix le sujet épineux de l'argent de poche. Tu touchais de l'argent directement sur ton compte en échange de certaines corvées, c'est bien ça ?

— Pour trente livres par semaine, je m'occupais du ménage, de la lessive et d'aller chercher Félix après l'école. En plus (je l'ai fixé attentivement pour m'assurer qu'il gobait mon histoire), j'avais droit à cent livres par mois pour les vêtements et le reste.

— Cent livres, ça me paraît un peu excessif, a-t-il

murmuré en remplissant la bouilloire. Qu'appelles-tu « le reste » ?

— Tampons, serviettes hygiéniques... (J'ai réprimé un sourire narquois en le voyant se décomposer.) ... cordonnier, livres d'école, crèmes en tout genre pour éviter que je me couvre de boutons...

Il a hoché la tête. Pauvre type !

— Ça me semble raisonnable. Donne-moi tes coordonnées bancaires et je te ferai un virement automatique. Je n'ai pas eu le temps de m'occuper d'autre chose que de la fermeture de ses comptes.

Il s'est passé la main sur le front, comme pour en effacer les rides. C'était drôle d'aborder ce sujet sans même mentionner son nom à elle.

— Cool, ai-je répondu. Merci.

— Et j'aimerais que tu cesses de te servir dans mon portefeuille, a-t-il ajouté avec douceur.

Je n'ai pas pris la peine de nier, obnubilée que j'étais par la chair de poule sur mes bras, mais je l'ai regardé droit dans les yeux.

— D'accord.

— Bien. (Il a poussé un gros soupir.) Ce climat entre nous... Je n'aime pas ça, Isabel, je n'aime pas ça du tout.

— Je sais.

Ma voix s'était réduite à un murmure. Et d'un coup, en une seconde, en un battement de cils, en moins de temps qu'il n'en faut pour respirer, il s'est fermé à nouveau.

— J'ai promis à Félix que, ce soir, on regarderait des DVD et qu'on commanderait à dîner.

Il a grimacé, comme si Félix comptait lui faire avaler de la boue.

— Si tu penses que tu peux être d'une compagnie agréable, tu es la bienvenue.

Il devait s'imaginer qu'il me tendait une énorme branche d'olivier. Peut-être même l'olivier tout entier. Mais passer une soirée devant *Shrek* (Félix veut TOUJOURS regarder *Shrek*) et supporter en serrant les dents ce climat de mensonges, ça ne valait pas mes cent livres.

— J'ai des trucs à faire.

— Parfait.

Je m'étais résignée à passer la soirée dans ma chambre à écouter, vautrée par terre, une des *playlists* déprimantes de Smith, quand Félix a déboulé dans la pièce et m'a tendu le téléphone sans fil.

— C'est pour toi. On mange chinois, tu veux quelque chose ?

— Tu es vraiment un petit merdeux.

Je me suis soudain rappelé qu'on devait songer à discuter d'une stratégie commune pour faire bloc devant l'adversité.

— Mais merci pour l'histoire d'argent de poche.

— Hé, ce n'était pas mon idée de te donner des sous ! a protesté Félix, désarçonné par l'idée même qu'il ait pu me rendre service. J'ai dit à papa que tu ne méritais pas un centime.

— Cause toujours, petit singe. Prends-moi des gâteaux porte-bonheur et... oh, des nems, et puis du poulet sauce satay, ai-je répondu en prenant le combiné. Maintenant, dégage !

Il a claqué la porte de toutes ses forces et j'ai pris la communication avec réticence.

— Isabel. Tu as toujours mon iPod.

J'ai fermé les yeux et je me suis rallongée par terre. Sa voix ne laissait aucun doute, il me détestait à mort.

— Oui, je sais.

Je m'attendais à ce qu'il me donne des instructions pour le lui rapporter, mais il semblait décidé à se murer dans un silence glacial.

— Je ne peux pas ce soir, j'ai un truc de prévu.

— Ah oui, toi et tes trucs, a-t-il rétorqué. Un tête-à-tête avec ton petit frère – c'était ton petit frère, à l'instant, pas vrai ? – autour d'un repas chinois. Soirée follement excitante en perspective !

— Qu'est-ce que tu as entendu ?

J'ai passé en revue mon échange de politesses avec Félix, tremblant à l'idée d'avoir donné le moindre indice que j'étais une menteuse compulsive de seize ans.

— Gâteaux porte-bonheur. Nems. Poulet sauce satay. Quelque chose à propos d'argent de poche. Apparemment, même ta famille n'est pas à l'abri de ta méchanceté chronique. Et tu l'insultes aussi en public ?

J'ai préféré ignorer sa dernière pique.

— Personne ne t'obligeait à écouter.

— Je n'ai pas pu faire autrement, a-t-il dit avec un gros soupir. Écoute, j'ai besoin de mon iPod. Je ne suis pas dispo ce soir, de toute façon, donc est-ce que je peux passer le récupérer chez toi demain ?

« Chez moi ? »

— Non ! Je te retrouve quelque part.

— C'est quoi, ton adresse ?

— Tu ne viens pas ici !

Je voyais déjà l'horrible scène : mon père traitant Smith en violeur potentiel et lui révélant mon âge véritable en moins de dix secondes.

— Pas la peine de t'énerver, Isabel, bien qu'à force j'aie l'habitude. J'essayais de savoir si tu habites près de chez moi, a-t-il grommelé. (Je me suis sentie atrocement ridicule.) Tu es du côté de Hove ou quoi ?

— J'habite près de Seven Dials. Montpellier Villas, ai-je répondu à contrecœur.

Notre quartier est assez snob. En fait, on habite la rue la plus friquée de Brighton.

— Et toi ?

— Kemp Town, George Street, derrière le supermarché. Tu veux passer chez moi demain après-midi ? Juste pour échanger nos iPods...

— Et pour quelle autre raison ?

Il a laissé échapper un soupir d'impatience.

— J'habite au numéro 73. Passe vers deux heures et demie.

— Bien, comme tu veux.

— Parfait. Tu seras peut-être de meilleure humeur.

— Compte là-dessus, ai-je aboyé.

Mais il avait déjà raccroché et je m'adressais au vide.

10

C'était un bel après-midi. L'été s'attardait encore, bien qu'on soit fin septembre, et j'ai décidé de longer le front de mer pour me rendre à Kemp Town, en évitant un promeneur ou une poussette à chaque pas. Je leur lançais des regards mauvais, mais le fait de porter des lunettes de soleil gâchait mon effet.

Près de la jetée, il y a un petit promontoire en pierre d'où j'aime regarder la mer ; malheureusement, l'endroit était envahi par des hordes de beaufs joufflus venus de Londres passer la journée à Brighton. De toute manière, c'est mieux quand il pleut, et que le vent et l'écume viennent me fouetter le visage. J'ai acheté des beignets tout frais au stand situé à l'entrée de la jetée avec ce qui me restait des pièces piquées à mon père, puis j'ai traversé la route en écoutant une dernière fois *Teenage Anthems for a Seventeen-year-old Girl*[1] de Broken Social Scene. Le

1. « Hymnes adolescents pour une fille de dix-sept ans. » *(N.d.T.)*

iPod de Smith allait me manquer : il y avait d'excellentes chansons... que je n'avais pas réussi à transférer sur mon ordinateur.

Je me voyais mal le lui demander : « Hors de question que je ruine ma réputation de méchante », ai-je songé alors que, immobile sur le seuil de sa porte, je rassemblais mon courage pour sonner. Mes doigts ont fini par m'obéir, et j'ai attendu, tremblante, tandis que des pas résonnaient dans l'escalier, suivis d'un juron si spontané et pittoresque que, même moi, j'ai été choquée.

La porte s'est ouverte sur une jolie fille visiblement agacée qui m'a lancé un regard interrogateur.

— Oui ?

J'ai d'abord pensé ôter mes lunettes de soleil mais je me suis ravisée. Elle était très mignonne, or ma tignasse faisait des siennes et je n'étais pas dans un bon jour.

— Est-ce que Smith est là ?

Elle a hoché la tête et s'est effacée pour me laisser passer.

— Entre et fais gaffe au vélo. Je viens de me cogner la hanche, m'a-t-elle expliqué en riant.

Son visage avait quelque chose de familier. J'avais l'impression de l'avoir déjà rencontrée – peut-être était-elle au club l'autre soir.

J'ai monté à sa suite les marches qui menaient à un salon.

— Attends ici, je vais voir s'il est levé. Au fait je m'appelle Molly.

— Isabel, ai-je murmuré en m'asseyant sur le bord d'un fauteuil.

Molly ? C'était donc elle, le modèle de perfection dont Smith s'était désespérément entiché. Elle a écarté ses mèches blond miel (sûrement pas sa couleur naturelle) de son visage d'elfe et, oui, effectivement, elle avait de quoi plaire aux garçons. J'ai sorti le iPod de ma poche.

— Je suis venue le lui rendre. Peut-être que tu pourrais t'en charger et récupérer le mien pour moi ? ai-je demandé avec bon espoir, mais elle s'était déjà éloignée.

— Je vais le chercher, a-t-elle lancé par-dessus son épaule.

J'ai jeté un regard circonspect autour de moi. Tout ce que j'avais entendu au sujet des logements d'étudiants était donc vrai. Je me trouvais dans un véritable taudis. Des magazines, des journaux et des papiers gras jonchaient le tapis. Des tasses et des soucoupes sales – dont la plupart avaient servi de cendrier – traînaient un peu partout. J'ai soulevé mes fesses, histoire de toucher mon siège le moins possible. Le seul fait d'être assise là me donnait la chair de poule.

— Désolée, c'est un peu la pagaille, s'est excusée Molly en revenant dans la pièce. On reçoit tout le temps du monde, le bazar s'accumule et on n'arrive pas à ranger. C'est un cercle vicieux.

Je lui ai souri timidement en me creusant la cervelle pour trouver quelque chose à dire.

— Ce n'est pas si terrible. Il suffit de pas grand-chose... commencez par rassembler les détritus dans un sac-poubelle.

« Bonjour, je m'appelle Isabel et le ménage est ma passion. »

— Oui, c'est un début, a-t-elle répondu en poussant du pied une pile de magazines. Bref, Smith dit que tu peux monter si tu veux. Je te prépare un thé ?

Pas question que je trempe mes lèvres dans une tasse qui aurait séjourné dans cet appartement. À moins de vouloir choper la dysenterie.

— Oh non, ça va, merci.

Je me suis levée en m'efforçant de ne pas paraître trop désorientée.

— Et... c'est par où ?

— La dernière porte en haut de l'escalier.

Molly était toujours occupée à shooter dans les détritus qui jonchaient le sol.

— Il est d'une humeur de chien, je te préviens. Il a une gueule de bois carabinée, a-t-elle ajouté d'un ton jovial.

En montant les marches, j'ai fait en sorte de ne pas toucher la rambarde et les murs, où la saleté devait s'accumuler depuis des années. D'accord, ils avaient été repeints récemment mais les bactéries se nichent partout.

Une musique s'échappait de la chambre de Smith. J'ai frappé trois petits coups. Pas de réponse. Il a fallu que je martèle la porte de mes poings pour qu'il se décide à ouvrir avec un grognement.

Je n'ai vu que lui. Le soleil entrait à flots par la fenêtre et le nimbait d'une lumière dorée qui accentuait le bleu de ses yeux. Sa chambre était minuscule. Elle comprenait un lit double, une tonne de CD éparpillés sur le sol et un équipement stéréo sophistiqué posé sur un cageot.

— C'est toi.

Au ton de sa voix, j'ai compris qu'il n'était pas vraiment ravi de me voir. Mais pour une fois, je n'étais pas en rogne contre lui. Je ne m'étais jamais retrouvée seule avec un garçon dans sa chambre (Félix ne comptait pas), surtout que, dans la sienne, le lit était l'élément principal. Et j'étais tout sauf à l'aise. J'ai agité mollement la main dans sa direction :

— Salut.

Smith a fait un pas vers moi, me donnant un bon aperçu de ses yeux injectés de sang et de son menton mal rasé. Il avait les cheveux mouillés : il devait sortir de la douche.

— Tu as mon iPod ? a-t-il demandé de but en blanc.

— Oui, je l'ai rechargé.

J'ai calé sous mon bras le sac contenant les beignets en priant pour ne pas tacher de graisse mon petit haut, et j'ai récupéré mes écouteurs avant de lui tendre l'appareil.

Il l'a tenu devant la lumière pour l'examiner, comme s'il avait du mal à croire qu'il était intact.

— J'avais prévu de le jeter dans les toilettes mais j'ai changé d'avis.

— C'est très généreux de ta part. Reste là, je vais chercher le tien.

Il s'est dirigé vers une porte dissimulée par un poster de *Lost in Translation*[1], qui ouvrait sur un réduit minuscule. À l'intérieur, un grand bureau occupait tout un pan de mur.

Smith a trafiqué quelque chose sur son ordinateur et s'est tourné vers moi, les sourcils froncés.

— Je suis en train de transférer certains de tes morceaux et ce n'est pas terminé. Ça te dérange d'attendre un peu ?

— Je peux revenir, me suis-je entendue répondre. (Mieux valait que je sorte de là avant que ce silence ne m'achève.) Dans une heure, peut-être ?

— Non... attends... a-t-il marmonné en pianotant sur son clavier. Entre, si tu veux.

C'était toujours mieux que de prendre racine au milieu de sa chambre, alors je me suis faufilée der-

---

1. Film de Sofia Coppola (2004). (*N.d.T.*)

rière lui et je l'ai regardé transférer mes *playlists* sur iTunes.

— J'ai essayé de transférer tes fichiers, moi aussi, mais je n'y suis pas arrivée.

Je l'ai senti se raidir comme je me rapprochais. Qu'est-ce qu'il croyait, que j'allais lui sauter à la gorge ? Mais il a dit d'un ton plus amical :

— Il faut que tu télécharges ce programme sur Internet. Je vais te montrer, assieds-toi.

Nous avons passé l'heure suivante à transférer des chansons de son iPod sur le mien et à nous chamailler gentiment à propos de musique. Je l'ai même laissé manger les beignets restants car il n'avait rien avalé depuis la veille.

— Et, oh, tu peux me transférer les chansons des Hormones, s'il te plaît ?

Smith s'est exécuté en souriant.

— Tu aimes ?

— Oui, c'est sympa. Enfin, c'était. Maintenant, leur musique est pourrie. Je les préférais quand Molly… Merde ! C'est ELLE ! Quelle idiote !

J'ai porté mes mains à mes joues qui s'empourpraient.

— Tu ne l'as pas reconnue ? Elle a dû changer, j'imagine.

J'ai secoué la tête.

— Son visage m'était familier mais j'ai cru que je l'avais rencontrée au club, et puis elle avait les cheveux roses, avant.

— Si tu ne t'étais pas montrée aussi désagréable, je t'aurais présentée. Avec Jane, elle a formé un nouveau groupe qui s'appelle Duckie.

Accroupi à côté de moi, il a appuyé le bras sur ma jambe.

— N'en dis pas plus, ai-je gémi. J'ai besoin d'un peu de temps pour digérer l'info.

Il m'a donné une trentaine de secondes.

— Ça y est, tu as intégré ?

— Bon, tu essaies de me dire que Molly Montgomery, l'ex-chanteuse des Hormones[1], vit désormais dans un appart' d'étudiants crasseux à Brighton...

— C'est parce qu'elle est étudiante, Isabel. C'est ce que font les étudiants, ils partagent des logements d'étudiants, ils vont en cours. Sauf que Molly, elle, est poursuivie par son ancienne maison de disques pour rupture de contrat.

— Aïe !

— Un sujet très sensible, a-t-il ajouté en baissant la voix. Ne jamais aborder les sujets suivants : les Hormones, les avocats ou les ex prénommés Dean qui viennent de décrocher leur premier rôle au cinéma.

J'ai hoché la tête avec solennité.

— Je tâcherai de m'en souvenir.

1. Voir *Guitar Girl*, du même auteur, Pocket Jeunesse 2006. (*N.d.T.*)

Soudain, la conversation que j'avais surprise au club m'est revenue en tête.

— Alors, c'est elle, ta petite amie ?

— Pas du tout.

Il m'a lancé un regard pénétrant et – je ne crois pas que c'était le fruit de mon imagination – j'avais l'impression que sous prétexte de s'appuyer sur ma jambe, il me caressait le genou.

— On est amis, point. Viens, l'ordinateur peut se débrouiller sans nous, et je commence à avoir une crampe.

Après s'être levé, il s'est étiré en faisant jouer les muscles de son dos. Son tee-shirt s'est soulevé, révélant le duvet de son ventre. J'ai fixé le bas effiloché de mon jean, consciente qu'il me souriait, de ce sourire qui me donnait envie d'effleurer les commissures de ses lèvres.

— Tu veux du thé ?

J'ai secoué la tête.

— Ça y est, a-t-il observé d'un air taquin, tu es redevenue silencieuse.

Puis il a ri en me voyant faire la moue.

— Non !

— Si ! Allez, on retourne à côté.

Il n'y avait que le lit pour s'asseoir, mais je ne m'en suis pas formalisée. Vautré sur le matelas, Smith m'a raconté qu'il avait assisté au premier concert des Hormones pour les seize ans d'une fille, après avoir rencontré Jane et Molly dans un garage. Assise en tailleur à côté de lui, j'écoutais, non pas son histoire (qui était pourtant assez intéressante) mais l'orgueil qui perçait dans sa voix quand il évoquait Molly et les épreuves qu'elle avait traversées. Elle n'était peut-être pas sa petite amie, mais il éprouvait plus que de l'amitié pour elle. Et ses sentiments n'étaient pas payés de retour.

— Alors, on a sympathisé pendant ce qu'elle appelle sa période sombre, où elle portait beaucoup de noir et passait le plus clair de son temps au lit, a-t-il conclu.

— J'imagine qu'elle en a bavé. Est-ce qu'elle a un copain ?

Les yeux de Smith, qui étaient restés fermés jusque-là, se sont ouverts brusquement.

— Non, je crois qu'elle a des vues sur un DJ, a-t-il répondu d'un ton égal. Et toi ?

— Quoi, moi ?

— Tu as un copain ? m'a-t-il demandé avec désinvolture.

— Sûrement pas !

L'idée même d'avoir un copain me semblait si bizarre que je me suis mise à glousser.

— Oh, voilà qu'Isabel sourit, a-t-il commenté en reposant la main sur mon genou. (Le contact de cette main me rassurait, c'était comme une ancre qui m'empêchait de dériver.) Et qu'est-ce que tu fais quand tu ne joues pas les timides ou les cyniques ? Tu as pris une année sabbatique ?

Les mensonges compliquent tellement la vie ! Un mensonge en appelle un autre, et ainsi de suite. Jusqu'à ce qu'on se retrouve à ce point empêtré qu'on ne peut plus s'en sortir.

— Oui. Si je trouve un petit boulot, je m'offrirai peut-être un voyage.

— C'est bizarre... Tu es née en août, c'est ça ?

— Le 8 août 1987.

— Mais tu ne devrais pas être en train de passer tes examens si tu viens d'avoir dix-huit ans[1] ?

Les pages du calendrier ont défilé devant mes yeux, emportées par le vent comme dans les vieux films, lorsqu'ils veulent montrer au spectateur qu'un énorme laps de temps vient de s'écouler. Puis les pages ont laissé place à une unique feuille blanche où il était inscrit en grosses lettres rouges : « ELLE A MENTI. EN FAIT, ELLE N'A QUE SEIZE ANS ! »

— Non... non. Tu fais erreur. Je suis la plus jeune de ma classe. Enfin, j'étais. Fin juillet, c'est la date limite, on est d'accord ? Bref, si j'étais née neuf jours plus tôt, je me serais retrouvée dans la classe inférieure.

Malgré mes explications brouillonnes, Smith a hoché la tête.

— Tu penses aller à l'université ?

— Je ne sais pas encore. J'en ai déjà ras le bol des

1. Le *A-levels*, équivalent britannique du baccalauréat, s'étale sur deux ans. (*N.d.T.*)

études, avec mon père et le reste, ai-je répondu d'un ton songeur, soulagée de ne plus avancer en terrain miné. J'aimerais m'impliquer dans un projet artistique mais je n'ai aucun talent.

Smith s'est redressé sur les coudes. Ses cheveux, désormais secs, étaient un désordre de boucles et d'épis ; j'aurais voulu les toucher pour vérifier s'ils étaient aussi doux qu'ils en avaient l'air.

— Qu'est-ce qui te branche ? a-t-il demandé.

Je lui avais déjà raconté tellement de mensonges ! Je n'arrivais même plus à les compter, et pour une fois, il méritait une réponse honnête.

— Ce qui me branche ? T'embrasser.

Il n'a pas répondu. Il a fermé les yeux, et j'ai pensé que j'avais tout gâché. Qu'il ne voulait plus m'embrasser après ce qu'il s'était passé la dernière fois. Ou que je l'avais embrouillé avec mes signaux contradictoires. Mais il a ouvert un œil et m'a souri.

— Eh bien, vas-y, a-t-il répondu avec une pointe de défi dans la voix.

J'ai rampé sur le lit en fixant ses lèvres un peu boudeuses comme si j'étais sur le point d'escalader une montagne. Il souriait toujours. J'ai pris sa tête à deux mains et j'ai embrassé les commissures de ses lèvres.

Puis j'ai couvert sa bouche de baisers. Je ne savais pas trop ce que je faisais, mais quelle importance ! Mes doigts caressaient l'arc de ses sourcils, l'arête de son nez et la chair douce et dodue de ses lobes d'oreilles.

J'aurais pu continuer éternellement. Le soleil qui tapait sur la vitre réchauffait sa peau et lui donnait une teinte caramel. Or rien ne dure éternellement. Soudain, il a répondu à mes assauts timides : la main sur ma nuque, il m'a fait basculer sur le lit.

Et là, j'ai compris pourquoi les gens faisaient toute une histoire de ce genre de choses. J'ai compris pour la première fois de ma vie qu'on pouvait perdre le contrôle dans pareille situation.

— Ça va ? m'a-t-il chuchoté à l'oreille en traçant des cercles sur ma peau, et j'ai hoché la tête.

Il n'a pas cessé de me répéter les mêmes mots par la suite. Nos vêtements ont volé à travers la pièce, telles des plumes dans la brise. Sauf que le contexte était moins poétique, plus réel. Impossible de l'expliquer avec des métaphores ou des termes alambiqués. Je savais juste que je me sentais bien, et sa façon de me regarder, de me toucher comme un objet rare, comme si je comptais pour lui, m'a décidée.

Il n'arrêtait pas de me poser la même question, « ça va ? », et je ne pouvais que répondre « oui ». Il m'a lâchée pour prendre un objet sur la table de nuit, je l'ai entendu déchirer l'emballage en aluminium ; et alors seulement j'ai pris conscience de ce que je m'apprêtais à faire.

Mais ce n'était pas le moment d'analyser les raisons et les implications d'un dépucelage au beau milieu de l'après-midi, par un dimanche ensoleillé, sur des draps qui sentaient l'adoucissant et la cigarette. Il fallait bien perdre sa virginité un jour ou l'autre.

— Ça va ? a-t-il encore murmuré dans mon cou.

Bon, j'ai tenté de répondre, mais j'avais perdu l'usage de la parole, je découvrais la sensation inconnue et étonnante de sa peau contre la mienne. De ses mains qui exploraient des endroits nouveaux. De ses jambes qui écartaient les miennes.

— Tu l'as déjà fait ?

J'ai rougi jusqu'aux oreilles. Je n'aurais pas pu rêver situation plus confortable : nue dans le lit de quelqu'un d'autre, ma rougeur exposée à son regard.

— Oui ! Des tas de fois !

Ma voix ne m'avait jamais semblé aussi aiguë jusque-là et ma formulation n'était pas des plus élégantes. Smith m'a lancé un regard un rien scandalisé pour quelqu'un qui était allongé sur moi.

— OK... hum... ravi de l'apprendre.

— Ce n'est pas arrivé si souvent que ça, ai-je chuchoté car ce genre de conversation ne pouvait avoir lieu qu'à voix basse. Je ne suis pas une collectionneuse. Seulement... tu sais... je ne suis pas vierge.

Sur le dernier mot, ma voix s'est réduite à un murmure, et je me suis demandé s'il m'avait entendue.

— De toute façon, on accorde trop d'importance à la virginité, m'a-t-il dit en souriant.

Il devait signifier par là que la perte supposée de ma virginité jouait en ma faveur, mais son sourire a laissé place à une expression plus carnassière, disons, et là j'étais censée jouer les femmes d'expérience qui savent ce qu'elles font, alors je l'ai attiré vers moi pour l'embrasser.

Je n'ai pas souffert tant que ça. J'ai éprouvé la même sensation de picotement que quand on boit trop vite du Coca très frais. Et ce n'était pas la douleur, le véritable problème. J'avais déjà du mal à refouler un sentiment de panique à l'idée de ce que j'étais en train de faire, et en plus je devais me concentrer sur la marche à suivre.

Je ne savais pas trop quoi faire de mon corps. Dans les films, les femmes ont les genoux au niveau des oreilles, mais je n'arrivais pas à comprendre comment on pouvait lever les jambes aussi haut, et j'ai failli éborgner Smith avec un orteil.

— Désolée ! ai-je marmonné.

Sur le moment, tout ça m'a paru ridicule. Le sexe était une affaire ridicule. Pendant l'acte, le visage de Smith avait de drôles d'expressions. Et ses doigts étaient si légers sur ma peau que j'étais obligée de me mordre les lèvres pour ne pas rire.

J'avais toujours pensé que j'aurais une révélation, la première fois – en fait, pas du tout. C'était juste un enchevêtrement de bras et de jambes qui n'avait rien de commun avec les images que j'avais pu voir. J'ai préféré l'après, quand, nichée au creux de son bras, j'ai partagé une cigarette avec lui en écoutant de la musique. C'était beaucoup plus intime que la séance de gymnastique qui avait précédé.

Un silence que je qualifierais de complice s'était installé, jusqu'à ce qu'il vienne tout gâcher.

— Alors... c'était comment ?

Je lui ai jeté un regard en coin.

— Quoi ?

Il a lissé une mèche rebelle derrière mon oreille et m'a caressé la joue.

— C'était bien ? Tu as aimé ? Tu crois que tu voudras remettre ça ?

— Ouh là, ça fait beaucoup de questions à la fois, ai-je répondu, et il s'est écarté de moi, laissant un mètre de drap froissé entre nous deux. (J'ai tendu la main pour toucher sa peau douce et chaude.) Qu'est-ce que tu veux que je te dise ? J'étais juste venue récupérer mon iPod, et voilà que tu deviens tout bizarre et sentimental.

— On vient de coucher ensemble, Isabel, m'a-t-il rappelé. (Comment aurais-je pu l'oublier ?!) Ça rend les gens bizarres et sentimentaux, en général.

Il s'est tourné dans le lit pour me regarder : avec ses cheveux ébouriffés, il avait l'air d'un petit garçon perdu.

— Tu regrettes ?

— C... Ce n'est pas mon genre, tu sais, ai-je balbutié. Je ne couche pas avec le premier venu. Alors si j'ai enfreint les règles de savoir-vivre d'après l'amour, je suis désolée mais...

— Alors de quoi tu parles, d'habitude, après ? a-t-il demandé d'un ton acide.

J'ai replié les genoux contre ma poitrine en me couvrant avec l'édredon.

— Je ne sais pas.

J'ai fermé les yeux : c'était facile de simuler quand on faisait l'amour, il me suffisait de l'enlacer. Seulement voilà qu'il me dévisageait comme si je venais d'assassiner quelqu'un. Une fois de plus. J'avais encore envie de poser ma tête sur son torse et d'écouter les battements réguliers de son cœur. Mais surtout, je voulais qu'il cesse de me regarder avec cet air-là.

— Je ne sais pas, ai-je répété. En fait, je n'ai jamais parlé de quoi que ce soit après l'amour, parce que jusqu'à aujourd'hui, je ne l'avais jamais fait.

Son visage s'est décomposé. Ses traits, d'habitude si paisibles, étaient déformés par la surprise : il m'a fixée bouche bée, les yeux ronds.

— Il faut que j'y aille, de toute façon, ai-je marmonné.

Détournant les yeux de son visage frappé de stupeur, j'ai rampé sous les couvertures pour récupérer mes vêtements. Mon jean, mon haut, ma culotte et mon soutien-gorge étaient roulés en boule au pied du lit et j'ai dû me contorsionner tel un bretzel pour me rhabiller, en protégeant ma pudeur plus du tout virginale avec l'édredon.

Smith a répondu quelque chose mais j'étais en train de me débattre avec ma bretelle de soutien-gorge. Une fois l'opération terminée, je me suis extirpée du lit avec ce qu'il me restait de dignité pour me mettre en quête de mes tongs qui, apparemment, avaient disparu dans une autre dimension.

— Tu aurais dû me le dire.

Allongé sur le dos, il a allumé une cigarette.

— Pas de quoi en faire un fromage, ai-je répliqué avec un effort surhumain pour paraître désinvolte. J'avais prévu de m'en débarrasser un jour ou l'autre, et tu as été... Bref, ce n'était pas si mal.

Mes mots sonnaient faux, Smith a ricané, avant de se souvenir que je lui avais menti, que je l'avais utilisé sous de faux prétextes, bref, que c'était lui la victime, dans l'histoire.

— C'était ta première fois, a-t-il repris d'une voix où perçait l'émotion. Il ne manquait plus que les violons. Ç'aurait dû être un moment unique, tu aurais dû me le dire et...

J'ai plaqué les mains sur mes oreilles.

— Et quoi ? Tu te serais montré plus doux avec moi ? Je n'ai pas envie de savoir. Écoute, c'était très chouette. Je n'aurais pas dû te mentir, je le vois bien, mais on ne va pas en parler jusqu'à demain !

— Franchement, tu es impossible !

— Oui, tu n'es pas le premier à l'avoir remarqué.

Je me suis glissée sous le lit pour attraper mes tongs. En me redressant, j'ai failli lui donner un coup de boule alors qu'il se penchait pour me prendre par les épaules.

— Lâche-moi, ai-je grogné en résistant à l'envie de me blottir contre lui. Il faut que j'y aille.

— Viens ici, a-t-il ordonné d'un ton bourru.

Et il m'a attirée vers le lit pour me serrer fort dans ses bras.

11

Il faisait nuit quand je me suis réveillée. Pour la première fois depuis des mois, j'avais dormi comme un bébé. Je suis restée allongée quelques instants de plus, désorientée par la lueur oblique des réverbères qui filtrait par la fenêtre et le poids agréable d'un corps contre moi. Peu à peu, les pièces du puzzle se sont ordonnées dans ma tête. Je me trouvais dans la chambre de Smith, dans son lit, et c'était son bras qui m'enlaçait.

J'ai tenté de me dégager mais il s'est cramponné à moi.

— Quelle heure est-il ?

Mon chuchotement rauque m'a semblé assourdissant.

— Chuuut, il est tard, rendors-toi, a-t-il marmonné, mais j'ai gigoté de plus belle.

— Merde ! Je dois y aller ou il va me tuer !

Smith m'avait sans doute confondue avec son objet transitionnel : j'avais beau faire des efforts surhumains pour me lever, il était déterminé à se coller à moi.

— Tu n'as qu'à passer la nuit ici, a-t-il murmuré d'une voix ensommeillée.

— Il faut vraiment que je m'en aille. Quelle heure est-il, dix heures du soir ou cinq heures du matin ?

Smith a jeté un coup d'œil à sa montre puis a grommelé :

— Trois heures passées.

J'ai poussé un cri inhumain, à mi-chemin entre la plainte et le hurlement.

— Comment j'ai... nous... Tout ça, c'est ta faute !

Je lui ai donné un coup de coude dans les côtes. Il m'a lâchée. En un éclair, je me suis extirpée du lit et j'ai couru jusqu'à la porte. Peine perdue. Même en battant le record du deux mille mètres, je serais rentrée bien après le couvre-feu parce que j'avais couché avec un garçon. Avec Smith ! Et si j'avais pu faire abstraction de la douleur que j'éprouvais à un endroit auquel je ne voulais absolument pas penser, j'aurais presque pu prétendre qu'il ne s'était rien passé.

— Isabel, attends !

J'ai accéléré le pas, mais toutes ces cigarettes avaient dû avoir un effet désastreux sur mon sprint car j'étais en train de me débattre avec la poignée de la porte d'entrée quand Smith m'a rattrapée par l'épaule.

— Il est tard, je te raccompagne.

— Tu n'es pas obligé d'être gentil avec moi sous prétexte que tu m'as... que tu m'as...

« Dépucelée. Sous prétexte que tu as pris ma petite fleur et *tutti quanti*. » Il a tiré le verrou et ouvert la porte.

— Je sais mais je veux être sûr que tu rentres chez toi entière.

— Eh bien, ton initiative est discutable : la seule excuse qu'il pourrait accepter, c'est qu'il me manque une jambe.

Smith s'est retourné pour scruter le couloir plongé dans l'obscurité.

— Ne bouge pas, je vais chercher le couteau à pain. On pourrait te couper un ou deux doigts.

— Berk ! Et arrête d'être aussi gentil.

— Je n'y peux rien, je suis gentil, a-t-il répliqué en faisant la moue.

Je n'ai pas pu m'empêcher de glousser devant la banalité de la situation. Enfin, pas le chapitre qui concernait le sexe et la violation du couvre-feu, mais le fait de flirter avec un garçon sur le seuil de sa porte.

À la seconde où cette pensée m'a effleuré l'esprit, mon rire s'est tu. Moi, je n'étais pas une fille banale, comme les autres. J'étais une pauvre cruche à côté de ses pompes, qui ne s'attirait que des ennuis.

— Bon, si tu viens, c'est tout de suite, ai-je marmonné.

En sortant, j'ai été accueillie par une averse torrentielle digne du Déluge.

— Je devrais peut-être aller chercher un parapluie.

— On n'a pas le temps. Et ça ne sert à rien de se tremper tous les deux, alors...

Smith m'a prise par la main : je n'ai pas eu d'autre choix que de courir à sa suite, sans quoi il me démettait l'épaule.

Il devait trouver ça très romantique, cette course le long du front de mer avec la pluie et le vent qui nous fouettaient le visage. Mais ce n'était pas le cas. Il n'y a rien, absolument rien de romantique ni de charmant à courir sur un trottoir détrempé par la pluie avec des tongs qui font floc-floc à chaque pas. Surtout si on manque s'étaler quand l'une d'elles menace de tailler la route toute seule.

Parvenus au niveau de la jetée, on a dû faire une pause parce que j'étais sur le point d'avoir un arrêt cardiaque. Puis, comme chez les scouts, on a alterné marche et course. Hélas, toute cette précipitation n'a pas servi à grand-chose. On a ralenti le pas en atteignant la pente raide de Montpellier Villas, ma maison est apparue au détour d'un virage et j'ai vu les lumières : le comité de bienvenue m'attendait de pied ferme avec les cotillons, et il avait probablement sifflé quelques bouteilles de vin en patientant.

— Merde, merde, merde, ai-je grommelé. Je vais me faire éviscérer.

Je ne crois pas que Smith pouvait m'entendre par-dessus le vent de force dix, seulement, il a serré ma main dans la sienne. Si je n'avais pas été trempée et transie de froid, j'aurais trouvé son geste réconfortant.

— Je pourrais venir avec toi, a-t-il crié dans mon oreille. Laisse-moi parler à ton père...

— Ah oui, pour lui dire quoi ? Désolé, si Isabel est en retard, c'est qu'on s'est endormis après s'être envoyés en l'air ? Je ne pense pas que ça va m'aider.

— Tu devrais lui rappeler que tu as dix-huit ans, que d'un point de vue légal tu es une adulte.

J'ai hoché la tête en me promettant de ressortir cet argument à mon père dans deux ans.

L'heure des adieux déchirants était venue, sauf que le froid et la pluie plombaient vraiment l'ambiance. Avec un juron, Smith a extirpé mon iPod de la poche de son jean trempé. Il a souri, l'air satisfait, tel un chasseur qui vient d'abattre un ours.

— Je suis en train de penser que, si je te le rends, je n'aurai pas d'excuse pour t'appeler.

J'ai tendu la main pour regarder les gouttes de pluie s'écraser sur ma paume.

— Tu peux m'appeler si tu veux. Je devrais te donner mon numéro de portable, j'ai enfin du crédit.

J'ai baissé les yeux vers mon jean et mon haut trempés ; Smith a tâté ses vêtements à la recherche d'un hypothétique stylo.

— Ce n'est pas grave, ai-je lancé.

Alors il a glissé la main dans la taille de mon jean afin de m'attirer contre lui, et il m'a embrassée avec fougue comme pour effacer la pluie qui s'abattait sur nous, nous privant du goût des baisers qu'on avait échangés auparavant.

Smith avait les bras solides : il me serrait fort contre lui et il serait presque parvenu à me faire oublier ces maudites lumières, mais du coin de l'œil, j'étais sûre d'avoir vu les rideaux bouger. Avec douceur, je me suis arrachée à son étreinte.

— Il faut vraiment, vraiment que j'y aille.

— Je sais. On se reverra, dis ?

Il était tard, je m'apprêtais à subir un sermon carabiné, aussi n'ai-je pas pris la peine de me demander si sa question sous-entendait quelque chose : petite amie ou coup d'un soir, comment savoir ?

— Oui, je crois.

Et puisque je ne savais jamais quoi dire en pareille circonstance, j'ai fait mine de m'éloigner, avant de me raviser :

— Merci.

Smith ne m'a pas demandé pourquoi – je ne crois pas que j'aurais été capable de lui répondre. Après m'avoir embrassée, il a murmuré contre ma bouche :

— Pas de quoi.

Je l'ai regardé dévaler la colline et se perdre dans l'obscurité. J'ai soulevé le loquet du portail, puis j'ai remonté furtivement l'allée, la peur au ventre. Je n'avais pas introduit ma clé dans la porte qu'elle s'est ouverte à la volée : je suis tombée sur le seuil.

J'ai secoué mes cheveux plaqués par la pluie et j'ai fixé le visage impassible de mon père. Un tic nerveux faisait trembler sa joue. Quand j'étais petite, j'essayais de chasser ce tic de mes doigts potelés et il me disait en riant que je le chatouillais. Parfois, quand ce genre de détail me revient en mémoire, j'ai l'impression d'avoir rêvé ou que c'est arrivé à une autre Isabel qui me ressemble, qui possède les mêmes souvenirs, mais qui n'est pas moi.

Il a gardé la main posée sur la poignée de la porte et je me suis glissée à l'intérieur en m'efforçant de ne pas le frôler. Jamais, au grand jamais, il ne m'avait frappée, néanmoins, il y avait toujours une première fois.

La porte s'est refermée sur moi avec un bruit mat. Me tournant vers lui, dégoulinante d'eau de pluie, j'ai soutenu son regard assassin.

J'ai ouvert et fermé la bouche plusieurs fois sans parvenir à articuler le moindre son – il m'a arrêtée d'un geste :

— Je ne veux rien entendre, Isabel !

Je ne fais jamais ce qu'on me demande.

— Je suis allée chez un copain et je me suis endormie. Je ne comprends pas pourquoi tu t'énerves comme...

— Et ce copain, c'est ce même garçon qui te harcelait devant la maison ?

— C'est juste un copain.

Les bras croisés, il s'est adossé au mur : je savais qu'il attendait de moi des excuses, une explication ou une crise de colère. Mais j'avais mal aux os et jusqu'à la racine des cheveux. Je me suis dirigée vers l'escalier.

— Tu n'étais pas obligé de m'attendre.

— Non, en effet. Mais je préférais rester debout au cas où la police m'appellerait pour m'annoncer qu'on t'avait trouvée morte dans un fossé.

— Désolée de te décevoir : je suis toujours vivante.

Je me suis concentrée sur la tâche ardue qui consistait à mettre un pied devant l'autre. Même en lui tournant le dos, je sentais son regard peser sur moi.

— Je ferai mieux la prochaine fois, si tu veux.

Je l'ai entendu réprimer un soupir. Je me préparais à recevoir un flot d'invectives ; il s'est contenté de répondre :

— Oh, va te coucher, Isabel. Je m'occuperai de ton cas demain matin.

Ses menaces, c'était du vent. C'était toujours du vent. Il ne pouvait pas me punir de sortie, il aurait fallu pour ça qu'il supporte ma présence à la maison. Il ne pouvait pas me priver d'argent de poche sans être obligé de vivre dans la crasse. Quant à me priver de télé, il aurait dû monter dans ma chambre pour la mettre hors d'état de marche, ainsi que le magnétoscope et le lecteur de DVD, ce qui l'aurait forcé à se triturer les méninges.

Au beau milieu de son sermon – moi, perchée sur un tabouret de la cuisine tandis que lui se tenait debout devant moi, haussant le ton à mesure qu'il parlait –, il a émis l'idée de me priver de connexion Internet. Or il n'est même pas capable de consulter sa messagerie sans faire appel à une liste d'instructions détaillées, alors je savais que je n'avais pas fini de télécharger illégalement des chansons.

Cette pénurie de châtiments appropriés lui tapait sur les nerfs, et il serrait les dents si fort que je ne comprenais pas comment il arrivait encore à parler. Il a néanmoins réussi à me soumettre à un interrogatoire en règle :

— Où étais-tu ? Qui est ce garçon ? Depuis combien de temps le connais-tu ? Où avais-tu la tête pour rentrer aussi tard ? Est-ce qu'il t'arrive de réfléchir ? Tu ne penses donc qu'à ta petite personne ?

J'avais l'impression qu'il participait au concours du plus grand nombre de questions en une demi-heure. Je ne prenais pas la peine de répondre pour ne pas le priver du plaisir d'entendre sa propre voix.

— Il est hors de question que tu le revoies, bien entendu, a-t-il décrété en faisant les cent pas entre l'évier et le garde-manger. Je te l'interdis formellement. Et tu ne recevras plus aucun ami ici. Je ne veux pas voir des hordes d'adolescents débarquer à n'importe quelle heure.

Il s'est tu pour évaluer l'effet de sa petite bombe. Mais comme je n'aime pas beaucoup mes amis, j'ai songé que je pourrais me faire une raison. J'ai baissé les yeux vers mes mains sagement posées sur mes genoux, en espérant que mon attitude lui signifierait que je m'en fichais.

— Bien, et que ça te serve de leçon, a-t-il conclu avec une pointe de satisfaction dans la voix, apparemment convaincu qu'il était enfin parvenu à me faire prendre conscience de mes erreurs.

Puis il est retourné s'enfermer dans son bureau et tout est revenu à la normale. Si ce n'est que, de l'autre côté de la ville, il existait quelqu'un qui, peut-être, se souciait un peu de moi.

12

Pourtant Smith ne se manifestait pas. J'ai passé la semaine suivante sur un petit nuage, mais j'ai découvert les tourments de l'attente à côté du téléphone qui ne sonnait pas. Pourquoi aurait-il appelé, maintenant qu'il avait obtenu ce qu'il voulait ?

Ma nouvelle obsession favorite consistait à me persuader que j'aurais dû le balader un peu plus. Si j'avais été plus drôle, plus intelligente, si je n'avais pas couché avec lui aussi vite, il me supplierait de sortir avec lui. Peu à peu, je devenais folle à force de tenir des conversations imaginaires avec un Smith transi d'amour. Le seul événement susceptible de me distraire a été le tremblement de terre qui a secoué l'école. Je ne parle pas au sens littéral, ç'aurait été trop beau, j'aurais pu rester chez moi et me lamenter sur ma profonde nullité : non, c'était un tremblement de terre au sens métaphorique du terme. Une fille de seconde s'est fait attraper en train de vomir son déjeuner dans les toilettes du bâtiment de sciences et on nous a toutes réunies exceptionnellement pour débattre des troubles alimentaires, de l'automutilation et autres joyeusetés.

Autant parler à un sourd. Mon lycée grouille de filles obsédées par la réussite, qui font du zèle en s'imaginant impressionner de vieux universitaires décatis le jour de leur entretien d'entrée à l'université de Cambridge, tout ça parce qu'elles ont veillé jusqu'à deux heures du matin pour pondre une dissertation sur les causes et les effets de la guerre de Cent Ans. De temps en temps, un parent déboulait à l'association des parents d'élèves pour dénoncer les exigences trop élevées du lycée : on devait faire la queue devant le bureau de Mrs. Richie (« appelez-moi Hazel »), la psychologue scolaire, qui nous débitait des platitudes sur la nécessité de respecter l'alternance travail/loisirs, et l'affaire en restait là.

Pas cette fois. Le journal local, après avoir eu vent de l'histoire de la pauvre Sophia qui avait vomi ses spaghettis bolognaise, a publié le gros titre suivant en première page : « Une épidémie de boulimie frappe un lycée de filles huppé. » Il a fallu organiser une réunion, les questions ont fusé, les parents étaient inquiets.

Et Smith n'avait toujours pas appelé. Assise avec Nancy à notre table habituelle à la cantine, je ne pensais qu'à ça. La plupart du temps, j'essayais d'éviter de me retrouver seule avec Nancy parce que je la détestais cordialement, mais Elsa et Dot avaient un projet de sciences à finir.

Je jouais avec mon plat de pâtes, m'efforçant de repousser au bord de mon assiette la sauce au fromage encore congelée, tandis que Nancy jetait des regards noirs aux boulimiques de seconde qui ne touchaient pas à leur salade de poulet, à cause de la vinaigrette.

— Tout ça, c'est leur faute, a-t-elle lancé avec colère. Hier soir, en rentrant de la réunion, ils m'ont bombardée de questions, du genre : « Tu es déprimée ? Tu es pâle, est-ce que tu manges bien ? » Et ton père, il y est allé ?

J'ai levé les yeux de mon assiette de farfalle.

— Il était invité à une réception organisée par l'université. Et puis il ne va jamais aux réunions du lycée parce qu'il ne supporte plus Mrs. Greenwood depuis qu'elle a supprimé les lettres classiques du programme.

Nancy a éclaté d'un rire dédaigneux.

— N'importe quoi. Ton père est vraiment un original.

— Une bonne éducation va de pair avec l'étude d'Euripide et de Sophocle, ai-je récité. La théorie platonicienne est le fondement de toute société civilisée.

— Aboule les sous-titres. Bref, la réunion a tourné au massacre, Hazel s'est fait virer et ils ont recruté une autre baba cool à la place.

J'ai poussé mon assiette pour poser les coudes sur la table.

— En quoi ça te concerne ?

— Ils ont envoyé des lettres, on va toutes avoir droit à un tête-à-tête avec la psychologue scolaire. Le bruit court que ces informations seront mentionnées dans notre dossier, et pourraient être utilisées contre nous lors de l'entretien d'admission à la fac.

— Quel cirque ! ai-je commenté en levant les yeux au ciel. Et la protection de la vie privée ? De toute façon, ils ne peuvent pas nous forcer à aller voir cette bonne femme.

— Si, ils peuvent, à moins qu'on leur fournisse un mot signé par les parents. Les têtes vont tomber, Isa. Je parie que la nouvelle psy trépigne d'impatience à l'idée de te mettre la main dessus. Une pauvre orpheline, quelle aubaine !

Je lui ai tiré la langue.

— Compte là-dessus. Pas question que j'y aille. Comme si ce n'était pas assez d'avoir un psychopathe pour père...

— C'est ce qu'on verra.

Nancy a poussé un grognement exaspéré en me voyant consulter mon portable pour m'assurer qu'il n'avait pas sonné au cours des trois dernières minutes – sachant qu'il était en mode silencieux et que Smith n'avait pas mon numéro.

— Tu attends un appel ?

J'ai rangé mon portable dans ma poche.

— Non. On devrait aller en cours de français. Tu as compris ce qu'il fallait faire pour aujourd'hui ?

— Ne change pas de sujet. C'est ce type, pas vrai ? Le type bourré de la fête, celui avec une tête de neuneu ?

Ça me démangeait de défendre Smith, qui n'avait résolument pas une tête de neuneu, mais je connaissais assez Nancy pour ne pas tomber dans le panneau.

— Lui ? ai-je rétorqué en plissant le nez, l'air dégoûté. Pas du tout. Je vérifiais juste que mon portable était allumé.

— Si tu le dis. De toute façon, tu ne comptes pas revoir ce minable, il est trop moche, pas vrai ?

Nancy est une vraie peste, avec une longue et illustre carrière. Avant que je les autorise, elle et sa copine Elsa, à traîner avec Dot et moi, elles s'étaient fait exclure de toutes les bandes du lycée à cause de leurs petites trahisons et autres coups de poignard dans le dos. Franchement, je préférais quand le déjeuner était synonyme de détente, une heure juste avec Dot, coupées du reste du monde. Je ne vois pas l'intérêt d'avoir une vie sociale.

— Allez, Isa. Bouge tes grosses fesses ou on va être en retard pour le cours de français, a aboyé Nancy en se levant d'un bond, les yeux fixés sur sa montre.

Bon sang, ce que je peux la détester !

Après l'école, Félix avait son cours d'escrime : pas de doute, attaquer des gens armé d'un fleuret est une activité saine pour un gamin de neuf ans aux tendances sadiques. Au moins, j'avais la maison pour moi seule. Je pouvais sonder mon cœur en toute tranquillité ou communiquer avec le téléphone par télépathie – car je savais qu'il ne sonnerait pas : Smith était un minable qui ne voulait plus entendre parler de l'horrible fille qui avait couché avec lui comme si le sexe était un bonus récompensant le prêt d'un iPod.

Mais, ô surprise ! La petite lumière rouge du répondeur clignotait joyeusement à mon arrivée, elle semblait m'appeler à venir partager ses secrets. J'ai appuyé sur la touche « lecture » sans prendre le temps d'ôter ma veste.

« Bonjour, vous avez deux nouveaux messages... »

— Isabel ! J'ai reçu une lettre très bizarre du lycée.

« ... Isabel. Euh, c'est Smith. Salut. Comment ça va depuis... ? »

J'ai pressé frénétiquement la touche « arrêt » avant que Smith ait le temps de rentrer dans les détails de... Le seul fait d'y penser m'était insupportable.

En me retournant, je suis tombée nez à nez avec la mine horrifiée de mon père.

— J'imagine que c'est ton ami de l'autre soir, a-t-il déclaré avec aigreur. Je me suis pourtant montré parfaitement clair : je ne veux pas que tu aies le moindre contact avec lui.

— Tu m'as dit que je ne devais plus le revoir, je ne vais pas passer chez lui pour lui expliquer qu'il ne doit plus m'appeler.

Ah ! Va donc trouver un argument susceptible de contrer cette logique implacable !

— Je ne veux pas que tu reçoives des appels à n'importe quelle heure du jour et de la nuit. Tu as un portable pour ça. Non que je t'autorise à rester en contact avec lui.

— Pourquoi ? On est devenus Amish ? Je ne suis plus autorisée à fréquenter des garçons, tout à coup ?

Il a froncé les sourcils et s'est gratté le nez comme quand il corrige une dissertation particulièrement imbécile.

— Tu n'as pas le droit d'avoir des amis de l'autre sexe s'ils t'encouragent à traîner dehors jusqu'à trois heures du matin.

— Je me suis endormie !

— Tu n'arrêtes pas de répéter cette phrase d'un ton ultra-agressif. Ça devient lassant. (Il m'a agité une feuille de papier sous le nez.) Est-ce qu'on peut passer à un autre sujet ?

J'ai lancé un regard désemparé au téléphone.

— OK, ai-je répondu à contrecœur. Oh, mais c'est une lettre intéressante que tu as là, et elle vient du lycée, dis-tu ?

— Un peu moins de sarcasme, je te prie. Il semble qu'il y ait « de graves inquiétudes concernant certains lycéens qui manifestent des symptômes de stress et de dépression », a-t-il lu. Tu as quelque chose à me dire, Isabel ?

Il aurait peut-être préféré que je me mette à parler en javanais, la bave aux lèvres, et que je manifeste d'autres symptômes flagrants de stress et de dépression.

— Non, ai-je répliqué en serrant les poings. Tu sais comment c'est, là-bas. Elles dépriment pour un rien. Il suffit qu'on leur refuse un nouveau sac Vuitton.

J'étais déchaînée. Je n'avais pas compris à quel point je détestais mon école et toutes ces filles pathétiques qui la fréquentaient, jusqu'à ce que je crache mon venin.

— Elles déjeunent d'une salade parce qu'elles s'imaginent que c'est glamour d'être anorexique. Elles font mine de graver le nom de leur copain sur leur bras avec leur compas pendant les cours de géométrie, s'en tirent avec une égratignure minuscule et passent leur journée à parler d'automutilation comme d'un passe-temps intéressant...

Dire que mon père avait l'air surpris, c'était un doux euphémisme. Pétrifié, il me regardait, un sourcil levé ; quant à moi, je ne pouvais plus m'arrêter.

— ... Une bande de pauvres comédiennes, ai-je lancé avec rage, en essuyant d'un geste furieux mes yeux qui se remplissaient de larmes. Si quelque chose leur arrivait, quelque chose de vraiment terrible qui les laisse sur le carreau, elles... elles sauraient que le mot « dépression »... c'est juste un mot inventé par des abrutis, qui ne décrit pas le quart du dixième de ce qu'on ressent dans ces cas-là.

J'ai regretté mes paroles dans la seconde. Mais une fois que les choses sont dites, on ne peut pas les effacer. Les mots résonnaient dans le silence de la pièce, on pouvait encore entendre leur écho et lui restait planté là sans réagir. J'avais l'impression terrible, d'après l'angoisse que je lisais sur son visage, qu'il souscrivait à tout ce que je venais d'exprimer.

Il a défroissé la lettre, roulée en boule dans sa main, et l'a parcourue à nouveau.

— Ils ont une nouvelle psychologue scolaire, a-t-il articulé d'une voix blanche.

J'ai attendu qu'il se lance dans son réquisitoire habituel contre ces parents geignards et bourgeois qui considèrent la thérapie comme un accessoire de mode. Il n'en a rien fait.

— Je te prends un rendez-vous dès que possible.

Ensuite, les portes ont claqué. Les injures ont fusé. Les gros mots, c'était ma contribution au débat : hors de question que j'aille voir une quelconque psy. Point barre. Fin de la discussion. « Allez vous faire foutre, toi et ta condescendance. »

Il s'est mis à crier. À hurler, pour être tout à fait précise, le visage écarlate, déformé par la colère. Il a jeté un verre contre l'égouttoir à vaisselle avec tant de violence qu'il a volé en éclats : il s'est coupé la main et j'étais bien contente. J'étais contente aussi parce qu'il n'arrivait plus à jouer les natures sarcastiques et détachées. Il ne valait pas mieux que nous. Il était aussi paumé.

C'est l'arrivée de Félix qui a mis un terme à la plus grosse dispute qu'on ait eue depuis l'enterrement. J'ai choisi ce moment pour m'enfermer dans ma chambre en claquant si fort la porte que la patère est tombée.

Je suis restée cloîtrée pendant des heures : de temps à autre, je collais mon oreille à la porte au cas où la voie serait libre pour me faufiler en bas, histoire d'écouter le répondeur. Je croyais mon père capable d'avoir effacé le message dans un accès de rage.

J'ai fini par sortir de ma tanière parce que mon argent de poche dépendait de ma capacité à nourrir la maisonnée. Pendant que le four chauffait (et après m'être assurée que mon père boudait dans son bureau où il devait réfléchir au moyen de me faire enfermer), je me suis précipitée dans le salon, armée d'un papier et d'un crayon : j'ai réécouté le message en compagnie de Félix qui s'efforçait de me pousser dans mes derniers retranchements.

— Oh, notre petite Isabel est devenue une vraie femme, a-t-il ironisé pendant que j'écoutais les explications fumeuses de Smith concernant son silence, au sujet d'un aller-retour chez ses parents pour récupérer un mystérieux objet.

— La ferme ou je crache dans tes côtelettes d'agneau, ai-je menacé en griffonnant le fameux numéro, arrêtant la machine de temps à autre pour taper la main de Félix qui rampait sur mon bras. Et arrête de me harceler ! C'est quoi ton problème ?

— Oooh, Smith, je t'aime, je veux que tu me fasses des enfants, a chantonné Félix d'une voix de fausset qui ne ressemblait pas du tout à la mienne.

J'aurais voulu écouter le message encore et encore, surtout la fin, où Smith concluait en riant : « Bon, j'espère vraiment que tu vas me rappeler, même si tu dois t'exprimer par monosyllabes parce que, pour être franc, j'ai envie de te revoir. » Mais c'était impossible avec Félix qui me souriait d'un air exaspérant en faisant des bruits de baisers.

Après le dîner, expédié dans un silence de mort, et dix minutes de menaces et de suppliques pour que Félix accepte de remplir le lave-vaisselle, j'ai enfin pu regagner mon lit. Là, j'ai composé le numéro que j'avais l'impression d'avoir obtenu de haute lutte.

Dès la première sonnerie, Smith a répondu d'une voix ensommeillée :

— Allô ?

— C'est Isabel.

J'ai entendu un froissement – il devait s'être redressé brusquement dans son lit –, puis sa voix m'a semblé plus alerte. J'en étais presque à m'imaginer qu'il était content d'avoir de mes nouvelles.

— Oh, salut ! Salut. Comment vas-tu ?

— Bien. J'ai eu ton message, euh... forcément, je l'ai eu, sinon je n'aurais pas pu te rappeler.

Je me suis frappé le front : voilà ce qui s'appelait enfoncer des portes ouvertes.

— Et maintenant que j'ai moi aussi ton numéro, on ne devrait plus avoir de problèmes de communication, a-t-il ajouté d'une voix suave. Alors, je t'ai manqué ?

Je ne m'attendais pas à cette question qui, à mes yeux, violait une sorte de code de la relation amoureuse – est-ce qu'on n'était pas naturellement censés se manquer ?

— Oui, j'imagine... ai-je hasardé après un silence. Et, euh... tu es rentré dans ta famille ?

— Oui, je suis allé à Southport récupérer... un truc. C'est une surprise.

— Quel genre de surprise ?

Pour toute réponse, il a ri doucement.

— Ne me réponds pas que, si tu me le disais, ce ne serait plus une surprise : ce serait tellement prévisible !

— Eh bien, oui, ça n'en serait plus une ! Et c'est le genre de surprise qu'il faut voir de ses propres yeux.

Toutes sortes de scénarios me venaient à l'esprit,

dont la plupart étaient interdits aux moins de quinze ans.

— Je déteste les surprises. En général, elles sont mauvaises.

— Oh, mais là, c'est une bonne surprise, je te le promets, a-t-il roucoulé.

Le ton de sa voix m'a confortée dans mon opinion. J'ai poussé un grognement sceptique, qui n'avait sans doute rien de sexy, et je l'ai entendu remuer à nouveau.

— J'ai l'intention de t'aider à chasser tes idées noires... Voyons, qu'est-ce que tu fais demain ?

Demain, mon tyran de père avait prévu de me traîner chez la psychologue scolaire – c'étaient du moins les dernières paroles que j'avais entendues avant d'avoir été sauvée par Félix à son insu.

— Demain, ça risque d'être compliqué. Plutôt samedi ?

Une vraie enquiquineuse, voilà ce qu'il pensait sans doute. Le week-end, il devait sans doute avoir des tonnes de projets excitants avec ses amis branchés, alors pourquoi voudrait-il passer du temps avec moi ?

— Samedi, c'est parfait, a-t-il répondu sur-le-champ. On peut prendre la journée, je te ramènerai chez toi avant que tu ne te transformes en citrouille. Tu t'es fait enguirlander l'autre soir ?

— Je ramasse encore les morceaux.

— Désolé. Je suis parti du mauvais pied avec ton père.

Voilà qu'il rentrait dans le même délire, à se comporter comme... je ne sais pas, moi... comme s'il était mon petit copain.

— Il n'en faut pas beaucoup avec lui. Pour des tas de raisons, on ne s'entend pas.

Il n'y avait rien à ajouter. Je me suis mise à tracer des dessins sur la couette avec mon doigt.

— Bon... samedi ? Tu veux que je te rejoigne chez toi ?

Smith s'est remis à rire.

— Tout sauf risquer de tomber sur ton père ! Onze heures, ça te va ?

J'ai souri malgré moi. Ce n'était pas souvent que ça m'arrivait.

— Oui, très bien.

— Parfait, a-t-il lancé d'un ton abrupt. Bon, il faut que j'y aille, alors à samedi.

Et avant que j'aie pu me demander comment lui dire au revoir, j'ai entendu un léger clic : il avait raccroché.

13

À mon avis, il n'existe rien de plus humiliant que de se voir traînée de force dans les couloirs du lycée par son propre père, qui se fait une joie d'en rajouter en parlant le plus fort possible : « Cesse de lambiner, Isabel, je n'ai pas que ça dans la vie. » Il m'a poussée sans ménagement au moment précis où on a croisé un troupeau de terminales qui, à en juger par leurs gloussements, feraient profiter toute l'école de ma honte avant la première sonnerie de cloche.

J'en étais à élaborer un plan machiavélique consistant à le conduire derrière le bâtiment d'arts plastiques pour l'assommer avec un chevalet, quand nous sommes tombés sur Mrs. Greenwood. Elle a échangé un salut glacial avec mon père. S'ils avaient été des chiens, ils se seraient sauté à la gorge.

— Isabel peine à trouver le bureau de la psychologue scolaire, a-t-il fait entre ses dents. Voilà au moins trois fois que nous arpentons ce couloir.

Mrs. Greenwood m'a tapoté l'épaule en me gratifiant d'un sourire qui se voulait réconfortant.

— Je suis sûre qu'Isabel est impatiente de suivre sa première séance. (Puis elle a ajouté avec un hennissement :) J'aimerais bien m'offrir le luxe de parler de moi pendant une heure.

J'ai partagé un rare et beau moment de connivence avec mon père, qui m'a lancé un regard incrédule.

— Ah bon ? a-t-il répondu au prix d'un effort méritoire, avant de la mitrailler du regard.

Elle s'est tortillée, visiblement mal à l'aise.

— C'est juste un peu plus loin, la dernière porte à votre gauche, a-t-elle fini par indiquer. Mrs. Benson a beaucoup d'expérience. Je suis certaine qu'elles vont s'entendre à merveille, toutes les deux.

Et sur cette note d'espoir improbable, elle a pris ses jambes à son cou. Parfois, la présence de mon père peut s'avérer utile.

— Je peux me débrouiller seule, maintenant, l'ai-je assuré en essayant de m'échapper.

Mais avec ses longues jambes, il m'a rattrapée en un rien de temps.

— Je veux te voir entrer. Et je tiens à me présenter auprès de Mrs. Benson. Elle m'a paru très gentille au téléphone, a-t-il ajouté en guise d'argument irréfutable.

Mrs. Benson n'était pas gentille pour deux sous. Elle incarnait à elle seule tous les clichés de la psychologue scolaire. Quand elle a ouvert la porte, je me suis retrouvée face à la vieille baba cool dans toute sa splendeur. Elle portait un horrible pantalon caca d'oie et une tunique aux couleurs criardes. En guise d'accessoire, pendait autour de son cou un de ces colliers en perles de bois fabriqués par des habitants du tiers-monde payés cinq grains de riz de l'heure pour que des femmes privilégiées aient l'impression de soutenir le commerce équitable. Est-ce que j'ai parlé de ses cheveux ? Ils étaient exactement du même orange que le vieux chat roux qu'on avait avant. Sauf que cette couleur allait beaucoup mieux au chat.

Elle m'a observée pendant quelques instants ; j'étais certaine qu'elle essayait de m'analyser, alors j'ai relevé la tête et soutenu son regard. Soudain, elle a ouvert les bras et m'a dit :

— Sois la bienvenue, Isabel. Appelle-moi Claire.

Voilà ce que je déteste chez ces gens. Elle s'imaginait peut-être que j'allais la laisser me toucher.

Maintenant qu'il m'avait livrée en un seul morceau, mon père n'avait qu'une hâte, déguerpir. Il m'a poussée vers les bras tendus de Claire.

— Vas-y, m'a-t-il lancé d'une voix qui ne trahissait aucune affection, alors que lui aussi avait frémi devant l'horrible accoutrement de l'autre hippie. Je suis certain que cet entretien te sera... très utile.

Et il a tourné les talons. J'ai suivi Claire.

— Tu veux une tasse de thé ? m'a-t-elle demandé d'une voix parfaitement modulée.

Elle avait l'air de craindre que le moindre son aigu me fasse péter les plombs.

J'ai secoué la tête. Je n'avais pas l'intention de lui faciliter la tâche. Elle était payée pour ça, pas moi.

— J'ai une liqueur de cassis maison tout à fait délicieuse, si tu préfères, a-t-elle suggéré avec un grand sourire. Et des biscuits à l'avoine et aux raisins.

J'ai secoué la tête une fois encore. Je n'avais pas eu le temps de prendre un petit déjeuner et j'avais si faim que j'aurais pu ronger les meubles en rotin – mais plutôt crever qu'accepter un de ses fichus biscuits.

Elle m'a fait asseoir en face d'elle. On était séparées par une table basse sur laquelle était posée une boîte de mouchoirs en papier. Ces gens-là ne cherchent qu'à vous tirer des larmes. Je parie qu'ils sont sponsorisés par Kleenex.

Pour finir, c'est elle qui a dû faire la conversation pendant que je gardais les yeux rivés sur la reproduction d'un tableau de Klimt derrière elle.

— D'après tes bulletins, tu es très brillante, m'a-t-elle dit en éparpillant les feuilles de mon dossier scolaire. On a même envisagé de te faire passer le A-levels[1] en un an le trimestre dernier, mais tes parents s'inquiétaient à l'idée que tu sois beaucoup plus jeune que le reste de ta classe. Qu'en as-tu pensé à l'époque ?

1. Voir la note p. 131. (*N.d.T.*)

J'ai haussé les épaules. Dans le doute, toujours hausser les épaules. Puis je me suis efforcée de chasser de ma mémoire les disputes et les cris, l'année dernière. Ils avaient décrété que me faire sauter une classe ne me ferait pas gagner en maturité.

Claire s'est raclé poliment la gorge pour me signifier qu'elle n'appréciait pas mes airs absents ; j'ai reporté mon regard sur son immonde pendentif égyptien.

— Les enfants doués ont parfois du mal à tisser des liens avec les autres enfants.

Elle s'est tue, s'attendant peut-être à ce que je m'énerve parce qu'elle m'avait traitée d'enfant.

— Je vois que tu ne pratiques aucune activité extrascolaire, bien que, d'après Mr. Wells, tu aies une excellente plume. As-tu songé à écrire dans le journal de l'école ?

J'ai secoué la tête parce que ne pas réagir aurait été trop impoli. En revanche, j'ai dû me mordre les lèvres pour ne pas lui répondre que ce canard était rédigé par une bande de pseudo-journalistes pour qui leurs articles passionnants sur la nécessité d'introduire des menus de régime à la cantine les aideraient à décrocher un stage chez *Vogue*.

Toutefois, cet intérêt soudain pour mes capacités intellectuelles hors du commun était seulement destiné à m'amadouer. Elle voulait me faire baisser la garde afin de pouvoir enchaîner sur les détails juteux.

— J'ai parlé à ton père hier soir, Isabel. Il s'inquiète beaucoup à ton sujet. Il n'est pas le seul. Je ne peux qu'imaginer ce que tu dois ressentir face à la perte brutale de ta mère, à un stade de ta vie où tu as tant besoin d'elle. Je sais que tu es très en colère. Et très malheureuse. Tu souffres, n'est-ce pas, Isabel ?

Elle commençait sérieusement à me taper sur les nerfs. Mais pousser de grands cris ou l'envoyer paître n'aurait servi à rien. Parfois, le silence est l'option la plus radicale. Il met les gens mal à l'aise et, justement, il se trouve que c'est ma spécialité.

Pourtant seul l'usage d'une arme de destruction massive aurait pu interrompre les jacasseries de Claire, ne serait-ce qu'une fraction de seconde.

— Il n'y a pas de bonne façon de faire son deuil.

Elle me ressortait le discours que certains proches bien intentionnés m'avaient servi tant et plus, sans parler des bouquins débiles qu'ils m'avaient offerts.

— Quelquefois, on a envie de se fermer comme une huître parce qu'on est submergé par ce qu'on ressent.

Elle a tout de même fini par la boucler, pour me fixer d'un regard perçant censé pénétrer mes pensées. Elle devait se croire très perspicace, la pauvre, et s'imaginer qu'elle était capable de sonder mon âme, alors que dans ma tête, je m'amusais à compter à l'envers.

— Tu veux me parler de ce que tu as ressenti à la mort de ta mère ?

« Non. » Elle a ouvert des yeux immenses, et je me suis aperçue que j'avais répondu à voix haute.

— Non, ai-je répété. Je n'ai rien à vous dire. Je ne suis pas anorexique. Je ne me taillade pas les bras. Je ne souffre pas de stress posttraumatique. J'ai vingt dans toutes les matières. Point. C'est tout ce que vous avez besoin de savoir, parce que je ne reviendrai pas. Et même si Mrs. Greenwood et mon père m'attachent sur ce fauteuil tous les vendredis matin, ils ne peuvent pas me forcer à ouvrir la bouche, alors je suggère que vous alliez le leur dire, ça nous fera gagner du temps.

Sur ces mots, je me suis levée, j'ai pris mon sac et je suis sortie sans tenir compte de ses protestations.

14

En marchant vers Kemp Town, je sentais l'odeur de terre humide qui annonce le début de l'automne. Le soleil ne réchauffait pas grand-chose et, avec la brise glaciale qui soufflait, je me félicitais d'avoir investi dans une paire de collants en laine rouge qui s'accordait à merveille avec sa robe noire. Était-ce malsain de se balader avec les vêtements d'une morte sur le dos ? Serait-ce bizarre de coucher à nouveau avec Smith, de le laisser déboutonner la robe qui appartenait à ma défunte mère ?

Au moment où son nom s'imprimait dans mon cerveau, comme je tournais dans Edward Street, mon téléphone a sonné.

— Je n'ai que cinq minutes de retard. Je n'avais rien à me mettre, je te laisse deviner la suite.

— Bien le bonjour à toi aussi, a-t-il répondu d'un ton doucereux. Où es-tu ? On dirait que tu es tout essoufflée.

— J'arrive juste au bout de ta rue.

Il était là, le téléphone collé contre l'oreille, à me faire signe. J'ai imité son geste, histoire de faire bonne figure, puis j'ai éteint mon portable. Marcher dans sa direction tout en parlant au téléphone, ça faisait trop cliché de comédie sentimentale. Je ne me suis pas jetée dans ses bras non plus, j'ai préféré prendre tout mon temps pour le rejoindre.

À peine l'avais-je salué que ses lèvres étaient déjà collées aux miennes. Puis il s'est reculé avant même que j'aie pu lui rendre son baiser.

Il semblait différent : nerveux, surexcité comme Félix quand il a mangé trop de sucre, sauf que ce n'était sûrement pas le cas.

— Tu t'es fait couper les cheveux ! me suis-je exclamée en tendant la main pour toucher ce qui lui restait de tignasse.

C'était doux et dru à la fois, et il a baissé la tête alors que je lui caressais la nuque.

— Je n'aurais jamais cru que tu étais du genre affectueux en public, a-t-il dit avec un regard malicieux.

— Loin de moi cette tentation, je voulais juste... Tu sais que tu as une grosse bosse à l'arrière du crâne ? C'est super bizarre.

— Ah, ça, c'est mon Isabel, a-t-il grimacé, pour que je ne me fasse pas d'illusions sur le sens de sa phrase.

— Ta nouvelle coupe de cheveux, c'est ça la surprise ?

172

Il a secoué la tête et s'est écarté avec un grand moulinet du bras pour me montrer la voiture la plus déglinguée que j'aie jamais vue.

Elle avait dû être couleur moutarde dans une autre vie ; désormais on ne savait plus où s'arrêtait la rouille et où commençait la carrosserie. J'ai vérifié qu'elle possédait bien des roues – je n'aurais pas été surprise de la voir montée sur des briques. En fait, j'aurais trouvé tout naturel qu'elle rende l'âme avant la fin du week-end.

— Cool, ai-je déclaré sans grand enthousiasme. Vraiment trop cool.

— Tu la trouves moche, c'est ça ?

— Mais non ! Je la trouve chouette. Elle est très originale. (J'ai insisté sur le dernier mot.) Et la moumoute en léopard sur le volant apporte une jolie touche ironique. C'est de l'ironie, j'espère ?

— À cent pour cent, m'a assuré Smith d'un ton grave. Et cette voiture est en parfait état de marche.

J'ai dû sembler un peu dubitative, car il m'a jeté un regard lourd de reproches.

— J'ai décidé que, si tu étais gentille, je t'emmènerais faire un tour, a-t-il dit en cherchant ses clés dans sa poche.

— Et alors, j'ai été à la hauteur ?

J'aimais sa façon de m'interpeller sur mes travers. Il n'essayait pas de me comprendre, j'étais qui j'étais, et il me le faisait savoir.

— Cinquante-cinquante, a-t-il décrété en m'ouvrant la portière passager pour que je me glisse à l'intérieur.

J'ai regardé Smith contourner la voiture et s'arrêter pour caresser le capot de manière si suggestive que, si sa guimbarde s'était soudain transformée en fille, il aurait ramassé une gifle. Assise sur une fesse pour éviter le ressort qui dépassait du siège, je me suis efforcée de respirer par la bouche pour ne pas m'asphyxier avec l'odeur de moisi.

— Bon sang, ne sois pas si brutale ! s'est écrié Smith en me voyant lutter avec le lève-vitre.

Il s'est penché vers moi et j'ai senti les effluves boisés de son parfum, beaucoup plus agréables pour mes nerfs olfactifs. Il m'a frôlé la poitrine de son bras, je me suis sentie rougir.

— Alors, où veux-tu aller ? m'a-t-il demandé.

Il a tourné la clé de contact. Et vous savez quoi ? La voiture a démarré du premier coup.

— Surprends-moi encore, ai-je répondu en m'adossant au siège et en aspirant de grandes bouffées d'air frais.

Nous avons longé la côte en silence. J'aimais le regarder conduire, j'aimais regarder les muscles de son bras se tendre quand il changeait de vitesse. J'aimais le petit ronflement du moteur quand la voiture montait à l'assaut des collines. J'aimais même entendre Smith pester contre les autres conducteurs.

On roulait depuis près d'une heure et je somnolais

un peu, quand j'ai reconnu les pelouses bien entretenues et les tentes de plages, d'un blanc immaculé, qui bordent la promenade.

— Eastbourne ?

— Eastbourne, a-t-il répété en souriant.

— Mais c'est un repaire de vieux !

À perte de vue, ce n'étaient que cheveux teints, déambulateurs, blazers et bouteilles Thermos. Des hordes de septuagénaires marchaient à petits pas le long du mail. J'ai songé tout haut : « Au fait, qu'est-ce qu'on dit quand ils sont plusieurs ? Un essaim de vieux ? Non, un essaim, ça va vite, et avec leur arthrite... Un troupeau de vieux ?... Oui, c'est mieux, je les vois bien, tous en train de cancaner : "pendant la guerre, gnagnagna..." »

Smith a ri. D'un rire authentique, rien à voir avec ses ricanements habituels.

— Ça n'arrête pas de gamberger là-dedans, pas vrai ?

Il a lâché le volant pour me tapoter la tempe, caressant au passage la petite bosse, à l'endroit où avait atterri la batte de cricket de Félix, suite à une grosse colère.

J'ai poussé un gros soupir : il ne croyait pas si bien dire.

— Oh, regarde, un minigolf ! J'adore le minigolf.

J'avais atteint le stade où je m'en fichais d'être cool. Du moins, cet après-midi-là.

On s'est assis sur un banc pour regarder la mer et on a papoté avec Ida et George, venus de Nantwich célébrer leurs noces d'or. J'ai même laissé Smith me gaver de frites gorgées de vinaigre et de sel, au point que ma langue me brûlait, avant qu'il m'embrasse à pleine bouche. Ensuite je l'ai massacré au minigolf. Il a même eu droit à une petite danse de victoire qui consistait essentiellement à virevolter autour de lui, mon club brandi au-dessus de ma tête, en claironnant : « Non ! C'est moi qui ai gagné ! Dis-le, que c'est moi ! »

Il n'a jamais voulu l'admettre.

— J'ai réveillé un monstre ! Terminé ! Je ne me mesurerai plus à toi ! Et je parie que tu es encore pire au scrabble. Tu fais partie de ces joueurs insupportables qui trouvent quatre mots différents avec trois lettres et n'ouvrent jamais le jeu, c'est ça ? m'a-t-il taquinée en me prenant par l'épaule tandis qu'on regagnait la voiture.

— Bien vu, et je ne te raconte même pas ce que ça donne au Monopoly.

— Rappelle-moi de cacher tous les jeux de société en ta présence.

J'ai frissonné. C'était sans doute la brise venue du large ou alors ce jeu de séduction, qui me faisait le même effet que marcher nue, exposée à tous les regards.

— Tu as froid, a-t-il observé en serrant mes doigts

dans les siens. Ou plutôt, tu es gelée. Tu aurais dû le dire.

— Je me sens bien.

Et c'était vrai. C'est bizarre, mais ces derniers temps j'ai souvent froid. D'après mes recherches sur Internet, il s'agit d'un effet secondaire de mes insomnies, ça et la nausée.

— Dois-je comprendre par là que tu ne veux pas faire d'histoires parce que tu as réussi à bien te comporter jusqu'ici et que tu ne veux pas tout gâcher ? Ou bien tu recommences avec tes phrases courtes parce que tu as épuisé ton quota de mots pour la semaine ?

Je lui ai jeté un regard noir qu'il a soutenu sans ciller.

— OK, je commence à avoir froid, ai-je concédé.

Et j'ai eu la vision fugace de nos corps blottis l'un contre l'autre, sous ses couvertures qui empestaient et le renfermé. Là où je ne sentirais ni la fatigue ni le froid.

— Tu vois, ce n'était pas si difficile, a lancé Smith d'un air approbateur. Tu fais des progrès.

— Arrête de me parler comme si j'étais une expérience de labo. À t'entendre, on dirait que tu fais pousser du cresson ou que... je ne sais pas, moi... tu étudies le cycle de reproduction du saumon.

Mais ensuite, je l'ai laissé me dire des choses qui, venant d'un autre que lui, m'auraient fait sortir de mes gonds.

— Tu n'as pas encore compris, Isabel ? Tu *es* mon expérience, a-t-il répondu sans la moindre once d'humour, les mains sur mes épaules.

Adossée à la voiture, j'étais incapable de me détacher de ses yeux bleus qui m'observaient avec intensité.

— Tu peux être aussi odieuse et désagréable que ça te chante, c'est sans importance. Je ne vais pas te lâcher. Je vois clair dans ton jeu. Tu te dis qu'à force d'être peste, logiquement, je vais finir par t'envoyer paître. Ce qui te confortera dans l'idée qu'il est inutile de te mêler aux autres et d'éprouver des sentiments puisque, de toute façon, tu es sûre qu'ils s'en fichent et qu'ils ne te sont d'aucune aide. Tu en as la preuve.

— Ce n'est pas ça, ai-je objecté avec colère. C'est juste que les autres...

— Silence, m'a-t-il ordonné avec douceur, en me faisant taire d'un baiser. Même toi, tu ne peux pas jouer indéfiniment les garces, tu l'as prouvé cet après-midi, a-t-il murmuré contre mes lèvres avant de me pousser gentiment dans la voiture.

Ce n'était pas vrai, ce qu'il venait de dire. Pas tout à fait vrai, du moins. Je ne testais personne. Je n'en avais pas besoin parce que je considérais déjà qu'il n'y avait rien à attendre des autres. Ils finissaient toujours par me laisser tomber, volontairement ou pas. Même Smith finirait par me lâcher. Mais pour l'heure, il était en train de chercher un plaid sur le siège arrière, qu'il a drapé autour de mes épaules.

— On rentre chez moi pour que je puisse te déshabiller ? m'a-t-il proposé d'un ton désinvolte.

Je me suis efforcée de garder mon calme.

— Ça m'a l'air d'une bonne idée.

Dès qu'on a passé la porte, il m'a entraînée vers l'escalier. Quelqu'un a crié du salon :

— Smith ! Quand vas-tu te décider à nous présenter ta petite amie ?

J'ai entrevu une masse de cheveux blonds peroxydés et un sourire moqueur. Sans prendre la peine de s'arrêter, Smith a rétorqué :

— Ça suffit, Jane. (Il a levé les yeux au ciel.) Je te la présenterai une autre fois. Dis-toi que dans le genre peste, tu vas avoir de la concurrence !

— Ce n'est pas très malin de me traiter de peste si tu as l'intention de coucher avec moi.

— Et comment je dois t'appeler ? Ma chérie ? Mon ange ? Bébé ? a-t-il ronronné en m'entraînant vers sa chambre avant de claquer la porte.

— Tu pourrais m'appeler Isabel, ai-je suggéré d'un ton sec.

Alors il m'a poussée contre le mur et il a murmuré mon nom, puis il m'a embrassée.

À partir de là, je n'ai plus pensé à quoi que ce soit. Seul comptait ce que je ressentais : les dents de Smith qui mordillaient ma lèvre inférieure, ses mains chaudes sur ma peau froide, le creux de mon genou percutant le coin du lit comme il me portait à travers la chambre, et la grâce étrange, un peu maladroite de ce moment-là. Cette folie qui vous gagne, si bien que vous vous entendez dire des choses que vous n'auriez jamais imaginé dire un jour, votre corps se plie et se tord d'une manière que vous n'auriez jamais crue possible, et vos yeux se ferment...

— Isabel, m'a-t-il soufflé d'une voix tendre à en mourir. Hé, ouvre les yeux.

J'ai obéi à grand-peine : à travers un voile, j'ai contemplé son visage qui se penchait vers moi pour m'embrasser avec douceur, gourmandise et retenue.

J'avais vite appris que, dans ces moments-là, ce qu'on raconte ne compte pas et qu'il ne pourrait pas s'en servir contre moi par la suite.

— Serre-moi, l'ai-je supplié, et il m'a serrée contre lui en écartant mes cheveux de mon visage, si bien que je n'avais plus la force de garder les yeux ouverts.

Et puis il m'a parlé. Il m'a dit des choses qu'il n'aurait jamais admis avoir dites, même sous la torture. Alors enfin, j'ai glissé dans le sommeil avec sa voix dans mon oreille, si apaisante, si tendre...

Quand je me suis éveillée, il me serrait toujours contre lui en déposant de petits baisers dans mon cou. Je suis restée immobile quelques minutes, un peu effrayée à l'idée d'être étendue là, les fesses à l'air, collée contre un corps aussi nu que le mien.

— Je sais que tu es réveillée, m'a-t-il glissé à

180

l'oreille. Tu fais des petits bruits bizarres quand tu dors.

— N'importe quoi, ai-je répliqué du tac au tac. Quelle heure est-il ?

— T'inquiète, il n'est même pas huit heures.

J'ai poussé un léger soupir de contentement : j'aurais pu me rendormir jusqu'au matin si je n'avais pas eu la gorge sèche et une terrible envie de faire pipi.

— Je ne dois pas rentrer avant onze heures, voire minuit. On est samedi soir.

— J'aimerais bien que tu restes, a-t-il répondu en traçant du doigt une ligne le long de ma colonne vertébrale.

— Je pourrais... J'imagine que je pourrais appeler chez moi pour demander si je peux rester, ai-je suggéré d'un ton hésitant.

Après tout, il me l'avait peut-être proposé par simple politesse. Mais Smith a hoché la tête :

— Tu n'es pas obligée de rentrer dans les détails.

— À une seule condition, ai-je ajouté en souriant. Prépare-moi une tasse de thé. Avec du lait et deux sucres, s'il te plaît.

À la seconde où il a franchi la porte, après avoir remis son jean en se plaignant d'être traité en esclave, j'ai bondi hors du lit, enfilé un tee-shirt qui traînait par terre et je me suis ruée dans le couloir en priant pour trouver la salle de bains le plus vite possible.

J'ai vidé ma vessie, puis j'ai réussi à prendre la douche la plus expéditive de toute l'histoire de l'humanité.

Quand Smith a poussé la porte d'un coup d'épaule, une tasse fumante dans chaque main, j'étais allongée sur le lit, encore un peu mouillée, et je me préparais à embobiner mon père.

— Allô, c'est moi, ai-je dit après qu'il a décroché. Comment vas-tu ?

Je me suis mordu la lèvre : on ne faisait pas plus suspect, comme entrée en matière – c'était le genre de question que je ne posais jamais.

— Je vais bien, Isabel, a-t-il répondu d'un ton cassant pour me signifier qu'il me voyait déjà venir. Et toi ?

— Ça va.

Smith a posé une tasse sur la table de nuit près de moi et s'est mis à faire les cent pas, l'air gêné. Je lui ai fait signe que tout allait bien, avant de prendre conscience qu'à l'autre bout du fil mon père ne disait mot.

D'habitude, je me débrouille pour qu'il parle le premier, rien que pour le petit sentiment de victoire que j'en retire. Or là, je m'apprêtais à enfreindre une dizaine des règles qu'il avait établies.

— Bref, je suis chez Dot et je pensais y passer la nuit.

Ne pas demander la permission, s'en tenir aux faits (enfin, presque) et voir comment il réagit.

— Ah oui ? (J'ai entendu le tintement d'un verre puis il a repris, d'une voix plus claire, cette fois :) Tu veux passer la nuit chez elle ?

— Oui. On vient de louer des DVD, on allait commander une pizza, et comme il se fait tard...

— Excuse-moi, mais pourquoi ce désir soudain de rester dormir chez ta copine ?

— On fait une pyjama party.

— Y aura-t-il des garçons à cette pyjama party ?

— Quoi ? Non ! Félix dort tout le temps chez ses copains, lui : si ça se trouve, ils se louent des strip-teaseuses, et tu n'en fais pas tout un plat.

— Tu as loué une stripteaseuse ? s'est-il exclamé. Rentre à la maison immédiatement !

— Mais non...

À court de mots, je me suis tue.

— Je plaisante, Isabel, a-t-il répondu, et pendant un instant, j'ai retrouvé celui qu'il était autrefois. J'en suis encore capable, de temps en temps.

Smith s'est retourné et a brandi un CD de Broken Social Scene, l'air d'attendre un signe d'approbation.

— Je serai rentrée pour le déjeuner. Il y a du hachis Parmentier dans le frigo, tu n'as plus qu'à ôter le film plastique avant de le faire réchauffer au four, thermostat 5, pendant une vingtaine de minutes, et puis...

— Je suis capable de réchauffer un dîner, tu sais, a-t-il lancé d'un ton jovial. Amuse-toi bien. Et je t'en prie, pas d'alcool, pas de cigarettes, pas de drogue, bref, pas de bêtises. Pas avant tes trente ans, au moins.

C'était bien trop tard pour tout ça et, mal à l'aise, je me suis tortillée sur le lit où je venais de faire l'amour. J'en venais à regretter qu'il se montre aussi gentil, pile le jour où je le méritais le moins.

— OK. À plus tard, alors. N'oublie pas d'éteindre le four et de mettre le plat à tremper, sans quoi...

— Raccroche ce maudit téléphone et va regarder tes DVD. Bonne nuit, Belle, a-t-il ajouté avant de raccrocher.

Sa langue avait dû fourcher, ce n'était que l'écho ténu de notre relation d'antan, ce surnom qu'il me donnait autrefois. Je suis restée silencieuse un moment, le combiné à la main, avec l'impression d'être un rebut du genre humain.

— Tout va bien ? m'a demandé Smith tandis que s'élevaient les premières notes de *Capture the Flag*.

J'ai porté ma tasse à mes lèvres en m'efforçant d'afficher mon plus beau sourire.

— Super !

Smith s'est accroupi face à moi.

— Alors, ta mère n'est pas dans les parages ?

Il n'avait pas l'air de vouloir s'immiscer dans mes affaires... Sans doute pas. Il avait simplement tiré ses conclusions de ma conversation téléphonique.

— Je ne peux pas en parler, ai-je répondu d'une petite voix.

— Mais...

— Je ne peux pas ! ai-je répété et, du plat de la main, j'ai caressé l'os saillant situé à l'arrière de son crâne.

Smith était le seul élément de ma vie qui n'avait rien à voir avec elle, et je voulais que ça reste ainsi.

— Merci pour le thé.

— C'est ce qui s'appelle changer de sujet, a-t-il grommelé. (Puis il a relevé la tête et son visage s'est illuminé.) Donc je t'ai pour moi seul pendant seize heures et demie ?

— Oui. Tu veux jouer au scrabble ?

— Les autres sont allés dans un bar, ça te dit de les rejoindre ? a-t-il demandé en déambulant dans la pièce à la recherche de ses cigarettes, si bien que ma réaction lui a échappé.

Bon, Molly était sympa. À vrai dire, Molly était pour moi un objet de fascination inépuisable. En revanche, Jane semblait la pire des pestes.

— Si on restait ici, plutôt ? ai-je suggéré en tirant sur le tee-shirt qu'il m'avait prêté pour cacher mes cuisses.

— On devrait sortir. On va bien se marrer.

J'étais sur le point de lui expliquer pourquoi ça n'aurait rien de marrant quand, sans crier gare, il a déposé un baiser sur mon genou comme si c'était la chose la plus naturelle du monde.

Sans doute que Smith m'avait fait bénéficier de son aura de « coolitude » : lorsque nous nous sommes présentés à l'entrée du bar, aucun vigile n'a contesté la légitimité de ma présence. Pourtant, je n'avais eu le temps que d'appliquer un peu de gloss et d'aplatir les épis qui étaient en passe de devenir le fléau de ma pauvre existence.

Puisque Smith avait tout payé lors de notre escapade à Eastbourne, je lui ai tendu un billet.

— Je paie pour les verres et tu vas les commander au bar ?

Il a refermé mes doigts sur le billet.

— C'est moi qui paie. Tu ne travailles pas.

— Toi non plus, ai-je objecté en me hissant sur la pointe des pieds pour me faire entendre. (Je lui ai remis le billet dans les mains.) Une vodka avec du Coca Light, s'il te plaît.

— Sache que je n'ai pas l'intention de te tenir la tête pendant que tu vomis, m'a-t-il lancé d'un ton sévère en me guidant vers le bar à travers la foule moite de sueur.

— Ça tombe bien, je n'ai pas l'intention de vomir.

On en était encore à se disputer au sujet du nombre de verres qu'il me fallait avant de toucher mes limites, quand j'ai aperçu les amis de Smith installés dans un coin sombre. Pas vraiment les gens les plus accueillants que j'aie rencontrés. Smith m'a prise par la taille et une fille a levé les yeux en souriant.

— Isabel ! Je vais te faire une petite place, a lancé Molly en se poussant sur la banquette. Ne t'inquiète pas, Smith, tes secrets seront bien gardés. Sauf la fois où tu as parié que tu pouvais rouler une pelle à mon chat.

— Très classe, ai-je commenté avec un sourire narquois.

— Va t'asseoir, m'a-t-il dit. Je veux juste saluer quelqu'un. Molly est une chic fille, elle s'occupera bien de toi.

Et Molly s'est montrée adorable, en effet, ou alors elle savait faire semblant : elle m'a donné l'accolade avant de m'installer à côté d'elle, et a bousculé du coude sa voisine qui, assise sur les genoux d'un garçon, l'embrassait à bouche que veux-tu.

— Jane ! Voici Isabel. La copine de Smith.

Jane a levé la tête et m'a jeté un regard assassin.

— Ah, la copine de Smith, a-t-elle lancé d'un air entendu. Salut, gamine.

— Salut, me suis-je contentée de répondre.

Elle était bien trop intimidante pour que je l'appelle « gamine » à mon tour. J'ai remué avec ma paille les glaçons dans mon verre. Quand je me suis décidée à relever la tête, elle me scrutait toujours.

— Au fait, quel âge as-tu ? m'a-t-elle demandé d'un ton belliqueux. J'ignorais que Smith draguait à la sortie des maternelles.

— J'ai dix-huit ans, ai-je rétorqué en cherchant mes cigarettes afin de me donner une contenance.

Au moins, en fumant, j'aurais l'air cool et sophistiqué. Et je finirais avec un cancer des poumons à force de croire, à tort, que fumer donnait l'air cool et sophistiqué. Mais on ne peut pas tout avoir.

Molly s'est interposée.

— Jane est atteinte du syndrome de La Tourette[1]. C'est pourquoi elle parle toujours sans réfléchir.

— Oh, arrête, Molly, a aboyé Jane. Si elle a dix-huit ans, moi je suis la reine d'Angleterre.

— Un autre bisou, Votre Majesté ! s'est écrié son soupirant.

Elle s'est trémoussée gaiement avant de se jeter à son cou. Soyons francs, il n'était pas le genre de type à sortir avec une ex-rock star. Quelqu'un de gentil l'aurait qualifié de quelconque. Pour un observateur moins indulgent, c'était juste un vilain rouquin. J'ai regardé ses petits yeux porcins fixer Jane avec adoration tandis qu'elle lui ébouriffait les cheveux.

Assise là, j'ai fumé cigarette sur cigarette en écoutant Jane et Molly se chamailler gentiment au sujet d'une série télé. C'était le genre d'amitié simple dont j'avais toujours rêvé. Sauf que, en public, je ne savais que me taire ou jouer les pestes.

Jane était la plus jolie fille qu'il m'ait été donné de rencontrer. Le genre mannequin avec un sex-appeal de star de cinéma. C'était presque douloureux de regarder ses traits parfaitement symétriques, sa bouche en cœur, ses yeux d'un vert limpide, la

---

1. Maladie neurologique qui se traduit le plus souvent par des troubles du langage. (*N.d.T.*)

courbe délicate de ses sourcils et ses pommettes saillantes, le tout agrémenté d'un petit nez mutin.

Pourtant c'était Molly que je dévorais des yeux. Pas seulement à cause de sa beauté espiègle, un peu étrange, mais parce qu'elle ne savait pas rester immobile : je la regardais rire en tordant sa paille entre ses doigts fébriles tandis que ses genoux tapaient contre le bord de la table au rythme de Ladytron.

— *They only want you when you're seventeen, when you're twenty-one, you're no fun* [1], a-t-elle chanté avant de s'esclaffer. C'est l'histoire de ma vie, ça.

J'imagine qu'elle avait du charisme ou je ne sais quoi. Elle s'est levée pour aller aux toilettes et tandis qu'elle se frayait un chemin parmi la cohue, on aurait dit qu'elle dégageait une substance chimique ou des phéromones parce que les gens se retournaient sur son passage.

Smith n'était toujours pas revenu. En me dévissant le cou, je l'ai vu discuter avec deux types près de l'entrée du bar. Il secouait la tête au rythme de la musique alors qu'il n'était pas fichu de danser.

Assise au milieu de ces gens qui n'avaient aucun mal à être eux-mêmes alors que, moi, je me sentais obligée de tricher, j'étais au bord de la déprime.

— On croirait que tu es sur le point de t'ouvrir les

---

1. « Tu ne les intéresses qu'à dix-sept ans, passé vingt et un ans, tu n'es plus drôle. » (*N.d.T.*)

veines, Isabel, a lancé Molly en se rasseyant. Je t'ai pris un autre verre.

— Merci.

Je l'ai gratifiée d'un pauvre sourire, puis je me suis creusé la tête pour trouver une remarque spirituelle qui n'impliquait ni procès ni ex-petit copain ni...

— Tu le trouves mignon, le DJ ? a-t-elle demandé sans crier gare. (Puis, comme je tournais la tête, elle m'a pincé le bras :) Ne regarde pas !

J'ai eu le temps d'entrevoir l'archétype du garçon tendance avec une coupe au bol.

— Il n'est pas mal, a priori.

— Il passe toujours des titres des Hormones. Enfin, du groupe d'origine, a-t-elle ajouté avec une grimace. Tu crois qu'il a des sentiments pour moi ?

Combien de verres avait-elle bus ?

— Euh... peut-être, ou alors il aimait bien les Hormones à l'époque où tu en faisais partie.

Molly a laissé échapper un gloussement amusé.

— Moi, moi, moi... Il faut que j'arrête ! Tout tourne toujours autour de moi ! (Elle m'a donné un petit coup de coude.) Je vais faire imprimer ça sur un tee-shirt.

— En fait, d'habitude, c'est de moi qu'il s'agit, ai-je objecté.

Molly a ri si fort qu'elle a craché sa vodka sur Jane qui, elle, ne riait pas du tout.

— Tu veux entendre le plus mauvais conseil

qu'on m'ait jamais donné ? m'a demandé Molly, une fois revenue de son hilarité.

Elle s'est rapprochée de moi, je sentais son souffle chaud sur mon visage. J'ai hoché la tête et elle m'a souri d'un air conspirateur.

— Quelqu'un de pas très futé m'a dit un jour : reste toi-même. Comme si je pouvais être quelqu'un d'autre ! (Elle s'est tue un instant.) Désolée, quand je bois de la vodka, je deviens mauvaise et je me rappelle pourquoi ma vie est si nulle, parfois.

J'ai cherché quelque chose de perspicace et de réconfortant à lui dire – en vain, évidemment.

— Ah, la vodka... ai-je commenté en fixant mon propre verre.

— Je t'envie, a-t-elle poursuivi. Tu n'as pas eu le temps de tout gâcher. Smith et toi, vous venez à peine de vous rencontrer. Au début, c'est toujours grisant, tu es fascinée par l'autre, tout ce qu'il dit est forcément pertinent ou à hurler de rire, vous vous croyez seuls au monde et...

Elle s'est interrompue, serrant les bras autour d'elle, et elle m'a soudain paru très seule.

— Ces choses-là me manquent.

— Non, ce n'est pas comme ça...

Smith s'est avancé vers nous, ses yeux se sont posés tour à tour sur moi et sur Molly : à croire qu'on n'avait rien de mieux à faire que parler de lui quand il avait le dos tourné. Ce qui n'était même pas le cas.

Avec toutes ces allées et venues, il n'y avait plus assez de sièges : je me suis retrouvée assise sur ses genoux. Molly a souri d'un air entendu, et, après m'avoir enlacée, Smith m'a distraitement embrassé la nuque.

Il n'a pas cessé de me toucher, ensuite. Il a discuté avec Molly, Jane et son copain pas très sexy ; j'essayais de suivre, mais je ne pensais qu'à ses mains chaudes qui s'attardaient sur ma taille et me donnaient la chair de poule quand elles remontaient le long de mes bras.

Sur le chemin du retour, main dans la main, on est restés en arrière : pas facile de suivre les autres, avec ma tête appuyée contre son épaule et l'étau de son bras autour de moi.

À notre arrivée, l'odeur du thé et des toasts embaumait déjà la cuisine ; Smith s'est décidé à me lâcher pour dévorer quatre tranches de pain nappées de beurre de cacahouète et de confiture de framboises. En le regardant mordre dans son toast, j'avais envie de le lui arracher des mains tellement j'étais affamée. Mais leur cuisine était une véritable porcherie, et je craignais d'attraper des maladies mortelles, ce qui est monnaie courante dans ces endroits où le produit vaisselle est un concept abstrait. Heureusement qu'ils vivaient au deuxième étage, sans quoi une colonie de cafards serait venue s'en donner à cœur joie.

J'ai tenu au moins... allez... cinq secondes avant d'ouvrir du bout des doigts le placard sous l'évier, où j'ai déniché un flacon de liquide vaisselle recouvert de crasse.

— Tu n'es pas obligée de faire ça, Isabel, a observé Smith, la bouche pleine de pain, tandis que je laissais couler l'eau du robinet jusqu'à ce qu'elle soit bouillante.

— Si, ai-je répondu en soupirant.

Je me fichais pas mal que les deux filles les plus cool que j'aie jamais rencontrées plus un groupe de gens aussi branchés qu'elles me regardent, bouche bée, m'attaquer à une année de vaisselle sale, au bas mot.

— Elle est dingue, a chuchoté Jane.

J'ai entendu le bruit d'une claque suivi d'un « aïe ! », et Molly qui lui répondait à voix basse :

— Chut ! Elle fait la vaisselle, boucle-la avant qu'elle change d'avis.

Comme ils ne possédaient ni éponge à récurer, ni brosse, ni gants de vaisselle, ça n'a pas été une partie de plaisir. Une fois la vaisselle terminée, j'ai profité de l'occasion pour m'attaquer aux plans de travail et débarrasser la table de ses miettes. Ma tâche accomplie, la cuisine avait meilleure allure. Bien loin de ressembler à une pub pour détergent, elle était quand même assez propre pour que je me fasse griller deux tranches de pain sans craindre une invasion de mauvaises bactéries.

— J'imagine que j'ai effrayé tout le monde avec ma manie du ménage, ai-je dit à Smith qui était assis, les jambes relevées, pour ne pas laisser d'empreintes sur le sol fraîchement lavé.

— Je n'irais pas jusque-là, a-t-il répondu en souriant. Je crois que Jane et Molly seront d'accord pour t'adopter si tu promets de faire la vaisselle tous les jours.

Je lui ai rendu son sourire. C'était bien moi, ça. Lorsqu'il s'agissait de se faire des amis, je ne savais pas imiter tel comique ou faire partager ma passion pour tel groupe de rock. Non, il fallait que je lave la vaisselle.

— Hé, tu as l'air toute triste, a dit Smith.

Il m'a fait signe d'approcher en se tapotant la cuisse et, si j'aimais bien dormir blottie contre lui, m'asseoir sur ses genoux commençait aussi à me plaire. Appuyée contre lui, je l'ai laissé dessiner avec son pouce de petits cercles concentriques sur ma nuque.

— La prochaine fois, je m'occupe du salon, ai-je murmuré comme pour moi-même. Avant que les rats ne débarquent. Dis-moi, ça t'arrive de jeter quelque chose dans ce qu'on appelle une poubelle ?

— Le ménage, ce n'est pas mon truc, a-t-il protesté.

J'ai pouffé de façon peu élégante avant d'aller sauver mon toast qui menaçait de brûler.

Le silence était revenu dans l'appartement quand on a monté l'escalier, main dans la main. Nos ombres s'étiraient sur le mur – je n'ai pas reconnu la mienne. Mais une fois dans la chambre de Smith, avec l'ampoule rouge de la veilleuse qui nimbait tout ce qui nous entourait d'un halo rosé, il n'y avait plus de quoi avoir peur.

15

J'ai dormi huit heures d'un sommeil paisible. Il m'a suffi de poser la tête sur l'oreiller et de fermer les yeux, le bras de Smith autour de ma taille.

Je n'ai pas été réveillée en sursaut par un de ces cauchemars dont j'émergeais en sueur. Non, le monde a peu à peu refait surface, les contours et les couleurs se sont dessinés, de plus en plus nets, et je me suis aperçue que le bip persistant qui me parvenait était la sonnerie de mon portable.

Smith s'est pelotonné sous les couvertures en ronchonnant, et j'ai tâtonné sur le sol à la recherche de mon sac. J'en ai sorti mon téléphone qui vibrait furieusement.

Le nom de Dot clignotait sur l'écran : mon doigt a hésité au-dessus de la touche « éteindre », mais Smith a grogné de nouveau :

— Réponds, bon sang !

D'un geste prudent, j'ai porté le combiné à mon oreille.

— Salut, Dot. (Mon ton guilleret de fille tout à fait réveillée avait besoin d'être peaufiné.) Pourquoi m'appelles-tu si tôt ?

— Je dois partir pour l'église dans une minute, a répondu Dot.

Ses parents étaient le genre de bigots dégénérés qui attendent de leur fille qu'elle préserve sa virginité jusqu'à sa nuit de noces. Tu parles.

— Je suis dans tous mes états. Il me faut ton cours d'histoire de l'art, j'arrive.

Un cauchemar. C'était forcément un cauchemar. Assise droite comme un i dans le lit, j'ai senti les premières gouttes de sueur perler sur mon front.

— Non ! Ce n'est pas possible. Non. Tu ne peux pas emprunter les notes de quelqu'un d'autre ?

— Non, a-t-elle gémi. Nancy et Elsa sont trop bêtes. De toute façon, elles ne font pas histoire de l'art. Il n'y a que toi, Isa. S'il te plaît ! Tu es censée être mon amie, et sans ces notes, je ne peux pas faire ma dissert'. Je suis là dans dix minutes.

Il n'existait aucun moyen de raisonner Dot quand elle perdait son calme.

— Non, ai-je supplié en me creusant les méninges pour trouver une excuse recevable qui l'empêcherait de débarquer chez moi.

Smith a sorti la tête des couvertures.

— Tu es obligée de parler aussi fort ? a-t-il marmonné. On est censés se reposer, le dimanche.

— Chut, rendors-toi, ai-je chuchoté aussi doucement que possible, afin que Dot ne puisse pas m'entendre.

— Qui c'est ? Félix ? Je ne reconnais pas sa voix. (J'ai presque entendu le déclic se faire dans sa tête de linotte.) J'ai compris pourquoi tu ne veux pas que je vienne ! Tu n'es pas chez toi. Oh, mon Dieu, où es-tu et avec qui ?

— Où veux-tu que je sois ?

J'essayais désespérément de gagner le temps nécessaire pour m'habiller, filer chez moi et lui donner mes cours.

— Et toi qui t'énerves quand on répond à une question par une autre ! a répliqué Dot, bêcheuse. Eh bien, heureusement que je n'ai pas appelé chez toi...

Un silence éloquent a suivi. Apparemment, elle avait pris de l'aplomb depuis vendredi : ce jour-là, je l'avais fait pleurer à force de me moquer de ses nouvelles chaussures.

— Je ne suis pas chez moi, ai-je répondu d'un ton évasif.

En cherchant alentour l'inspiration divine, j'ai croisé le regard ensommeillé de Smith.

— Dis à cette personne, qui qu'elle soit, d'aller se faire voir, a-t-il suggéré. J'essaie de faire la grasse matinée.

J'ai entendu un murmure outragé à l'autre bout du fil.

— Tu es avec un garçon ! a conclu mon amie

grâce à la logique à toute épreuve qui l'avait hissée parmi les dix premières de sa classe. Je n'y crois pas ! Tu as passé la nuit avec UN GARÇON ! Qui est-ce ?

— Personne, c'est la télé.

— C'est ça.

Elle exultait presque. J'ai entendu sa mère crier derrière elle. Ils étaient probablement en retard pour leur séance hebdomadaire de bondieuseries.

— Il faut que j'y aille. Je passe chez toi après l'église et tu as intérêt à tout me raconter.

— Mais...

— TOUT ! a-t-elle répété d'un ton qui ne lui était pas coutumier. Je n'en reviens pas, Isa. C'est toujours ceux qui en parlent le moins...

Et, sur ce cliché, elle a raccroché.

— Merde !

Après avoir jeté mon portable à l'autre bout de la pièce, j'ai repoussé les couvertures avec la ferme intention de me taper la tête contre le mur. Smith m'a retenue par le bras.

— Lâche-moi !

— Reviens te coucher, a-t-il susurré d'une voix câline en essayant de m'embrasser.

— Il faut que je parte. Ma copine s'est transformée en peste cette nuit, elle est en route vers chez moi.

— Mmmm, a-t-il ronronné dans mon cou en tentant de me ceinturer.

Je lui ai pincé l'avant-bras de toutes mes forces. Assez fort, du moins, pour lui arracher un cri de midinette. Ce n'était pas de gaieté de cœur, mais aux grands maux les grands remèdes. Il m'a lâchée sur-le-champ et s'est frotté le bras en me jetant un regard lourd de reproches, tandis que je rassemblais mes vêtements épars.

— Désolée, ai-je marmonné.

Je me contorsionnais pour préserver ma pudeur : à la lumière du jour, avec les idées claires, tout paraissait différent.

— La douche écossaise, c'est lassant, à force.

J'ai passé la tête dans mon tee-shirt pour ne pas voir la déception sur son visage.

— Ça n'a rien à voir avec toi. Je dois rentrer chez moi, j'ai des trucs à régler.

Ça, c'était le genre d'explication qu'on attendait d'une fille de dix-huit ans. « Écoutez-la, l'autre, avec ses trucs à régler. »

Smith a pris ses cigarettes sur la table de nuit et, une fois redressé, le dos calé contre son oreiller, il a observé, imperturbable, mes efforts louables pour retrouver mon téléphone.

— Il a dû tomber sous l'étagère. Je déteste quand tu me fais ce coup-là. J'ai l'impression d'être un homme-objet.

— Hein ? De quoi tu parles ?

À plat ventre, j'ai tâté le sol, remuant la couche de poussière à la recherche de mon téléphone.

— Tu ne sais pas brancher un aspirateur ou quoi ?

— C'est toujours la même rengaine. Tu t'arranges

pour filer à toute vitesse et je me retrouve seul comme un con. À croire que tu m'utilises. C'est commode pour toi !

— Mais non, ai-je répliqué avant de prendre conscience de l'ambiguïté de ma réponse.

Mais je disais vrai : Smith était tout sauf commode. J'ai fini par localiser mon portable, sans réussir à l'atteindre.

— Laisse-moi faire. J'ai de plus longs bras que toi, a décrété Smith dans mon dos.

Je lui ai laissé ma place. Il a récupéré mon téléphone avec tant de facilité que c'en était presque agaçant.

— Je ne te le rendrai que si j'ai droit à un baiser, a-t-il ajouté.

Je l'ai embrassé en comptant jusqu'à trois. Parce qu'il tentait encore de me retenir, je n'ai pas pu m'empêcher de lever les yeux au ciel : on était plus ou moins en train de se disputer, il savait que j'avais des trucs à régler, bref, le moment était mal choisi.

— Merci, ai-je dit du bout des lèvres en lui arrachant mon téléphone des mains.

Pourtant, je ne voulais pas le quitter sur une note triste et, surtout, j'avais envie de revenir. J'avais envie qu'il ait envie que je revienne. Je l'ai donc embrassé à nouveau : je crois bien que ça a marché.

— Je t'appelle et la prochaine fois tu t'attaques au salon, a-t-il déclaré en me raccompagnant jusqu'à la porte.

— Pense à acheter de la Javel. C'est bien, la Javel.

— Isabel, je plaisantais, a-t-il répondu en riant.

Or, s'il est un sujet qui ne me fait pas rire du tout, c'est bien l'hygiène domestique.

J'ai passé toute la matinée dans le couloir de l'entrée, à attendre Dot et ses deux coups de sonnette habituels. Je ne pouvais pas courir le risque qu'elle tombe sur mon père et qu'ils se lancent dans une conversation instructive au sujet de l'endroit où j'avais passé la nuit.

Il avait même eu l'air content de me voir à mon arrivée. Peut-être parce que je m'étais précipitée dans la cuisine pour me faire un sandwich au bacon et que je lui en avais préparé un dans la foulée – le tout, en me dévissant le cou pour garder un œil sur la porte d'entrée.

Mais même moi, j'ai des besoins naturels, et, bien entendu, je me trouvais dans les toilettes du sous-sol lorsqu'elle est arrivée. Je me suis ruée vers le couloir, le pantalon encore sur les cuisses – trop tard ! J'ai entendu Dot s'écrier :

— Bonjour, professeur Clarke. Oh, un jean ! Je croyais que vous ne portiez que des costumes.

Ce qu'elle pouvait être lèche-bottes, par moments !

— Eh non, Dot. Le week-end, je me familiarise avec d'autres types de vêtements, a-t-il rétorqué.

D'habitude, ses répliques se heurtaient au silence gêné de Dot, qui n'aurait pas su dire s'il plaisantait ou ironisait. Cette fois, elle était trop obnubilée par mes cours d'histoire de l'art pour y prêter attention.

— Te voilà ! a-t-elle lancé en me voyant, comme si elle m'attendait depuis des heures.

Elle portait un twin-set bleu pâle et une jupe en tweed, histoire de ne pas offenser le Seigneur qui, sûrement, ignorait tout de la robe taillée au ras des fesses qu'elle arborait l'autre soir.

— Viens, je vais te donner ces cours, ai-je marmonné en l'entraînant vers l'escalier.

Dot a hoché la tête avec enthousiasme.

— On a plein de choses à se dire !

— Mais vous vous êtes quittées il y a quelques heures à peine, a protesté mon père, incrédule, trop heureux que sa fille manifeste les mêmes symptômes que n'importe quelle autre adolescente.

Dot a fait volte-face, j'ai vu son expression changer, elle a ouvert grand les yeux puis les a refermés lentement tandis que les faits s'ordonnaient dans sa tête.

— Vous connaissez Isabel : difficile de la faire taire quand elle s'y met, a-t-elle répondu avec un grand sourire, et j'ai senti sa main se crisper sur mon épaule.

J'ai décelé de la sournoiserie dans son sourire mielleux, alors que je ne l'en aurais jamais crue capable. Elsa et Nancy, oui, mais pas Dot.

— Monte, ai-je grommelé.

À première vue, on aurait pu penser que j'avais hâte de l'emmener dans le sanctuaire de ma chambre afin de bavarder à l'aise entre filles. En réalité, je voulais juste l'éloigner le plus possible de mon père.

Bien m'en a pris : on n'avait pas fait deux pas qu'elle s'est exclamée :

— Accouche ! Qui c'est ?

Elle s'est jetée sur mon lit avec ses chaussures sales sans le moindre égard pour ma couette immaculée.

Je me suis affalée sur ma chaise de bureau.

— Personne que tu connais.

Dot a posé la tête sur mon oreiller ; j'ai serré les dents et pris note mentalement de laver la housse à la minute où elle serait partie, en priant pour qu'elle ne s'éternise pas.

— Oh, allez, Isa, je te promets que je ne le répéterai à personne ! Où l'as-tu rencontré ?

— C'est le type de la fête, ai-je répondu à contre-cœur.

Tôt ou tard, elle aurait fini par me tirer les vers du nez, alors le plus tôt serait le mieux. (Quand on arrache un pansement d'un coup, on souffre quelques secondes, puis la douleur n'est plus qu'un vague souvenir.)

— Je le savais ! a-t-elle jubilé. Ça fait combien de temps que vous vous envoyez en l'air ?

— Ce n'est pas ce que tu crois !

Dans sa bouche, ma relation avec Smith avait quelque chose de vulgaire et faux. Or notre histoire était secrète et devait le rester. C'était entre lui et moi, comme les mots qu'on se chuchotait dans le noir.

— Je suis tombée sur lui deux jours après la fête, on a échangé nos iPod et puis on s'est revus. Hier soir, je suis passée chez lui et je suis restée dormir. On n'a pas couché ensemble. Pas de mystère, pas de quoi épiloguer, OK ?

— Arrête ! Tu étais au lit avec lui ce matin.

— J'ai dormi sur le canapé, ai-je martelé sans me décontenancer. On s'est endormis sur le canapé.

— Ouais, c'est ça, et ton père était tout sourire ce matin, après ta nuit passée dehors. Ça m'étonnerait ! Il pensait que tu dormais chez moi pendant que ce crétin abusait de toi, a-t-elle décrété avec un geste théâtral. Dorénavant, cette image restera gravée dans ma mémoire !

J'ai remué un peu sur ma chaise avant de répondre :

— Ce n'est pas un crétin.

— Il a une tête de crétin. Et il parle comme un crétin.

— Vous avez dû échanger trois mots ! Ce n'est pas suffisant pour se faire une opinion.

— Peu importe, je ne partirai pas avant que tu m'aies raconté tous les détails croustillants.

Après avoir pris ses aises sur le lit, elle a jeté un regard curieux autour d'elle et tendu la main vers le tiroir de ma table de nuit.

— N'ouvre pas ce tiroir !

— C'est là que tu gardes ta réserve de préservatifs pour tes séances de jambes en l'air avec ton crétin ?

La main de Dot s'est refermée sur la poignée. J'ai plongé sur elle et refermé le tiroir avec tant de force qu'elle a failli y laisser les doigts.

— Comment oses-tu ? (J'étais si près d'elle que je voyais les paquets de mascara sur ses cils.) Pour qui tu te prends ? Tu débarques ici et tu commences à t'immiscer dans ma vie...

— Pardon, Isa. Je suis désolée, a-t-elle dit en me tapotant le bras. Je plaisantais. Détends-toi, s'il te plaît.

Je me suis laissée tomber lourdement sur le lit à côté d'elle.

— Qu'est-ce qui t'arrive ? Pourquoi tu te comportes comme ça ?

Dot a enfin eu la décence de faire profil bas. Mais ça n'a pas duré : elle a haussé les épaules avec indifférence.

— Quoi ? Tu crois que Nancy et toi, vous avez le monopole dès qu'il s'agit de heurter la sensibilité des autres ? J'ai essayé de jouer les braves filles et qu'est-ce que ça m'a apporté ? (Elle a soupiré, son regard a changé.) Tu n'as pas envie que tout redevienne comme avant ? Tu sais, avant qu'on se déclare la guerre ? Je ne sais même plus comment ça a commencé.

— Moi non plus.

Je ne disais pas tout à fait la vérité. Tout avait commencé le premier jour du premier trimestre, à l'école de filles de Brighton, quand j'avais fait le vœu solennel de ne plus me laisser persécuter, harceler, marcher sur les pieds par quiconque.

— Moi aussi, parfois, j'ai besoin d'extérioriser mes mauvais penchants, a marmonné Dot en inspectant ses ongles.

— Arrête. S'il te plaît. Ça ne résoudra pas tes problèmes, au contraire.

Je m'attendais à ce que Dot me balance un commentaire méprisant, me traite de grosse nulle, que sais-je... – apparemment, elle avait bien appris sa leçon auprès d'Elsa et Nancy. Au contraire, elle s'est penchée vers moi et a murmuré :

— Tu parles d'expérience, on dirait. Tu as l'air seule, Isabel.

— Il y a une différence entre être seul et se sentir seul. Tu sais, j'aime bien rester dans mon coin, mais personne n'a compris qu'il fallait me laisser tranquille.

— Tu as réussi à mettre le grappin sur un type sexy, alors j'imagine que tu ne t'en sors pas si mal.

— Tu viens de dire que c'était un crétin !

— Eh bien, disons que c'est un crétin sexy. Bon, de quoi vous discutez, tous les deux ?

J'ai fini par céder. Assise jambes croisées sur mon lit, je lui ai raconté que, grâce à Smith, je n'avais pas le sentiment d'être une paria ou une godiche, mais une énigme qu'il avait envie de percer à jour. Et j'aimais ça, quand il me perçait à jour. J'aimais sa façon de me regarder, de me sourire, de me tenir la main. J'aimais quand il me disait que je ne devais pas renier ma singularité mais la porter comme un étendard.

En revanche je ne lui ai pas dit ce qu'elle mourait d'envie d'entendre. À savoir que, la première fois, j'avais eu mal pendant un bref instant. Et que je ne m'habituerais jamais à me retrouver nue devant lui. Ou devant n'importe qui d'autre, d'ailleurs. Je n'ai pas non plus fait allusion à tous les mensonges que je lui avais racontés, je n'ai pas dit qu'il n'y avait aucun espoir que ça dure parce que j'avais bâti notre relation sur des salades.

— Et puis, il pense que je suis une enquiquineuse de première, ai-je conclu. Parce que je ne sais pas me comporter autrement. Mais il ne me laisse jamais m'en tirer à bon compte. Pas une fois. Il lui suffit de me dire : « arrête », pour que, de façon bizarre, je me calme.

Il y avait une tonalité rêveuse dans ma voix, je savais que je devais sembler passionnément, désespérément, irrémédiablement amoureuse de lui. Pourtant, sans que je sache pourquoi, je ne parvenais pas à me taire.

16

Dot a fini par rentrer chez elle, après qu'on a passé la journée à faire nos devoirs sans trop forcer, à manger notre poids en chocolat, et à regarder encore et encore *Eternal Sunshine of the Spotless Mind* [1], lovées sur mon lit. Elle m'a juré que ce qui s'était passé dans la chambre de Smith ne sortirait pas de cette pièce, mais je savais qu'elle cédait facilement sous la pression. Et puis lundi matin marquait le début d'une autre semaine, synonyme de nouvelles luttes de pouvoir.

— Tu t'es tapé d'autres crétins dernièrement ?

Nancy m'a accueillie en ces termes amicaux à mon arrivée dans la salle commune. Dot, assise sur le bras de son fauteuil, s'est absorbée dans la contemplation de l'ourlet de sa jupe pour ne pas croiser mon regard.

1. Film américain de Michel Gondry (2004). *(N.d.T.)*

— Pas récemment, non, ai-je répondu d'un ton mielleux, le cœur battant.

Puis Nancy s'est lancée dans un monologue obscur concernant une fille de son cours de théâtre et un type qui jouait au foot avec son frère. Rien n'avait changé, donc.

Tout avait changé, en réalité : après le déjeuner, j'ai reçu un texto de Smith : « On se voit quand ? »

J'ai levé les yeux vers le Trio Infernal, qui arpentait le couloir tels des mannequins sur un podium, et j'ai opté pour une réponse sibylline : « Patience, petit scarabée, patience », qui me paraissait beaucoup plus séduisante que la triste réalité. À savoir : je n'avais pas le droit de sortir en semaine, sous peine de mort.

— Tu es vissée à ton téléphone, aujourd'hui, a remarqué Dot en me prenant par le bras pour me faire accélérer le pas.

— Il vient de m'envoyer un texto, ai-je chuchoté.

Je n'arrivais plus à tenir ma langue, malgré les sévères résolutions que j'avais prises de ne me fier à personne, pas même à Dot.

— Tu crois qu'il tient à moi ?

J'étais officiellement devenue une de ces cruches qui n'ont pas d'autre sujet de conversation que leur petit copain. Pour couronner le tout, Smith et moi passions notre temps à échanger des textos coquins. Il avait le don d'écrire les pires grossièretés sans utiliser la moindre voyelle. Non que j'aie montré à Dot son éloge de mes « FSS » en cent soixante caractères, mais en m'écoutant parler de Smith, on aurait pu croire qu'il était la raison pour laquelle le soleil se levait le matin.

Dot prenait les choses avec beaucoup de philosophie. Tous les après-midi, les yeux écarquillés, hochant gravement la tête de temps à autre, elle m'écoutait avec patience commenter les messages de la journée et mettre au point des stratégies pour faire patienter *l'Homme* jusqu'au week-end. Néanmoins, tout ce qui l'intéressait, c'étaient les détails concernant le sexe : à l'évidence, les quelques éclaircissements que j'avais consenti à lui donner auparavant ne suffisaient pas.

— Qu'est-ce que tu as ressenti ? Ça t'a fait mal ? Est-ce qu'il t'a dit des trucs bizarres pendant ? Tu as eu un orgasme ?

À croire que j'étais devenue une autorité en la matière. Elle me suivait jusque chez moi pour me bombarder de questions à voix basse. Félix, qui rôdait toujours dans les parages, poussait de temps à autre un « beeeuuurk » sonore en ouvrant de grands yeux. Dans ces moments-là, il me faisait étrangement penser à Summer dans *Newport Beach*, et il y avait de quoi flipper.

Je ne pouvais qu'imaginer l'immense plaisir qu'il aurait à questionner mon père au sujet de l'orgasme multiple ou des préservatifs.

Il n'existait qu'une personne au monde dont la proximité ne me donnait pas d'urticaire, et cette personne, c'était Smith.

— Isa ! Je viens de te demander si tu as enlevé tous tes vêtements ! a chuchoté Dot avec impatience.

Je l'ai dévisagée, frappée d'horreur.

— Oh, arrête avec ta rengaine. (Je lui ai mis dans les mains mon cahier d'histoire de l'art.) Tiens, j'ai cru comprendre que tu voulais y jeter un œil.

Après son départ – et après que j'ai quasiment rédigé sa dissertation sur le cubisme –, je ne me sentais pas très bien. Rien à voir avec ce qu'on était censé éprouver quand on venait d'avoir une discussion intime avec une véritable amie. Je me sentais mal et souillée, comme si elle venait de fouiller mon tiroir à culottes. Décidément, me confier ne me causait que du dégoût. Une fois de plus, j'ai regretté de ne pas suivre des cours par correspondance, qui m'auraient épargné le lycée.

Mais tout n'était pas si simple. Le lendemain – en rentrant de si mauvaise humeur que j'ai cru assommer Félix quand il a roté dans mon oreille – j'ai compris que mon irritation n'était due qu'à l'absence de Smith : il me manquait.

J'aurais voulu lui parler du KitKat que j'avais mangé à l'heure du déjeuner, et qui, suite à un défaut de fabrication, ne contenait pas de gaufre. De mon devoir de littérature française qui m'avait valu une excellente note. J'aurais voulu lui raconter tous les détails insignifiants de ma journée, or je ne pouvais pas le faire. À moins que...

— J'étais justement en train de parler de toi, a-t-il dit en décrochant. Comment vas-tu ?

— Bien. Qu'est-ce que tu disais à mon sujet ?

— Je réfléchissais tout haut à tes projets pour le week-end.

Je l'ai entendu souffler bruyamment. Des bruits de pas. Une porte qui claque.

— Ah, c'est mieux. Bon, qu'est-ce que tu fais samedi prochain ?

Je me suis allongée sur mon lit et j'ai fermé les yeux. Ainsi, sa voix me paraissait encore plus proche.

— Je ne sais pas. J'ai l'intention de me vernir les ongles. De me laver les cheveux. Peut-être même – allez, soyons fous – de ranger mon tiroir à chaussettes.

— Bien, et si je te disais que tu es assez jolie pour faire l'impasse sur tes rituels de beauté palpitants, et que tu pourrais sortir avec moi à la place ?

— Je te répondrais que tes compliments sont ringards à souhait, ai-je gloussé.

— J'essaie juste de flirter un peu, tu es censée en faire autant.

Je me suis creusée les méninges pour trouver une réponse sexy, en vain. Alors, j'ai décidé de bousculer les habitudes d'une vie entière : j'ai dit la vérité.

— Tu m'as manqué aujourd'hui. Est-ce que ça compte comme du flirt ?

— Oh, c'est bien mieux.

Un clic suivi d'un long soupir m'a indiqué qu'il venait d'allumer une cigarette.

— Tu m'as manqué aussi. J'aimerais que tu viennes.

À 21 h 47, un soir de semaine ? Aucune chance.

— J'aimerais bien, moi aussi. Je pourrais commencer à faire le ménage dans ton salon...

— Quel romantisme ! Tout de même, je suis sorti acheter de la Javel. Rien que pour toi. J'ai pris la plus chère, celle qui sent la prairie.

— Bien. Quels sont tes projets pour samedi ? (Et, n'écoutant que mon audace, j'ai ajouté :) Tu veux qu'on se voie ?

— Bien sûr ! Le hic, c'est que Duckie donne un concert à Londres et ensuite ils ont prévu une fête...

— Oh...

— Cette petite voix me dit que tu es déçue. Tu veux venir avec moi ? Il reste de la place dans le van. Je crois qu'on va squatter chez quelqu'un et rentrer le lendemain. Attention : tu dois me promettre de laisser ton double diabolique chez toi.

— Qu'est-ce que c'est que cette histoire de double ? J'ai mes humeurs, c'est tout.

— J'ai vraiment envie que tu viennes.

— Ça pourrait être sympa. Je peux te donner ma réponse plus tard ?

— Demain ? On risque de se battre pour les places à l'arrière du van. Isabel ?

Son ton était si sérieux, soudain, que j'ai cru arrivée la fin du monde.

— Cette fois, promets-moi de ne pas piquer une crise. Et de ne pas me laisser en plan.

— Je ne laisse jamais personne en plan, ai-je protesté, indignée. En fait, je m'énerve un peu, je m'en vais, et j'ai des remords au bout de cinq mètres.

— C'est bon à savoir. La prochaine fois, je me souviendrai de ne pas me vexer.

— Je n'ai jamais voulu te vexer. Ça me prend de temps en temps, voilà tout. Chaque fois que je parle sans réfléchir.

— Tu te livres beaucoup plus au téléphone. Peut-être qu'on devrait se contenter de communiquer par portables interposés, a-t-il gloussé et j'ai dû me mordre la langue pour ne pas lui fermer le clapet d'une réplique cinglante.

— C'est ça, ai-je marmonné avant de jeter un regard affligé à la pile de livres et de feuillets qui jonchaient le lit. Il faut que j'y aille. J'ai des trucs à faire.

— Ah, ces maudits trucs ! J'ai une théorie : tu es une espionne internationale, voilà pourquoi tu n'es jamais disponible.

— Tu regardes trop *Alias*, Smith.

— Avoue. Tu es en mission secrète et tu dois te rendre en Ouzbékistan pour récupérer un bidule

dans un laboratoire, qui menace de détruire la planète avec ses rayons mortels.

J'ai entendu mon père m'appeler depuis l'entrée.
Il m'a crié quelque chose concernant le dîner ou une
quelconque invasion martienne, difficile de tran-
cher.

— Je te laisse, ai-je dit à Smith, qui s'était lancé
dans des élucubrations sur les réseaux d'espionnage
internationaux.

— Pour une raison obscure, le labo en question
est situé au sous-sol d'un night-club louche, et tu es
obligée de porter des déguisements farfelus...

— Tu devrais songer à sortir davantage. Il faut
que j'y aille, j'ai des trucs à faire, le monde à sauver,
entre autres.

— Je le savais ! Dis-moi, tu as combien de per-
ruques ?

— OK, je raccroche...

— Et un flingue, tu as un flingue ? Et un rouge à
lèvres qui dissimule...

En descendant l'escalier pour m'enquérir de mon
père qui poussait des cris plaintifs dans la cuisine,
j'étais de si bonne humeur que je n'ai pas pu m'empêcher d'ébouriffer les cheveux de Félix, geste qu'il
aurait pu interpréter – à tort, bien sûr – comme une
marque d'affection.

Nos petites séances de confessions intimes avaient
fini par monter au cerveau de Dot. En échange d'un

alibi pour aller batifoler à Londres à l'arrière d'un Transit, elle voulait que je lui ponde deux dissertations au moment qu'elle jugerait opportun, et que je lui prête mon coffret de *Lost*. En outre, elle m'avait imposé un moratoire sur le port des tee-shirts de scout de Félix au lycée. Elle n'a jamais compris l'ironie.

— Tu rêves ! Depuis quand tu monnayes tes services ? lui ai-je demandé avec incrédulité, le jour où elle a eu le culot de débarquer chez moi pour m'emprunter mes DVD.

— L'offre et la demande, tu connais ? Tu me demandes un truc, donc j'exige autre chose en retour. C'est ce que tu dis toujours quand j'ai besoin d'aide.

Je n'ai pas lâché le morceau et, après avoir pris pour cible le magnifique bouton qui ornait son front, et qui devait être visible depuis Mars, je l'ai fichue dehors sans lui avoir confié mon précieux coffret de DVD. Elle avait la folie des grandeurs, ces derniers temps, et je devais m'occuper de son cas avant qu'elle ne devienne incontrôlable.

Puis j'ai senti mon portable vibrer dans ma poche et j'ai tout oublié : « T en mission secrète ? S ke ton supérieur te donne carte blanche samedi ? Smith xxx. »

Et moi qui me mettais dans tous mes états à cause de Dot avec ses velléités de chantage ridicules, alors que j'aurais dû garder mes forces pour négocier avec mon père !

— C'est d'accord si je passe le week-end chez Dot ? ai-je demandé après lui avoir servi son dîner préféré – un poulet au citron accompagné de riz sauvage et d'asperges.

— J'imagine, a-t-il répondu en humant l'assiette que je plaçais devant lui. Vous avez l'air de bien vous entendre, toutes les deux.

— On a beaucoup de points communs, ai-je répondu d'un ton mielleux. Elle est très loyale.

— Tes autres amies sont un peu trop acerbes à mon goût, a-t-il commenté, les yeux rivés sur le contenu de son assiette. Mais Dot me paraît gentille. Mmmm, ça m'a l'air délicieux.

— Bref, vendredi soir, je vais directement chez elle en sortant du lycée et je rentre dimanche soir, ai-je hasardé en m'étonnant de ma témérité. (Sur une impulsion, je grappillais un jour de plus avec Smith.) Je t'appellerai, et de toute façon, tu as mon numéro de portable, alors...

— Ne t'inquiète pas, Isabel. Je suis certain que Félix et moi saurons nous débrouiller sans toi pendant quarante-huit heures. Dès lors que tu trouves le temps de faire tes devoirs...

J'ai dû me fourrer une asperge entière dans la bouche pour dissimuler mon sourire de triomphe.

17

Si mon sac n'avait pas été si lourd, je crois que j'aurais couru tout le chemin jusque chez Smith. Je me suis contentée de marcher d'un bon pas, ivre de ma liberté fraîchement acquise. Pendant quarante-huit heures, j'allais échapper à tout ce qui me minait d'ordinaire et devenir une Isabel nouvelle, meilleure, beaucoup plus estimable à mes yeux que son double actuel.

Il y aurait des baisers. Des tonnes de baisers doux et mouillés. On se blottirait sous ses couvertures, je le laisserais me bercer, me susurrer des histoires à l'oreille et, s'il me suppliait vraiment, je daignerais peut-être le bercer aussi.

Hélas, quand Smith a ouvert la porte... adieu veaux, vaches, cochons... il faisait une mine d'enterrement.

— Euh... surprise !

J'ai tendu la joue dans l'espoir de recevoir un baiser, mais il s'est effacé pour me laisser entrer.

— Je ne pensais pas te voir avant demain. J'ai une dissertation à finir, a-t-il gémi. (On aurait cru entendre Félix quand il refusait d'aller se coucher.) Sur Nietzsche. Pourquoi suis-je allé m'inscrire en philo ?

— Ce n'est pas la philo qui va t'aider à trouver un emploi stable, c'est sûr, ai-je répliqué gaiement en le suivant dans l'escalier. Il n'y a pas beaucoup de postes vacants pour les philosophes qualifiés.

Le tact, c'est une seconde nature, chez moi. Les sourcils de Smith étaient si froncés qu'il devait avoir des crampes.

— Ça m'a semblé une bonne idée sur le moment, a-t-il marmonné en poussant la porte de sa chambre. Je dois finir cette maudite dissert' ce soir si je veux profiter du week-end.

— Oh, moi j'ai déjà...

Je me suis mordu la langue. Je n'étais pas censée avoir expédié tous mes devoirs pendant la pause déjeuner et une heure d'étude survenue à point nommé, parce que j'étais une femme oisive, moi, qui n'avait pas à bachoter.

— Déjà quoi ? a demandé Smith.

Il contemplait, inconsolable, un livre ouvert dont les marges regorgeaient d'annotations et de gribouillis en tous genres. Si mon père avait été présent, il aurait fait fouetter Smith en public pour cruauté envers la chose imprimée.

— Euh, j'ai déjà... euh... prévu de te préparer le

dîner, ai-je lancé précipitamment. Je cuisine pendant que tu travailles sur ta dissert'. Qu'est-ce qui te ferait plaisir ?

— Toi, tu cuisines ? De la nourriture ?

J'étais à deux doigts de le gifler.

— Mais oui, de la nourriture ! Je m'y mets dès que tu m'auras dit ce que tu as envie de manger.

— Je ne suis pas difficile, a grogné Smith d'un air renfrogné. N'importe quoi. Tu peux fermer la porte derrière toi ?

Une demi-heure plus tard, j'étais de retour du supermarché et j'éminçais des champignons pour les ajouter à la mort-aux-rats que je faisais revenir doucement avec de l'ail et des oignons. Techniquement, c'était du poulet, mais il aurait bien mérité que ce soit du poison.

J'aurais dû savoir que, lorsque je m'enthousiasme pour quelque chose, c'est voué à mal tourner. Smith n'avait pas même fait semblant d'être content de me voir. Par bonheur, ces rituels familiers – hacher menu, faire revenir, remuer – m'apaisaient et j'en étais même arrivée à fredonner quelques notes de la chanson pourrie de Geri Halliwell qui passait à la radio.

— Tiens, tiens, mais c'est Miss Maternelle en personne ! Tu as le droit de rester sans surveillance près d'une gazinière, gamine ?

J'ai reposé prudemment ma cuillère en bois avant

de me tourner vers Jane qui se tenait sur le seuil de la cuisine.

— Ah, c'est toi, ai-je répondu d'un ton glacial.

Si Molly et Smith n'étaient pas dans les parages, il n'y avait certes aucune raison que je me montre polie avec elle.

— Eh oui ! Tu es une vraie petite femme d'intérieur, dis donc. Tu devrais faire attention, ça vieillit prématurément.

— Tu veux quelque chose de précis ou tu es juste venue me taper sur les nerfs ?

D'un geste énergique, j'ai remué mon poulet cacciatore, histoire d'occuper mes mains qui ne demandaient qu'à l'étrangler.

Elle a jeté un coup d'œil au contenu de la casserole.

— Mmmm, il y en a assez pour moi ? Je vais choper le scorbut à force de manger des pâtes.

Mes petits projets de dîner aux chandelles sur le canapé du salon se sont envolés dans la seconde : je me suis représenté Jane, assise entre nous deux, qui s'empiffrait en faisant des commentaires sur mon âge.

— Smith risque d'avoir faim. Je ne sais pas s'il en restera.

— Je brise ton rêve de souper romantique ? a-t-elle lancé avec un sourire narquois.

Elle s'est figée, et son air condescendant s'est mué en une expression sévère, résolue.

— Détends-toi, je te teste un peu, c'est tout. Cela dit, toi et moi, il faut qu'on ait une petite conversation.

Cette dernière phrase n'avait rien de rassurant.

— Et de quoi faut-il qu'on parle ? ai-je riposté en reposant bruyamment ma cuillère sur le plan de travail.

Les mains sur les hanches, je lui ai jeté un regard assassin.

— Eh bien, a susurré Jane. Je savais que tu ne jouerais pas les gentilles fifilles éternellement.

— Je ne joue pas...

— Ouais, ouais, c'est ça, a-t-elle coupé en balayant d'un geste mes balbutiements. Je sais que tu mens sur ton âge, sans parler du reste. Je t'ai vue avec tes copines...

— Et alors ? (J'ai mis tant de férocité dans ma voix que Jane a reculé d'un pas, surprise.) Qu'est-ce que tu as vu ? On ne se balade pas avec nos dates de naissance tatouées sur le front !

— Je t'ai vue, toi, a-t-elle martelé. Ton petit gang de pisseuses sent les embrouilles à plein nez et je n'ai pas envie que tu pourrisses la vie de Smith. C'est mon ami. Et je m'occupe de mes amis. Considère que c'est un avertissement. Fais-lui du mal et je te le rendrai au centuple.

Elle était vraiment flippante mais, en matière d'intimidation, je me défendais bien, moi aussi.

— Oooh, j'en tremble, ai-je rétorqué, la main sur

le cœur. Quand j'aurai besoin de ton avis, je te sonnerai. Sinon, tu avais d'autre conseils à me donner ou tu as rempli ton quota de vacheries pour la journée ?

Manifestement, Jane n'était pas du tout impressionnée par le ton de ma voix.

— Je ne plaisante pas. Tu fais quoi que ce soit contre Smith et je te ferai regretter d'être née.

— Tu crois que tu me fais peur ? (Je la sentais à deux doigts de me gifler.) Smith est un grand garçon, il peut se débrouiller tout seul. Tu imagines peut-être qu'il va tenir compte de tes accusations délirantes ?

— Je ne lui ai encore rien dit.

Jane a marqué une pause pour ménager son effet.

— Mais si tu n'es pas sage, je ne me gênerai pas pour le faire.

Elle devait ignorer à quel point j'étais experte en attaques et contre-attaques. Parfois, je me dis que c'est moi qui ai inventé le concept. Bref, pas si bête, je n'allais pas montrer le moindre signe de faiblesse.

— Si tu viens fourrer ton gros nez dans ce qui ne te regarde pas, si tu t'immisces entre Smith et moi, eh bien, j'aurai du mal à trouver une menace crédible, sachant que tu es allée en cure de désintox... (Je me suis tue un instant, et mon silence en disait long.) Maintenant que j'y pense, tu m'as l'air un peu à côté de tes pompes. J'espère que tu n'en prends plus, sans quoi...

— Rien à dire, tu es douée, s'est exclamée Jane et,

à ma grande surprise, elle a ri aux éclats. Waouh !
Félicitations, ma petite, toi, tu sais te défendre !

— Tu l'as dit bouffie, ai-je marmonné.

Elle m'a tapoté le bras d'un geste condescendant.

— Je t'ai à l'œil, a-t-elle chantonné, en agitant l'index sous mon nez.

— Qu'est-ce que je t'ai fait ? Smith m'apprécie, Molly aussi, pourquoi tu ne me laisses pas tranquille ?

Jane a haussé les épaules.

— Il y a quelque chose chez toi qui me hérisse. Quant à Molly, je l'adore, mais elle n'a aucun jugement.

— Ce n'est pas vrai, a lancé une voix indignée derrière nous.

Molly se tenait sur le seuil, Smith sur ses talons. J'ai senti mon cœur s'emballer comme si je venais de courir un marathon. Qu'avaient-ils entendu, au juste ?

— J'ai un excellent jugement, a poursuivi Molly en croisant les bras. La plupart du temps, en tout cas. Et on va être en retard pour la répétition. Ouh, ça sent le brûlé.

— Merde !

Je me suis ruée vers la cuisinière : le dîner avait accroché au fond de la casserole. Je me suis dépêchée de rajouter de l'eau et une poignée d'herbes aromatiques avant de remuer la sauce telle une forcenée.

— Bon, on est parties, a été la conclusion d'une

longue diatribe de Molly concernant sa capacité à juger son entourage, « excepté les guitaristes maigrichons qui pensent avec leur entrejambe ». À plus tard, Isabel.

J'ai marmonné quelque chose qui ressemblait vaguement à un au revoir, puis j'ai attendu qu'elles aient dévalé l'escalier pour me tourner vers Smith. Adossé à la table de la cuisine, il jouait avec ses clés.

— Tu as fini ta dissert' ? ai-je demandé d'un ton enjoué.

À croire que je participais au concours de la fille la plus sympa.

Smith a hoché la tête d'un air morne.

— Oui, et c'est loin d'être une réussite. Il faudra peut-être que je m'y remette après le dîner.

Il a esquissé un geste en direction de la cuisinière.

— Ça sent bon.

— Il n'y a plus qu'à faire cuire les pâtes et c'est prêt.

J'ai ouvert un tiroir qui contenait les couverts.

— C'est une idée un peu moderne, je sais, mais vous pourriez laver vos couteaux et fourchettes avant de les ranger.

— Tu veux boire quelque chose ? Je vais faire un saut à l'épicerie.

Quand il est revenu avec deux bouteilles de vin, j'avais mis la table. C'était sans doute le premier plat fait maison qu'il mangeait depuis qu'il avait quitté le domicile parental. Malgré cela, il s'est contenté de jouer avec sa fourchette, silencieux.

Moi-même, je me taisais, persuadée qu'il avait entendu chaque mot de ma dispute avec Jane. Il préparait ses questions qui gâcheraient à coup sûr le reste du week-end. Immobile sur ma chaise un peu branlante, j'ai songé que le week-end était déjà fichu, de toute manière.

— Désolé, a-t-il fini par dire en repoussant son assiette sans l'avoir touchée. Je vais essayer de me replonger dans ma dissert'. J'ai une idée, je voudrais la creuser un peu.

— Oh... OK. Euh... je peux m'en aller, si tu veux.

Il ne se décidait pas à me regarder dans les yeux. J'aurais encore préféré le silence pesant qui régnait chez moi.

— Non, Isabel. Bien sûr que non. (Smith s'est penché par-dessus la table pour me prendre le menton.) Accorde-moi deux heures et je te consacre le reste de la soirée, c'est promis.

— Je ne veux pas te mettre la pression.

Il a effleuré ma lèvre inférieure qui tremblait.

— C'est juste que... eh bien, je pensais te voir demain. Je n'avais pas compris que tu prévoyais de rester ici ce soir, a-t-il fini par admettre.

Si sa main n'avait pas maintenu mon visage, je me serais tapé la tête contre la table. Je pensais qu'il serait heureux de passer plus de temps avec moi, or il se comportait comme si j'étais la fille la plus enva-hissante de la planète. Ce en quoi il n'avait pas tort.

Je devais avoir une mine de chien battu, car il m'a lancé un regard inquiet. Il a ouvert la bouche, his-toire d'aggraver mon cas, je l'ai fait taire d'un geste.

— T'inquiète. Je peux m'en aller. Pas de pro-blème, l'ai-je rassuré d'un ton qui se voulait guilleret mais trahissait la colère.

— Isa, Isa, a dit Smith avec douceur en caressant ma joue brûlante du revers de la main. Je suis très content que tu sois là. Je regrette seulement d'avoir passé la journée à traînasser au lieu de bosser. Ça n'a rien à voir avec toi, OK ?

Avec un pauvre sourire, je l'ai laissé s'éclipser pour affronter les forces obscures de la philosophie. J'ai rangé la cuisine, que j'ai laissée dans un meilleur état qu'à mon arrivée, puis je me suis attaquée à la moquette du salon. Une fois débarrassée des jour-naux et de la cendre de cigarette, elle était d'un vert bilieux. J'ai rempli deux sacs-poubelle de détritus en tous genres, passé l'aspirateur, fait la poussière. J'ai même frotté les plinthes à quatre pattes. Et puis j'ai décidé que les deux heures de Smith s'étaient écou-lées. De toute façon, j'étais à court de chiffons.

Quand j'ai passé la tête dans l'embrasure de la porte, Smith, affalé sur le lit, crachait des ronds de fumée en direction du plafond. L'écran de son ordi-nateur éclairait faiblement son petit bureau.

— Je ferais aussi bien de laisser tomber, a-t-il annoncé. Autant regarder les choses en face.

— De quoi tu parles ? lui ai-je demandé en m'efforçant de masquer mon exaspération.

— Je suis un imbécile, a-t-il soupiré. Je ne sais pas différencier Heidegger de Derrida.

Toute ma vie, j'avais vu des étudiants faire ce genre de crise, en général quand ils devaient rendre une dissertation pour laquelle ils avaient déjà trois semaines de retard. Je ne comptais plus le nombre de dîners gâchés du fait que mon père était pendu au téléphone avec un étudiant hystérique parce qu'il ne comprenait rien à James Joyce. La plupart du temps, il se contentait de les sermonner mais, avec ses petits protégés, il s'y prenait comme moi avec Smith. Je lui ai fait relire sa dissertation afin qu'il trouve par lui-même ce qui clochait. Sauf que mon père, lui, ne devait pas caresser les cheveux de ses étudiants – enfin, j'espère.

Quand Smith a fini de taper sa conclusion pendant que, de mon côté, je cherchais les mots dans le dictionnaire pour lui, sa mine défaite avait laissé place à une expression d'adoration.

— J'imagine que tout ça doit te paraître d'une simplicité enfantine, a-t-il dit en me faisant asseoir sur ses genoux. Tu es une intello, en fait.

— Il y a une méthode, tu sais. Il suffit de se mettre dans le bain et de glisser ici et là des mots interminables. Ça ne fait pas de moi une intello.

— Je ne l'entendais pas comme ça, a protesté Smith en m'entraînant vers le lit. (J'avais l'impression d'être de la pâte à modeler entre ses mains.) Tu es une chouette fille, Isa.

Après un début de week-end catastrophique, je commençais à me rappeler pourquoi j'aimais tant Smith. J'ai contemplé les minuscules paillettes vertes qui illuminaient ses yeux bleu vif.

— Je n'ai pas eu d'amis jusqu'au lycée, ai-je avoué. (Je savais encore faire preuve d'honnêteté, de temps en temps.) J'étais très calme, plus petite que les autres élèves de ma classe, je lisais des tonnes de livres et je m'en prenais plein la figure.

Smith a déposé un baiser sur mon front.

— Alors qu'est-il arrivé ?

— Je suis passée à autre chose, ai-je répondu avec désinvolture, tandis que mes mains s'égaraient sous son tee-shirt. Au lycée, je suis devenue très populaire – enfin, populaire, ce n'est pas le mot : j'en étais juste réduite à écraser les autres. Comme dans une de ces séries américaines. Je suis devenue le prototype de la méchante.

— Tu n'es pas aussi méchante que tu le crois. Bien au contraire. J'irais même jusqu'à admettre que tu es plutôt sympa si je n'avais pas peur que tu me frappes.

— Je ne suis pas sympa, ai-je grommelé.

— Bon, peut-être pas, a-t-il concédé en souriant, avant de chasser mon air renfrogné d'un baiser. Tu es à mi-chemin entre la peste et la gentille fille. À moins que tu n'aies l'intention de déterrer à nouveau la hache de guerre.

— Là aussi, je crois que je suis passée à autre chose.

Et j'étais sincère. J'aurais voulu pouvoir effacer les quatre dernières années de ma vie et repartir de zéro.

— C'est ta spécialité, on dirait, Isabel, a commenté Smith avec légèreté mais je voyais bien que le cœur n'y était pas.

Il s'est détourné.

— Toi, tu me donnes envie de m'attarder un peu, ai-je murmuré et je me suis lovée contre son dos, la main posée sur son cœur.

18

Se retrouver coincée dans un van et sentir dans son dos chaque ornière de la route, c'était une expérience que je n'avais aucune envie de revivre. Même si je devais rentrer à pied à Brighton.

La présence de Jane – parfaite dans le rôle de la musicienne en route pour donner un concert à Londres avec son groupe ultrabranché – n'arrangeait rien. Elle avait la mainmise sur le lecteur de CD et nous passait en boucle un mix de son cru composé des pires chansons ayant atteint le sommet du hit-parade. Ajoutez-y l'entourage officiel, vous aurez une idée de la torture. Tous vêtus du même tee-shirt débile, fabriqué de leurs mains, sur lequel était inscrit : « je fais partie du groupe », ils parlaient de gens que je connaissais pas, Smith en tête.

Au réveil, il s'était montré tout sucre, tout miel. Il n'avait pas fait la moindre remarque désagréable alors que je m'étais endormie avant qu'on ait pu faire l'amour et que j'avais bavé sur son épaule toute la nuit. Mais à la minute où ses amis étaient entrés en scène, j'aurais aussi bien pu ne pas exister. Il était si prévisible, quelquefois...

Je devais me cramponner de toutes mes forces à l'enceinte qui me servait de siège parce que le petit copain de Jane n'arrêtait pas de changer de file. Avec un peu de chance, peut-être s'arrêteraient-ils dans une station-service : je pourrais rentrer en stop à Brighton.

— Pourquoi tu boudes ? m'a lancé Smith de l'autre côté du van.

J'ai dû faire bonne contenance comme tous les regards convergeaient vers moi.

— Je ne boude pas, ai-je répliqué en m'efforçant de garder mon calme. Je réfléchis.

— On aurait dû te fabriquer un tee-shirt, a dit une fille. (Elle avait la frange la plus parfaite que j'aie jamais vue.) Désolée. Oh, mais attends, j'ai des badges !

— Ça ira, merci.

Voilà que tous se mettaient à fouiller poches et sacs pour me dégotter un de leurs badges faits main, histoire que je ne me sente pas mise à l'écart, tandis que Smith secouait la tête, incrédule.

Molly, installée sur le siège avant, s'est retournée.

— Il y a des tee-shirts dans le carton là-bas. Ils sont roses. Ça fera ressortir le bleu de tes yeux, Isa.

L'un des garçons rampait déjà vers l'arrière du

van, s'attirant l'hilarité des autres parce qu'il trébuchait sur leurs jambes.

— Vraiment, je peux faire sans tee-shirt, ai-je objecté.

Trop tard : il m'en a tendu un. J'ai lu à voix haute l'inscription qui y figurait, sous une photo en noir et blanc d'Audrey Hepburn : « S'ils peuvent se débrouiller sans toi, Duckie, alors moi aussi. »

— C'est une réplique de *My Fair Lady*, m'a expliqué Smith. Non que je sois expert en comédies musicales. Mais c'est un peu la devise du groupe.

— D'accord... ai-je dit sans conviction.

La fille à la frange (pas moyen de me rappeler son nom) m'a tendu une poignée de badges.

— On va faire de toi une vraie groupie en un rien de temps, a-t-elle lancé. Lequel préfères-tu ?

Dix minutes, plus tard, je portais, non sans fierté, le tee-shirt par-dessus mon haut à manches longues tandis que Smith y épinglait des badges arborant des slogans du type : « J'♥ la lecture », « Je suis quelqu'un d'exceptionnel », ou encore : « Né pour faire des trucs. »

Il restait un badge niché dans la main de Smith, et j'ai cru défaillir. Il disait : « Les vrais amis ne mentent pas. »

— Où veux-tu que je le mette ? a demandé Smith.

J'ai refermé sa main sur le badge.

— Je n'ai plus de place. Accroche-le.

J'ai épinglé le badge sur le revers de sa veste.

— Voilà. Tu es prêt à poser pour la photo.

Il s'est penché pour m'embrasser le bout du nez.

— Je suis si content que tu sois là, a-t-il murmuré.

— Moi aussi. Enfin, je veux dire... je suis contente d'être là, et que tu sois là, toi aussi, et... Dis quelque chose pour me faire taire, s'il te plaît.

Smith m'a souri avec malice.

— OK. (Il s'est tourné vers les autres.) Isabel trouve que DeathCab est, je cite, « un groupe de tapettes ».

Un concert de protestations s'est élevé. Soudain, je n'étais plus en retrait, j'étais là, je faisais partie du groupe, ma main dans celle de Smith, et je me moquais pas mal qu'on me taquine sur mes goûts musicaux pendant tout le chemin jusqu'à Londres.

Traîner avec le groupe, ce n'était pas toute une histoire. Ça consistait surtout à monter des amplis sur la scène et à se tenir tranquille pendant qu'ils bricolaient leur guitare et réglaient la balance. J'ai dû écouter la même chanson encore et encore, et chaque fois, elle sonnait comme la fois précédente.

Molly s'est un peu énervée car, selon elle, son ampli de guitare sifflait : elle s'est mise à taper du pied en menaçant de quitter le groupe parce que tout le monde haussait les épaules.

— Peut-être que vous devriez vous montrer un peu plus compréhensifs, ai-je suggéré à Smith, qui venait de sauter de la scène pour boire une gorgée de ma bouteille d'eau. Je crois qu'elle est vraiment contrariée.

— Elle quitte le groupe une fois par semaine, en moyenne. C'est juste le trac d'avant concert, ça et le fait qu'elle adore faire son cinéma.

Nous avons regardé Molly, qui se tordait les mains et haranguait l'ingénieur du son sans montrer le moindre signe d'ironie :

— Mais pourquoi essaies-tu d'étouffer ma créativité ?!

— Oui, tu as peut-être raison, ai-je convenu.

— Ne t'inquiète pas : ta couronne de diva est toujours intacte, m'a assuré Smith en tapotant le sommet de mon crâne.

Une fois de plus, je me suis émerveillée de ceci que, venant de quelqu'un d'autre, cette remarque m'aurait fait sortir de mes gonds ; au lieu de quoi, j'ai souri.

— Tant que ça reste clair.

— Comme de l'eau de roche, a-t-il déclaré d'un ton solennel en me délogeant des caisses sur lesquelles j'étais assise. Viens, on va manger un morceau.

Les rues de Camden étaient bondées de touristes et de gothiques du dimanche, tous venus acheter de la vilaine quincaillerie en argent, des tee-shirts avec des slogans même pas drôles et des accessoires de fumeurs de cannabis. Je devais serrer fort la main de Smith pour ne pas le perdre.

On a réussi à ne pas se disputer une seule fois. Malgré la bruine incessante, mon refus d'entrer dans les cinq premiers cafés que nous avons trouvés pour des raisons d'hygiène, et de laisser Smith acheter une crêpe à un stand : le type en charge de la plaque chauffante avait une tête à ne pas se laver les mains après être allé aux toilettes.

Pour finir, on a déniché un petit restau thaï où il ne restait qu'une table. Blottis dans le coin, on s'est fait du genou en buvant du thé vert et en parcourant le menu.

— Je vais prendre des épinards sautés au gingembre et à l'ail, ai-je annoncé. Il faut que j'aie la bouche en feu, sans quoi ce n'est vraiment pas la peine d'aller au restau thaï.

— On partagera. (Smith m'a lancé un regard appuyé.) Comme ça, on aura tous les deux le goût de l'ail.

Apparemment, on avait atteint le stade où même partager notre mauvaise haleine devenait romantique. Smith se démenait avec ses baguettes d'une main pour pouvoir me caresser le genou de l'autre. Tout était parfait, bien que j'aie dû engloutir deux verres d'eau d'affilée tant les épinards étaient épicés.

— Le piment, ce n'est pas pour toi, petite fille, a conclu Smith en me caressant la joue, tandis que j'essayais d'inspecter ma langue.

— Hé ! Je mange épicé depuis que j'ai arrêté le biberon, ai-je répliqué en avalant à petites gorgées l'eau qu'il venait de me servir.

Smith a eu l'air sceptique.

— C'est un peu *hardcore* pour un môme.

— Ma mère n'était pas convaincue par la nourriture pour bébés : elle me faisait manger les mêmes plats qu'elle et mon père. Il paraît que, dès que j'ai appris à parler, je demandais des cornichons à tous les repas.

— Tu ne parles jamais de ta mère, a observé Smith, d'un ton si détaché que j'ai su qu'il mourait d'envie d'aborder le sujet depuis des lustres.

J'ai eu l'impression qu'on plongeait mon corps dans la glace. Les poils de mes bras se sont hérissés, et j'ai éloigné ma jambe de sa main.

— Il n'y a rien à en dire.

Je n'aurais pas pu me montrer plus explicite : le sujet était clos, avec, pour faire bonne mesure, la pancarte « ne pas déranger » accrochée à la porte.

— Je comprends, vraiment, je comprends, a dit Smith. (Ça n'avait pourtant pas l'air d'être le cas. Sinon, pourquoi persistait-il ?) S'il te vient l'envie d'en parler à l'avenir, à n'importe quel moment, tu sais où je suis.

À cet instant précis, tout ce que je voulais, c'était envoyer valdinguer ma chaise d'un coup de pied et m'enfuir, loin, très loin de son regard compatissant.

J'ai pris une grande inspiration et, me forçant à le regarder en face, j'ai marmonné :

— OK. C'est bon à savoir.

— Bien. Tu veux un café ou on rentre ? a-t-il demandé en reposant la main sur mon genou.

Et à nouveau, j'ai pu me persuader que tout allait pour le mieux dans le meilleur des mondes.

C'est seulement au milieu du concert que j'en ai pris conscience : en fait, oui, tout allait pour le mieux dans le meilleur des mondes.

En attendant que le groupe monte sur scène, on s'est installés dans un coin. Ses baisers avaient un goût de citron et de thé vert. Puis la musique s'est élevée et nous avons vu foncer vers nous la fille à la frange.

— Venez devant ! a-t-elle crié.

Elle nous a pris par la main pour nous entraîner dans la cohue, juste à temps pour voir Jane arriver sur scène en faisant la roue (un peu *too much*, non ?) et Molly poser sa mascotte sur une enceinte.

Les lumières se sont éteintes, Molly a joué un air délicat à la guitare, puis la batterie a explosé et ils se sont lancés dans un des morceaux que Smith avait téléchargés pour moi, tout en rythmes disco et « yeah yeah yeah » dans le refrain. Souvent, quand j'allais voir un groupe sur scène (bon, en dehors du concert des Spice Girls au Brighton Centre, que je m'efforçais d'effacer de mes souvenirs), je passais ma soirée au fond de la salle à critiquer les vêtements des spectateurs, mais là, je n'y ai même pas songé.

J'ai pris la bouteille de bière que l'un des amis de Smith m'a tendue et j'en ai renversé la plus grande partie, parce que je sautais dans tous les sens, en m'efforçant toutefois de ne pas tomber en arrière à cause des mouvements de foule. Je m'amusais comme une folle !

Duckie ne connaissait aucun temps mort. Chaque morceau était plus rapide que le précédent, si bien que le public semblait au bord de l'hystérie collective. Molly occupait le centre de la scène avec l'assurance d'une déesse, consciente de son pouvoir sur le public.

Soudain, entre deux morceaux, les yeux braqués sur la cohue, elle m'a aperçue au milieu de la foule et m'a saluée.

— Voici notre dernière chanson, *Boy Meets Girl*. Je la dédie à Isabel et à Smith, qui sèment la pagaille dans la fosse...

J'ai entendu un cri sauvage : Smith s'est jeté sur moi et m'a fait tournoyer jusqu'à ce qu'un type beaucoup plus costaud que lui menace de lui mettre son poing dans la figure s'il n'arrêtait pas.

— C'est la première fois qu'on me dédie une chanson, ai-je crié dans l'oreille de Smith. J'ai l'impression d'être une reine du rock.

— Oh, on m'en a dédié des centaines de fois, a-t-il déclaré, avec tant de suffisance que je lui ai donné un coup de coude dans les côtes, et qu'il a été obligé de me faire encore danser.

Il était si mignon quand il se tortillait un peu à contre-rythme !

Quand Duckie a quitté la scène, j'étais en nage. Smith et moi avons rejoint les coulisses ; les loges se résumaient à une pièce minuscule où trônait un tonnelet de bière destiné à l'entourage officiel du groupe. Désormais, j'en faisais partie : tout le monde semblait content de me voir et j'ai même eu droit à une serviette pour essuyer le mascara qui avait coulé sur mon menton.

On a aidé le groupe à tout remballer puis, à la tombée de la nuit, on s'est retrouvés dans le salon de quelqu'un à disséquer chaque seconde du concert devant un thé et des toasts, avec un DVD de *Buffy* en fond sonore. Apparemment, c'est ce qu'étaient censés faire les membres d'un groupe. À un moment, Jane a failli emplâtrer Sanjay, le batteur, qui critiquait sa ligne de basse sur *Teen Confidential*.

— Il faut que j'aille aux toilettes, ai-je glissé à l'oreille de Smith en m'arrachant au fauteuil qu'on se partageait.

Il m'a donné une tape de propriétaire sur les fesses, qui lui a valu un regard méprisant de ma part, mais il était en pleine conversation avec Molly, qui voulait savoir si l'ampli de sa guitare avait bien fonctionné.

J'étais plutôt contente de me retrouver au calme pendant quelques minutes. Je me suis passé un coup de peigne, en pure perte. Puis, assise sur le bord de la baignoire, je me suis brossé les dents en pensant à Smith.

Désormais, ma vie était scindée en deux : il y avait Smith et il y avait tout ce qui n'était pas lui. Je préférais de loin la partie qui le concernait. Déjà, je faisais le compte du temps qui nous restait, et j'en savourais avidement chaque instant précieux. Est-ce qu'on était censé ressentir ça, quand on tenait à quelqu'un ? Quand on était amoureux ?

Et la réponse m'est venue comme une évidence : oui, d'une certaine manière, j'aimais Smith. Ou plutôt, j'étais amoureuse de lui. La brosse à dents à la main, mon geste suspendu dans le vide, je me suis efforcée d'y voir clair. J'étais une petite ingrate sans cœur qui promettait à quiconque l'approchait un aller simple pour les embrouilles. Je ne savais pas aimer et je ne méritais pas qu'on m'aime.

L'impression d'ivresse et d'apaisement qui ne m'avait pas quittée ces dernières heures s'est soudain dissipée, et la dure réalité m'est revenue en pleine face. Je n'étais pas la fille que j'avais cru être, celle que j'étais en fait me regardait dans le miroir, les lèvres serrées, les yeux cernés.

— Isa ? Tu es là ?

Smith a frappé doucement à la porte, j'ai senti la panique me gagner.

— Je sors dans une seconde, ai-je répondu, glaciale. Je me lave les dents, entre si tu veux.

— Tu en es au deuxième rinçage ? m'a-t-il taquinée en ouvrant la porte.

Son regard a croisé le mien dans le miroir, et il m'a couvée d'un œil tendre. Heureusement, j'avais la bouche pleine de dentifrice, alors j'ai pu m'en tenir à un vague hochement de tête avant de me brosser les dents de plus belle.

— Tout le monde va se coucher, a-t-il poursuivi en ramassant un des canards en plastique alignés sur le rebord de la fenêtre. J'ai réussi à négocier la chambre. On devrait tenir dedans à deux en retenant notre souffle.

— C'est parfait.

— Hé, qu'est-ce qui t'est arrivé en cinq minutes ? Smith a contemplé mes traits tendus.

— Rien, si ce n'est que j'ai dessoûlé et que je me sens très mal. Pourquoi est-ce que je ne peux pas m'arrêter de réfléchir ?

Smith a caressé les cernes sous mes yeux.

— S'il te plaît, ne sois pas triste. Allez, fais-moi un sourire, a-t-il supplié et j'ai obéi.

— Ton effort vaut un trois sur dix, a-t-il murmuré. Allez, quatre, parce que je suis généreux.

Il a déposé un baiser dans le creux de ma main. Je ne sais pas comment il s'y est pris, mais j'ai senti que je me calmais, les battements de mon cœur ont ralenti, j'ai appuyé la tête contre son épaule.

— On va se coucher ?

Il ne m'a pas lâché la main dans le couloir. La chambre ressemblait à un placard équipé d'un lit simple. Allongée sur le lit, j'ai laissé Smith me déshabiller avec douceur. Puis il s'est étendu à côté de moi et, du bout des doigts, j'ai tracé des dessins sur son dos et des poèmes sur ses bras, tous les mots que je brûlais de lui dire. Alors il m'a embrassée avidement, comme si c'était la première fois depuis des mois, et je me suis dit que faire l'amour, c'était peut-être comme être amoureux.

19

Lundi matin, la réalité m'est revenue en pleine figure. Pourtant, même le retour chez moi la veille, après avoir passé la journée scotchée à Smith, n'avait pas réussi à entamer ma bonne humeur.

J'avais débarqué, sur un petit nuage, dans le salon où mon père et Félix étaient en train de mettre la dernière touche à leur stupide maquette, et j'avais répondu avec un sourire rêveur quand ils m'avaient demandé si j'avais passé un bon week-end.

— C'était absolument génial ! me suis-je exclamée. J'adore passer du temps avec Dot. Elle est si drôle, si prévenante, et...

— Est-ce que c'est toi qui prépares le dîner ? avait demandé Félix, plein d'espoir. On a mangé des saucisses et papa les a fait brûler.

— Elles n'étaient pas brûlées mais grillées, a objecté mon père.

Il a jeté un regard intrigué devant mon sourire

béat – on aurait juré que j'avais décroché les six numéros au grand tirage de la loterie.

— Tu as envie de cuisiner ou je renie mes principes et je commande une pizza ?

J'ai préparé un curry thaï pour raviver le souvenir de mes baisers échangés avec Smith, de sa bouche fiévreuse. Ensuite on a joué au scrabble et j'ai même laissé Félix gagner. Ce que je ne fais jamais d'ordinaire : après tout, perdre, ça forge le caractère.

J'ai dormi huit heures d'affilée et je suis partie pour le lycée, encore toute guillerette. D'abord, j'ai cru que j'avais imaginé les murmures et les coups de coude dans mon sillage. Ou bien mes camarades n'avaient pas reconnu la nouvelle Isabel débordante de joie et me prenaient pour une petite nouvelle avec une coupe de cheveux impossible.

À la sonnerie du déjeuner, ma bonne humeur s'était depuis longtemps dissipée et j'étais forcée d'admettre que, une fois de plus, j'alimentais à moi seule les vilaines rumeurs du lycée. Avec les autres, j'ai fait la queue au self, où on servait une espèce de magma infâme à base de légumes trop cuits – j'ai essayé de me rappeler les pires vacheries que j'avais pu commettre ces derniers temps. Rien ne me venait. J'ai rabattu ma capuche et gardé la tête baissée.

— Hé, vous ne trouvez pas que tout le monde se comporte bizarrement avec moi ? ai-je hasardé tandis qu'on s'asseyait à notre table habituelle.

De là, j'avais une vue panoramique sur toutes les

filles de la cantine qui louchaient dans ma direction, un sourire narquois sur les lèvres.

Et je n'étais sûrement pas devenue paranoïaque, car Elsa et Nancy, en bonnes garces qui se respectent, venaient d'échanger un regard moqueur.

— Tu te fais des idées, m'a assuré Dot, en parcourant la salle des yeux. Je ne vois rien d'anormal.

J'ai croisé le regard d'une petite peste de première aux cheveux frisés, et je lui ai rendu son œillade assassine sans ciller jusqu'à la faire rougir. Elle a renversé du yaourt sur son haut, rien que par la force de ma volonté.

— Tous les regards sont braqués sur moi. Quelqu'un a dit un truc sur mon compte ?

Elsa contemplait son assiette, les joues cramoisies, mais avant que j'aie pu la questionner, Nancy s'est mise à ricaner :

— Ce que tu peux être parano ! Pour ton information, le monde ne tourne pas autour de toi, Isa.

— Je sais. Je dis juste...

— Est-ce que, pour une fois, on pourrait déjeuner sans se crêper le chignon ? s'est exclamée Dot d'un ton las.

Qu'est-ce qui lui prenait de jouer les saintes ?

Elsa s'est tortillée sur sa chaise, un petit sourire rusé sur les lèvres.

— Oui, on se dispute beaucoup, pour des filles qui sont censées être les meilleures amies du monde.

On devrait peut-être organiser une sortie pour resserrer les liens.

J'étais sur le point de lui rappeler que je n'avais pas le droit de sortir les soirs de semaine, au cas où ma moyenne générale s'en ressentirait, mais Dot et Nancy ont semblé trouver l'idée excellente.

— Oui ! On devrait aller se prendre une cuite dans le parc en regardant les garçons jouer au foot...

— Et en draguer un ou deux, a ajouté Dot.

Était-elle vraiment sérieuse ? Leur projet avait l'air si minable que le seul fait d'y penser me donnait des boutons.

— Qu'est-ce que tu en penses, Isa ? Tu es partante ou tu as mieux à faire ?

Le silence qui a suivi était si pesant que j'ai senti mes poils de bras se hérisser. J'ai regardé Dot avec insistance : elle m'a gratifiée d'un sourire innocent sous-entendant qu'elle n'aurait jamais livré mes secrets les plus intimes aux deux chameaux qui nous servaient de compagnie.

— Oui, Isa, qu'est-ce que tu en dis ? a renchéri Nancy. Tu es trop bien pour nous fréquenter, tout à coup ?

— Ne sois pas ridicule ! C'est juste que, traîner dans les parcs, c'est un peu gamin. Pourquoi ne pas se louer des DVD et...

— Parce qu'on a envie d'aller au parc ! a décrété Nancy, les yeux étincelant de colère, tandis qu'Elsa et Dot nous observaient, immobiles tels des serpents prêts à cracher leur venin.

Cela n'avait rien à voir avec le parc. Enfin, pas vraiment. Cette lutte de pouvoir stupide cachait quelque chose, j'en étais sûre, et cette certitude me donnait froid dans le dos. Tout ce que je pouvais faire, c'était m'efforcer de limiter les dégâts.

J'ai haussé les épaules avec indifférence.

— Si, pour vous, s'amuser, c'est aller au parc quand il fait humide et froid, très bien. J'en suis.

Et comme si je ne nageais pas déjà en plein mensonge, à mon retour, j'ai dû improviser les filles dévouées auprès de mon père.

Je me suis perchée sur le bras du canapé à l'heure où il attendait le début d'*Envoyé spécial*, et je lui ai fait mon regard de biche blessée.

— Papaaaaa !

— Oh, je reconnais ce ton plaintif qui ne présage jamais rien de bon, a-t-il soufflé en levant les yeux vers moi. Qu'est-ce que tu veux ?

— Qui te dit que j'ai quelque chose à te demander ?

— Isabel... a-t-il répliqué d'une voix menaçante. Je ne suis pas né de la dernière pluie.

— Très bien, ai-je soupiré, en m'efforçant, pour une fois, de dominer ma mauvaise humeur. Je me demandais si je pouvais aller faire un tour demain soir.

— Les règles ne sont pas faites pour les chiens. Elles sont là pour ton bien.

J'ai commencé à bouder.

— Si je m'engage à faire mes devoirs avant de sortir et que je te les montre, tu ne pourrais pas contourner les règles, juste cette fois ?

— Mais où vas-tu donc pour que ta présence soit aussi indispensable ? a-t-il demandé en repliant son journal afin de m'accorder toute son attention.

« Quelle veine ! »

— Je dois sortir avec Nancy, Elsa et Dot, ai-je répondu étourdiment. (J'avais pourtant préparé une excuse au sujet d'un travail de groupe urgent.) Depuis quelque temps, on a des rapports bizarres, toutes les quatre, et je me suis dit que si je ne les accompagnais pas, cela ne ferait qu'empirer les choses.

Je m'attendais à une remarque implacable sur l'instinct grégaire mais il a hoché la tête avec sagesse.

— J'imagine que c'est parce que tu as passé beaucoup de temps avec Dot ? a-t-il suggéré.

C'était adorable de sa part d'y avoir pensé, même s'il n'aurait pas pu être davantage à côté de la plaque.

— Oui, plus ou moins, ai-je confirmé d'un ton évasif. Tu sais à quel point les filles peuvent être mauvaises.

— Dieu merci, non. Les garçons sont plus directs, ils parlent de football et se tiennent à l'écart des émotions.

Il a froncé les sourcils en même temps que moi :
ce n'était pas fréquent qu'on aborde ce genre de sujet
ensemble.

— L'amitié, c'est très compliqué, ai-je observé.
Les gens ne te laissent pas être toi-même, ils te veulent à leur image.

— Alors, le lycée n'est pas la meilleure période de
ta vie ?

— J'espère que non !

J'avais l'air tellement atterrée par cette perspective
que mon père a ri. Il m'a tapoté le bras.

— Je veux que tu sois rentrée à dix heures et
demie au plus tard, m'a-t-il dit d'un ton sévère.

Mais il avait dû être kidnappé par des extraterres-
tres au milieu de la nuit, parce que son visage s'est
radouci et il m'a distraitement caressé la main de
son pouce.

— Ou, pour cette fois, si tu veux dormir chez Dot,
j'imagine que je peux le permettre, même si je ne
veux pas que tu abuses de ma bonne nature.

J'aurais voulu me blottir sur ses genoux comme
quand j'étais petite, sentir le coton raide de sa chemise contre ma joue et sa main qui dessinait des
cercles dans mon dos tandis qu'il me récitait des
poèmes pour me faire rire, pour me réconforter.

— Merci. Je n'ai pas envie de dormir chez Dot.

Il me caressait toujours la main et je devais me
retenir pour ne pas me jeter dans ses bras. Soudain,
il m'a lâchée et s'est redressé sur son siège.

— Bon sang ! Quelle heure est-il ? Je ne veux pas rater mon programme.

Il a pris la télécommande et l'a dirigée vers la télé.

— Il faut d'abord allumer l'écran, papa.

— Est-ce que ça signifie que ta phase difficile est terminée, Isabel ? a-t-il lancé d'un ton taquin.

Sa gentillesse soudaine me donnait l'impression d'être une moins que rien.

— On en reparlera, me suis-je contentée de répondre.

Mais il ne prêtait déjà plus attention à moi, absorbé par une intrigue politique face à laquelle mes psychodrames adolescents ne faisaient pas le poids.

J'avais prié pour qu'il tombe des cordes, histoire de devoir reporter notre petite virée à Preston Park. En vain – la chance n'était pas de mon côté. Il faisait cependant assez froid pour sortir mon manteau rouge vif style Amélie Poulain ; les autres, quant à elles, portaient des vêtements qui laissaient peu de place à l'imagination. Bien leur en avait pris, car les quatre types qui tapaient machinalement dans leur ballon à la lumière déclinante du jour n'avaient pas l'air d'avoir inventé la poudre.

— Sans blague, ai-je lancé d'un ton méprisant, qu'est-ce qui pend comme ça sur leurs genoux ? Oh, mais c'est leur pantalon ! Ils ne savent pas que les ceintures existent ?

Si les regards avaient pu tuer, je serais déjà en route pour la morgue.

— Ferme-la, Isa, a craché Nancy. Ils pourraient t'entendre.

J'ai jeté un coup d'œil aux quatre garçons qui s'étaient rapprochés de nous et nous dévisageaient avec une curiosité douteuse.

— Je ne pense pas que leurs capacités cérébrales leur permettent de jouer à la baballe et nous écouter en même temps. Ces types-là sont probablement le chaînon manquant entre le singe et l'homme.

— Ils ne sont pas ton genre ? a demandé Dot en repoussant ses cheveux en arrière avec coquetterie – un geste qui ne lui ressemblait pas. Tu as des vues sur quelqu'un d'autre ?

— Ouais, sur ce type que tu continues à voir, par exemple ? a renchéri Nancy.

J'ai croisé les doigts dans mon dos.

— Tu délires... ?

— Bon, on y va ou quoi ? a lancé Elsa en bombant la poitrine à l'intention des garçons qui ne faisaient même plus semblant de jouer au foot.

Ils s'étaient rassemblés dans un coin, et je savais qu'ils étaient en train de décider qui partirait avec qui.

— Bon, c'est toi qui commences, Isa. Va leur parler ! a ordonné Nancy.

Je comptais bien lui faire regretter ce ton pendant le reste de la semaine.

— Depuis quand me donnes-tu des ordres ? ai-je demandé d'un air glacial, les mains sur les hanches.

— D'habitude, c'est toi qui rabats les garçons pour nous, a objecté Dot d'une voix plaintive. Mais si tu ne veux pas... Enfin, si tu te réserves pour quelqu'un d'autre...

— Très bien ! ai-je aboyé en me rappelant de la faire payer plus tard avec une remarque bien sentie. Vous n'êtes pas capables de vous débrouiller seules, toutes les trois ?

Je me suis dirigée au pas de charge vers les garçons qui, visiblement, n'étaient pas portés sur mon style Amélie Poulain : ils lançaient des œillades aux poses lascives du Trio Infernal. De près, ils étaient encore moins séduisants. Qui leur avait conseillé de forcer autant sur le gel ? Cette personne méritait d'être condamnée pour faute de goût aggravée.

Ils s'attendaient manifestement à ce que je prenne la parole, alors je leur ai fait une proposition qu'ils ne pouvaient pas refuser, ces minables.

— Hé ! moi et mes copines, on est au lycée de filles. Ça vous dit, de partager une ou deux bières ?

Une heure plus tard, je sentais encore l'haleine alcoolisée de Rob, qui s'était employé à me récurer les amygdales. Pour échapper à ses griffes, il a fallu lui raconter que je devais aller vomir parce que j'avais bu trop de bière.

Je suis partie au grand galop et je n'ai pas ralenti

avant d'atteindre la rue. J'étais certaine que si on m'avait poussée sous une lampe UV, les empreintes de Rob auraient encore été visibles sur tout mon corps. Il avait même réussi à arracher un bouton de mon manteau. Quand Smith m'embrassait, lui, il était doux et prenait son temps. Ses baisers en valaient la peine. Et j'avais l'impression d'en valoir la peine, moi aussi. Une fois qu'on a connu ça, on ne peut pas revenir en arrière.

J'ai sorti mon téléphone, assez surprise que Rob ne me l'ait pas piqué pendant notre horrible séance de pelotage, vu qu'il s'était vanté d'être un as en matière de vol d'autoradios. Apparemment, même moi, j'avais droit à une pause : il n'y avait personne à la maison, et j'ai décidé de laisser un message.

— Salut, papa, c'est moi. Je me suis dit que j'allais rester dormir chez Dot, finalement. Tu peux m'appeler sur mon portable en cas de besoin. Je te vois demain après l'école. Bye !

Ensuite, j'ai composé le numéro de Smith ; il n'a pas décroché. J'avais besoin de réfléchir au message que je lui laisserais, histoire de ne pas répéter le fiasco de vendredi soir. Cinq minutes plus tard, tandis que j'achetais mon poids en chewing-gums à la menthe pour chasser de ma bouche le souvenir de Rob, mon téléphone a sonné.

En période de stress intense, j'ai du mal à faire plusieurs choses à la fois. Dans mon dos, une enquiquineuse commençait déjà à râler parce que je recomptais mes pièces. J'ai presque jeté l'argent à la tête du caissier pour me ruer sur mon téléphone, en espérant que ce n'était pas mon père qui avait changé d'avis.

— Mais tu as dit que c'était d'accord...

— On ne dit plus bonjour ?

— Oh, salut, Smith, ai-je lancé en récupérant ma monnaie. (Puis j'ai bousculé exprès la mégère qui avait osé rechigner.) Je viens de t'appeler.

— Je sais, je n'ai pas pu répondre à temps, et tu ne m'as pas laissé de message.

— Oui, attends une seconde... (Le téléphone calé contre l'épaule, je me suis fourré trois tablettes de chewing-gum dans la bouche.) Écoute, si tu as des projets, pas de problème, mais si tu es dispo, je peux passer ?

— On est mardi soir. Tu es en train de violer la sacro-sainte règle du « seulement le week-end » !

— Oh, tu ne veux pas que je vienne, alors ?

Il n'aurait pas été humainement possible d'être plus abattue que moi.

— Je t'entends presque bouder, ça fait peur, s'est esclaffé Smith.

— On peut savoir ce qui te rend si joyeux ?

— Eh bien, tu m'appelles et, c'est clair, tu meurs d'envie de te jeter sur moi.

— Tu as dû être bercé trop près du mur, toi, ai-je grommelé, tout en accélérant le pas tant j'étais impatiente de le retrouver.

— Où es-tu ?

— Près du parc. Je continue tout droit jusque chez toi ou je tourne à droite vers chez moi ?

— Tourne à droite, a-t-il répondu.

J'ai cru lâcher mon téléphone, sonnée par sa façon cruelle, désinvolte de jouer avec moi comme un chat avec une pauvre petite souris.

— Je suis au Great Eastern, un pub au coin de Trafalgar Street. Tu peux acheter des frites en chemin ?

— Crois-le ou non, je viens de sacrifier mes dernières pièces pour des chewing-gums.

J'ai tourné à droite et, même si je savais que j'allais le voir moins de deux minutes plus tard, je n'aurais raccroché pour rien au monde. Pas étonnant que je sois fauchée. Je dépensais tout en cartes de téléphone.

— Il va falloir me dédommager : un baiser par frite. Ça risque d'être long, alors si tu as prévu de t'évader avant dix heures...

— Oh, je pensais passer la nuit chez toi, si ça ne te dérange pas.

Je me suis arrêtée sous un réverbère pour procéder à une petite vérification dans mon miroir de poche : pouvait-on déceler que j'étais le genre de fille à sortir avec deux garçons dans la même soirée ?

— Bien sûr que ça ne me dérange pas ! Il va falloir se lever tôt, par contre, a-t-il soupiré. Pas question de me traîner au lit pour me faire subir tout un tas de trucs dégoûtants.

J'ai levé les yeux au ciel tout en appliquant une couche de rouge sur mes lèvres.

— Tu peux toujours courir, pauvre type... BON SANG ! Ne refais plus jamais ça ! (J'ai poussé un cri : quelqu'un venait de m'attraper par la taille. Smith !) J'ai failli avoir une attaque !

Il est sorti de l'ombre, un sourire penaud sur les lèvres, et j'ai porté la main à mon cœur qui battait la chamade.

— Tu n'as aucun sens de l'humour.

— J'ai fait tomber mon miroir par ta faute. S'il est cassé, c'est sept ans de malheur.

— Ce n'est qu'une superstition débile, a objecté Smith en se baissant pour ramasser l'objet du délit. Regarde, le voilà. Il est intact.

Je lui ai arraché mon miroir des mains et l'ai brandi vers la lumière pour y chercher d'éventuelles fêlures. Rien. Moi, en revanche, j'étais dans un sale état. Pourquoi mes cheveux ne pouvaient-ils pas rester en place ? Pour couronner le tout, j'avais une traînée de rouge à lèvres sur le nez, grâce à l'intervention de Smith.

C'était peut-être la raison pour laquelle il me dévisageait, les sourcils froncés.

— OK, je suis désolée d'avoir fait tout un plat au sujet de mon miroir, mais on ne peut pas dire que j'aie eu beaucoup de veine, ces derniers temps, ai-je marmonné en m'essuyant le nez.

— Viens là, m'a dit Smith d'un ton bourru.

Je me suis réfugiée dans ses bras et l'ai laissé réparer les dégâts qu'il avait causés. Ou, pour être plus précise, je l'ai laissé m'embrasser jusqu'à ce qu'il n'y ait plus la moindre trace de rouge sur mes lèvres.

Affalés sur son lit, on a mangé des frites au vinaigre, arrosées d'un vin rouge dont l'acidité me faisait grimacer à chaque gorgée.

Je n'avais rien connu de plus romantique que se blottir sous les couvertures en se donnant la becquée. Sauf qu'il y avait d'énormes taches de graisse sur les draps et qu'on s'était réfugiés dans le lit parce que le thermostat du chauffage central était cassé et que l'appartement s'était transformé en glacière.

Smith avait trouvé ce moyen ingénieux de se tenir chaud, qui, paradoxalement, consistait à retirer tous nos vêtements. Bientôt, je n'ai plus pensé à l'état des draps ni aux manigances du Trio Infernal. Bientôt, je n'ai plus pensé à rien.

Après, lovée contre Smith, je caressais son bras du bout des doigts en regardant, fascinée, sa peau piquée de chair de poule.

— C'est chouette, ai-je dit. Tu sais, le fait de traîner au lit et le reste.

— Oui, en ce qui me concerne, j'aime particulièrement le reste, a répondu Smith avec un sourire en m'embrassant l'épaule.

Je lui ai lancé un regard de chien battu.

— Et c'est tout ?

— Non, je t'apprécie beaucoup, a-t-il dit d'un ton grave.

J'étais soulagée de l'entendre. Mais ce mot, « apprécier », me semblait un peu terne quand, pour moi, être à ses côtés tenait de l'émerveillement.

— Moi aussi, ai-je répondu avec prudence, et il a souri en m'attirant contre lui.

C'était sa faute, il n'aurait pas dû sourire ainsi. Il m'invitait presque à le dire. Ce que j'ai fait :

— En fait, je crois que je suis amoureuse de toi.

À peine avais-je prononcé ces mots qu'ils m'ont paru pathétiques. J'ai fermé les yeux, mais le silence n'en était que plus insupportable. J'avais imaginé qu'il me ferait la même déclaration, et il ne disait rien.

Soudain, j'ai pris conscience de tout ce qui m'entourait : les draps froissés, la légère odeur de vinaigre, ma peau de plus en plus moite, tandis que j'attendais que Smith rompe le silence.

— Je ne t'ai pas demandé de m'épouser, ma parole !

Bien sûr, il fallait que j'ouvre ma grande gueule, histoire d'aggraver encore la situation.

Smith a tenté de m'embrasser à nouveau, je me suis dégagée.

— Isabel... a-t-il supplié.

Je venais de lui donner mon cœur et lui se contentait de répéter mon nom d'une voix geignarde.

— Arrête avec tes « Isabel », ai-je aboyé en me redressant dans le lit.

J'ai rabattu le drap sur moi pour qu'il ne s'aperçoive pas que chaque parcelle de mon corps avait viré au rouge.

— Alors, c'est juste une histoire de sexe, pour toi ?

Smith s'est assis à son tour et j'ai remarqué avec une joie mauvaise qu'à la lumière ténue de la lampe son nez paraissait plus grand que d'habitude. Il a voulu se passer la main dans les cheveux avant de se rappeler qu'il avait tout coupé.

— Je croyais que ça ne te posait pas de problème, a-t-il fini par répondre d'une voix qui trahissait la colère.

— Et moi, je croyais qu'on était ensemble alors que toi, tu ne voulais qu'une relation légère, sans prise de tête. De toute manière, ce n'est pas vrai, je ne t'aime pas. J'ai juste pensé que c'était la chose à dire sur le moment.

Je voyais bien que je m'embourbais.

— Si je voulais une relation légère, sans prise de tête, tu es la dernière fille sur laquelle j'aurais jeté mon dévolu, a répliqué Smith en se levant pour ramasser son jean par terre. Tu es une enquiquineuse de première.

— Et Molly est une crème, peut-être ? me suis-je exclamée tandis qu'il se rhabillait en me tournant le dos. Tu parles !

— Que vient faire Molly là-dedans ?

— Je sais que tu es amoureux d'elle ! J'ai entendu des filles en parler. Tu couches avec moi en attendant qu'elle se réveille un matin et s'aperçoive qu'elle ne peut pas vivre sans toi. Eh bien, tu peux toujours courir !

Smith n'a pas dit un mot. Ce qui était pire que tout. Il aurait au moins pu nier mes accusations au sujet de Molly. Mais il a enfilé son tee-shirt et, d'un ton morne, il a répondu :

— Je déteste quand tu te mets en colère. Tu ne sais pas de quoi tu parles. Les autres filles, elles, quand elles sont furieuses, elles pleurent un bon coup. Tu ne pourrais pas les imiter ?

— Je ne suis pas comme les autres filles, lui ai-je rappelé, glaciale.

— J'avais remarqué, a-t-il rétorqué.

Il est sorti en claquant la porte si fort derrière lui que les murs ont tremblé.

J'ai boudé pendant quelques minutes, ce qui ne servait pas à grand-chose puisqu'il n'y avait personne pour le voir.

La meilleure solution était encore de me rhabiller, malgré le froid polaire qui régnait hors du lit. J'ai ramassé mes vêtements aussi vite que possible et je suis retournée me tapir sous les couvertures. J'ai vérifié l'heure. Il était près de minuit.

Je réfléchissais à une excuse plausible – une dispute avec Dot, par exemple – qui justifierait mon

262

retour à la maison après le couvre-feu, quand j'ai entendu frapper timidement à la porte.

J'espérais qu'il n'avait pas recouru à Molly ou, pire encore, à Jane, pour m'expliquer, de fille à fille, qu'il fallait choisir le bon moment pour faire une déclaration, sans quoi je lui planterais une fourchette entre les deux yeux avant de tirer ma révérence.

Les petits coups à la porte continuaient et j'en étais à envisager de sortir par la fenêtre, quand la tête de Smith est apparue dans l'embrasure.

— Tu as l'intention de me jeter des objets à la figure ?

— Je projetais plutôt de t'assassiner avec une fourchette, ai-je répondu, amère.

Il devait penser que je plaisantais, car il s'est avancé, une tasse de thé dans chaque main.

Bras croisés, j'ai décidé de jouer la carte du silence.

Smith a posé les tasses sur la table de nuit, puis il m'a tendu l'énorme tablette de chocolat qu'il tenait sous le bras.

— On fait la paix ?

— Tu oublies que je ne suis pas comme les autres filles.

— Même avec tous les efforts du monde, tu ne seras jamais comme elles, a-t-il dit d'une voix douce en s'asseyant à côté de moi sur le lit. (Je me suis écartée, il a eu un petit sourire triste.) Et c'est peut-être pour ça que je t'apprécie. (Malgré mes tentatives pour me dégager, Smith a effleuré mon front d'un baiser, puis il a poussé un gros soupir.) Je ne te connais que depuis quelques semaines et je ne crois pas que, l'un ou l'autre, on ait envie de s'impliquer dans une relation sérieuse. Oui, c'est vrai, je suis amoureux de Molly. Je sais que ce n'est pas réciproque, mais je n'ai pas l'intention d'épiloguer là-dessus.

J'allais piquer une crise de nerfs monumentale... Sans crier gare, il a embrassé le petit bout de peau particulièrement sensible situé derrière mon oreille.

— Je ne suis pas amoureux de toi, a-t-il répété pour s'assurer que j'avais bien reçu le message. Mais merci d'avoir eu le courage de m'avouer tes sentiments.

— Je retire ce que j'ai dit.

— Tu ne peux pas.

— Qui me l'interdit ?

— Il y a des règles. Et puis je t'ai préparé du thé, et je suis allé fouiller dans la réserve secrète des filles pour te rapporter du chocolat, ce qui est franchement adorable, admets-le, a-t-il protesté.

Puis il m'a ôté mon cardigan et a rabattu les couvertures sur moi d'un même mouvement.

Smith était la seule personne au monde capable de résoudre mes problèmes existentiels avec du chocolat et des blagues stupides sur mon nez gelé. Alors j'ai ri bêtement pour lui faire plaisir. On avait beau se persuader qu'il s'agissait juste d'une relation sans prise de tête, sans engagement, on savait tous deux que ce n'était pas la bonne fille qui dormait dans son lit.

20

J'avais dû rester dans le flou quand Smith m'avait demandé pourquoi je me levais aux aurores alors que je n'avais ni boulot ni examens à réviser. J'ai prétexté un rendez-vous chez le dentiste et il s'est demandé à voix haute si je serais la première fille de l'histoire à me faire gronder parce que je me lavais trop les dents.

Pourtant, en arrivant à l'école cinq minutes après l'appel, je savais que j'allais devoir trouver une explication imparable concernant mes activités quotidiennes. Puisqu'il aimait beaucoup sa théorie sur l'espionnage, je serais peut-être amenée à en remettre une couche.

Heureusement, je commençais ma journée par le cours d'arts plastiques : je pourrais traîner au fond de l'atelier avec ma peinture et mes écouteurs de IPod. Le Trio Infernal n'ayant pas choisi cette option, j'avais le temps de ruminer ma vengeance pour avoir été obligée de sortir avec un délinquant juvénile. Rien de tel qu'une bonne petite revanche pour chasser l'état comateux dans lequel m'avait plongée mon excès de chocolat de la veille.

Mais je n'avais pas fait un pas dans l'atelier que miss Hansen s'est précipitée vers moi. D'habitude, elle n'est pas du genre à se précipiter, au contraire : elle me fait un vague sourire et me complimente sur ma tenue. Autant dire que j'étais surprise.

— Isabel, te voilà enfin ! s'est-elle exclamée avec inquiétude.

— Désolée, je suis en retard, ai-je répondu en prenant l'air contrit. Mon réveil n'a pas fonctionné et... euh... j'ai oublié mes livres et mon matériel.

Elle n'a pas montré le moindre signe d'agacement : après tout, elle était prof d'arts plastiques, et se préoccuper de la ponctualité de ses élèves l'aurait exclue du club des adultes cool.

— Tu es convoquée dans le bureau de Mrs. Greenwood, m'a-t-elle annoncé avec un sourire de compassion. Je ne sais pas trop de quoi il s'agit, mais tu ferais peut-être mieux de te dépêcher.

Ç'aurait pu être tout et n'importe quoi. Claire, par exemple, avait pu moucharder : j'avais séché les quatre dernières réunions organisées par l'association humanitaire du lycée. À moins que je n'aie regardé de travers une élève de seconde, trop effrayée depuis pour retourner à l'école. Ou peut-être n'avais-je rien fait de mal : elle voulait juste me remercier d'être le rayon de soleil de mon entourage.

Le mystère s'est dissipé à la seconde où je suis entrée dans le bureau de sa secrétaire, en voyant mon père faire les cent pas devant la porte qui menait au sanctuaire de Mrs. Greenwood.

— Qu'est-ce que tu fais là ? Qu'est-ce qui s'est passé ? C'est Félix ? Il a eu un accident ?

Il a fait volte-face en entendant ma voix et m'a jeté un regard effrayant. Pas de doute, il n'était pas venu s'assurer que je m'étais bien amusée la veille.

— On rentre à la maison, a-t-il dit en détachant chaque syllabe comme si l'anglais n'était pas sa langue maternelle.

Je n'avais pas l'intention de me rendre où que ce soit avec lui alors que, pour une raison inexplicable, il était d'une humeur massacrante.

— J'ai un cours d'arts plastiques puis une interro en littérature française, alors ça pourra peut-être attendre cet après-midi.

Il m'a rejointe en un clin d'œil. J'ignorais qu'il pouvait se déplacer aussi vite.

— Dites à Mrs. Greenwood que je l'appellerai, a-t-il aboyé à l'intention de la secrétaire recroque-villée derrière son ordinateur.

— J'ai un cours d'arts plastiques, lui ai-je rappelé.

Mon instinct de survie me soufflait qu'il serait moins dangereux pour moi d'inhaler les émanations toxiques de peinture que de suivre mon père quand il avait cette tête d'assassin.

— N'y pense même pas, a-t-il craché entre ses dents.

Il a dû soupçonner que j'envisageais sérieusement de prendre la fuite, car il m'a attrapée par le bras et ne m'a pas lâchée avant de m'avoir poussée dans la voiture.

— Je parie que je vais avoir des bleus, ai-je maugréé.

Il m'a fait taire d'un regard perçant.

— Tais-toi. Et attache ta ceinture.

J'ai à peine eu le temps d'obéir qu'il écrasait le pied sur l'accélérateur. Je me suis cramponnée de toutes mes forces au tableau de bord.

— Je vois bien que tu es fâché contre moi pour une raison ou pour une autre mais, par pitié, ralentis !

Soit il ne m'entendait pas, soit il s'en fichait.

— Je suis sérieuse, papa ! Ralentis ou je vais être malade !

Avec un soupir, il s'est exécuté et j'ai pu respirer à nouveau.

— Bon, qu'est-ce qui se passe ? Tu n'es pas du genre à mépriser l'enseignement. Et je me suis bien comportée au lycée. OK, je n'ai pas été parfaite mais...

— Je croyais t'avoir demandé de te taire. Je ne veux plus entendre un mot avant qu'on arrive à la maison.

Malheureusement, il ne nous a fallu que dix minutes pour effectuer le trajet et j'ai dû faire un effort surhumain pour déboucler ma ceinture et sortir de la voiture, prévoyant une terrible engueulade pour un crime affreux que je ne me souvenais pas avoir commis.

J'ai suivi mon père, raide comme la justice, dans l'allée, et je me suis précipitée à l'intérieur de la maison de sorte qu'il ne puisse pas me traîner.

— Je mets la bouilloire à chauffer, d'accord ? ai-je suggéré gaiement...

Mais non. D'une main de fer, il m'a poussée vers son bureau. Ça devait être vraiment sérieux.

Il m'a fait asseoir sur l'une des chaises en bois très inconfortables qu'il aime utiliser dans ces occasions-là, puis il s'est posté devant moi. Du coin de l'œil, j'ai remarqué plusieurs détails dans son apparence qui parlaient d'eux-mêmes : par exemple, le fait qu'il ne s'était pas rasé. Il portait la chemise et la cravate que je lui avais repassées la veille. Les yeux injectés de sang ? Affirmatif. Les mêmes vêtements que la veille ? Affirmatif. Une bouteille vide posée sur le bureau ? Affirmatif.

— Tu as dormi hier soir, au moins ? lui ai-je demandé d'un ton morne.

Comme c'était facile d'endosser à nouveau le rôle d'Isabel, la fille indigne, tandis qu'il assumait déjà celui du père tyrannique sorti d'un roman victorien !

— Je pourrais te retourner la question. Ou plus exactement, où as-tu dormi hier soir ?

Face à tant d'injustice, j'ai eu le souffle coupé.

— Je te l'ai dit ! Je t'ai laissé un message pour te prévenir que je dormais chez Dot. Tu l'as sans doute effacé avant d'avoir pu l'écouter...

Je m'efforçais de jouer l'indignation légitime, je lui avais dit où j'allais... D'accord, je n'étais pas chez Dot, mais bon...

— Ah oui, le fameux message, suivi d'environ quinze autres de Dot qui, apparemment, ignorait que tu dormais chez elle, et de ces deux horribles filles, que tu t'évertues à fréquenter, toutes fort inquiètes à ton sujet.

Les sales petites intrigantes ! Laisser des messages compromettants sur le répondeur familial, c'était violer toutes les règles de l'amitié. Ah, j'oubliais, nous n'étions pas amies.

Et si j'avais pensé que le silence de la veille n'augurait rien de bon, l'atmosphère chargée de menace qui régnait en cet instant même, où je n'entendais plus que ma voix affolée dans ma tête, resterait gravée dans ma mémoire comme l'un des pires moments de ma vie.

— Tu aurais pu m'appeler, ai-je fini par suggérer en jetant un coup d'œil à mon sac.

Mauvaise idée. Il se tenait immobile devant moi, prêt à punir, et l'instant d'après, il a saisi la courroie de mon sac entre le pouce et l'index.

— Oh, pourquoi n'y ai-je pas pensé plus tôt ? a-t-il ironisé. La prochaine fois que tu essaieras de couvrir tes arrières, pense à laisser ton téléphone allumé.

Je me suis vaguement rappelé avoir éteint mon portable après avoir raccroché avec Smith, mais mon père avait déjà tout deviné par lui-même.

— Je t'interdis de fouiller mes affaires !

Je me suis précipitée vers lui – trop tard. Après avoir confisqué mon téléphone, il a vidé le contenu du sac sur le bureau.

Des préservatifs. Des cigarettes. Une photocopie du cliché immonde qui avait causé ma perte. Une série de photos prises lors de mon escapade à East-bourne avec Smith. Un flyer du concert de Duckie. Tout était là. Tous les mensonges que j'avais racontés ces dernières semaines exhumés de ma besace.

Je regardais ces preuves étalées devant moi et il les regardait aussi en marmonnant dans sa barbe. J'ai voulu rassembler mes affaires : ces preuves n'existaient pas, je pouvais encore faire semblant... À peine avais-je posé la main sur mes cigarettes qu'il m'a prise par les épaules pour me forcer à me retourner, et il m'a secouée si fort que je me suis mordu la langue.

— Qu'est-ce que tu as fait ? a-t-il hurlé. Toutes ces horreurs dans ton sac... Je veux une explication sur-le-champ !

— Laisse-moi ! ai-je crié à mon tour en essayant de me dégager. Tu n'as pas le droit de toucher à mes affaires ! J'ai seize ans, je fais ce que je veux, et ça ne te regarde pas !

— Si, ça me regarde. Tant que tu vivras sous mon toit...

Je lui ai donné un coup de pied dans le tibia, il a reculé avec un cri étouffé, et j'ai couru jusqu'à la porte, puis dans l'escalier.

Malgré mes cinq secondes d'avance, je n'ai pas réussi à atteindre ma chambre. Il était déjà sur le seuil pour m'empêcher de lui claquer la porte au nez.

— Lâche-la, a-t-il dit d'un ton mortellement calme, les narines dilatées par la colère. Lâche cette porte tout de suite.

Le ton de sa voix n'a fait que décupler ma propre rage. Il avait beau me dépasser de trente centimètres et peser beaucoup plus lourd que moi, j'ai continué à pousser la porte en lui hurlant à la figure. Ce n'étaient même pas des insultes mais des cris aigus, furieux, pareils à ceux d'un animal pris au piège.

Il s'est vite lassé de ce petit jeu et, avec une facilité humiliante, il m'a écartée du passage avant d'entrer comme un ouragan dans la pièce, cherchant des yeux d'autres preuves de mes écarts de conduite. J'ignorais au juste ce qu'il comptait trouver dans ma penderie : ma réserve personnelle de vodka ou une fumerie d'opium. Voire un bordel rempli de prostituées mineures. Il s'est mis à jeter par terre pêle-mêle vêtements et cintres, et c'était bien la pire des choses qu'il pouvait me faire.

— Arrête ! Arrête ! Tu fiches tout en pagaille,

ai-je crié en m'efforçant de ramasser les vêtements qu'il piétinait.

— Comment as-tu pu ? s'est-il exclamé d'une voix étranglée, tellement chargée d'émotion que je me suis arrêtée net.

Il tenait à la main la robe noire que j'avais prise dans leur chambre, plus deux pulls et une paire de chaussures que je n'avais pas encore pu porter parce que je ne savais pas marcher avec des talons hauts.

— Ses affaires, tu es allée fouiller dans ses affaires, tu les lui as prises. Comment as-tu pu ?

Il s'est assis lourdement sur le lit, et il a contemplé sans les voir les effets que j'avais empruntés.

— Ce ne sont que des vêtements... Je ne pensais pas que ça te poserait problème, ai-je hasardé timidement, malgré ma fureur ébranlée qu'il soit passé de la colère à l'abattement en moins de cinq secondes. Écoute, je vais les laver, les repasser, les remettre à leur place, et tu ne sauras même pas...

— Je veux que tu me racontes ce qui s'est passé, Isabel, a-t-il martelé d'un ton ferme, sans prêter la moindre attention à ce que je venais de dire.

J'ai fermé les yeux, poussé un profond soupir, et je me suis lancée.

— J'ai rencontré un garçon récemment et...

Il m'a jeté un regard haineux. Un regard si venimeux que j'ai reculé en me cognant la hanche contre le coin de ma coiffeuse.

— Je me moque de savoir comment tu occupes

ton temps, tous ces détails sordides... Je veux savoir ce qui s'est passé ce jour-là, quand elle... Je veux savoir ce que tu as fait.

Ses traits se sont brusquement décomposés, il s'est essuyé les yeux du revers de la main et, quand il a relevé la tête, son visage était mouillé de larmes.

— Tu n'as pas le droit de garder le secret. C'était ma femme. Elle était tout pour moi, et j'ai le droit de savoir pourquoi elle n'est plus là.

Il sanglotait pour de bon, à présent. C'était affreux à voir. Et je ne suis pas de marbre, hélas, je suis faite de chair, de sang et d'émotions. Ces fichues émotions. Je n'avais pas le pouvoir de tout arranger ou de remonter le temps. Pourtant, j'aurais bien mérité qu'elle revienne : sur mon dos vingt-quatre heures sur vingt-quatre à me harceler, me houspiller, me rappeler à quel point je l'avais déçue. Tout, pourvu que je n'aie pas à le regarder assis là, la tête dans les mains, le corps secoué de sanglots.

— Je ne peux pas. Pardon, mais je ne peux pas.

Il a levé la tête.

— Va-t'en, a-t-il dit calmement. Je ne veux pas te voir une seconde de plus dans cette maison.

Sans demander mon reste, j'ai couru jusqu'à son bureau récupérer mon sac et tous les secrets qu'il avait révélés. J'ai ramassé un tas de vêtements dans le panier de linge à repasser, et j'ai entendu son pas lourd sur le plancher. Pas le temps de plier mes affaires correctement : je les ai fourrées pêle-mêle dans un sac en plastique, j'ai pris mes clés sur la table de l'entrée, et je suis sortie.

À ma grande surprise, il n'était même pas midi. Il n'avait pas fallu longtemps pour que vole en éclats ce qu'il restait de ma vie. J'ai rallumé mon téléphone, écouté ses bips furieux, mais il n'y avait aucun message des filles, prétendument mortes d'inquiétude depuis que j'avais disparu sans crier gare. J'en ai déduit qu'elles préparaient leur pauvre coup d'État depuis longtemps. Je n'ai pas eu le courage d'écouter les dix messages de mon père.

Une fois que je les ai effacés, j'ai tenté de joindre Smith avant de me rappeler qu'il éteignait toujours son téléphone pendant ses heures de cours. D'une voix plaintive, je lui ai laissé un message expliquant que j'avais besoin d'être hébergée quelque temps. Puis j'ai pris la direction de Western Road. Par bonheur, je n'avais pas eu le temps d'ôter mon manteau quand la Troisième Guerre mondiale avait éclaté – il faisait un froid glacial. Ou c'était moi qui avais froid dedans. J'aurais voulu pouvoir m'arrêter de trembler.

Toute la monnaie qui tintait d'habitude au fond de mon sac avait dû tomber par terre dans le bureau, et ma carte de retrait était restée dans ma chambre, mais j'ai trouvé dans une poche latérale du sac de quoi me payer un sandwich et un thé dans un café. Puis je suis entrée dans une boutique et j'ai essayé des dizaines de vêtements, histoire de me réchauffer un peu et d'occuper le temps, jusqu'à ce que le type de la sécurité me demande de partir.

Mon étape suivante, la jetée, devait sans doute être l'endroit le plus froid du globe après le cercle Arctique. Je me suis dirigée vers les machines à sous : discrètement, j'ai vérifié si personne n'avait oublié ses gains.

J'ai récolté de quoi me payer un autre thé que j'ai fait durer le plus longtemps possible en regardant les mouettes descendre en piqué pour chercher des restes de frites entre les lattes de bois de la jetée. Ai-je mentionné que au cours de ces longues heures où je m'efforçais de tuer le temps, j'ai dû appeler Smith toutes les dix minutes ?

Il était presque quatre heures de l'après-midi et je n'avais plus d'autre choix que d'aller chez Dot, m'en remettre à sa miséricorde toute relative. Une fois là-bas, je pourrais toujours substituer son dentifrice à sa crème pour les pieds. Mes ruminations diaboliques ont été interrompues par la sonnerie de mon portable : le numéro de Smith s'est affiché sur l'écran.

— Enfin ! me suis-je exclamée en guise de salut. Je n'ai pas arrêté de t'appeler.

— Salut, Isabel. Oui, j'ai eu tous tes nombreux messages.

Il avait une voix bizarre. Ou peut-être la journée était-elle si horrible qu'elle empoisonnait tout.

— Loin de moi l'idée de te harceler. C'est juste

que j'ai passé une très mauvaise journée, la pire de ma vie, même. Tu veux qu'on se voie ?

— Je ne suis pas chez moi. Mais, oui, on devrait se retrouver quelque part. Tu connais le petit parc avec les balançoires près de la marina ?

— Près des manèges ?

— Oui, j'y suis déjà. J'avais besoin de prendre l'air.

— Moi aussi, j'en ai bien besoin. (Ma propre ironie m'a fait lever les yeux au ciel. Un peu plus d'air, aujourd'hui, et j'étais bonne pour une pneumonie.) Je suis là dans dix minutes.

— D'accord, à tout de suite.

Il a raccroché avec une brusquerie qui m'a fait hésiter. Et puis mes réserves se sont envolées. À vrai dire, je n'avais qu'une idée en tête, voir Smith. Pas seulement parce que j'avais passé une mauvaise journée. De toute façon, je ne pouvais pas lui en parler. Juste ceci – je mourais d'envie de le voir : parce que c'était lui, parce que, même s'il ne m'aimait pas, il pouvait tout arranger rien qu'en me tenant la main.

Smith m'attendait, assis sur une balançoire : les mains agrippées aux cordes, il se balançait paresseusement.

— Salut, ai-je lancé en m'avançant vers lui.

Il n'a pas répondu, et j'ai senti un malaise monter en moi.

Il m'a regardée droit dans les yeux, sans ciller.

— Quel âge as-tu ?

L'espace d'une seconde, j'ai pensé que le monde ne tournait plus rond. Et puis j'ai compris qu'en réalité c'était moi.

— Dix-huit ans, ai-je répondu sans hésitation. Voyons, tu le sais bien.

— Foutaises ! a-t-il aboyé. Quel âge as-tu ?

J'ai décidé de camper sur mes positions.

— J'ai dix-huit ans ! Tu es débile ou quoi ? Dix-huit ans !

Il a cessé de se balancer et son regard m'a figée sur place.

— Tu as seize ans.

— Je ne sais pas d'où ça sort, mais tu es complètement à côté de la plaque...

Il m'a empoignée par les bras, là où des bleus s'épanouissaient déjà, et il m'a attirée vers lui, comme dans une affreuse parodie de nos étreintes passées. Il était si près que je distinguais les paillettes vertes de ses yeux bleus, l'ombre d'une tache de rousseur sur l'arête de son nez, la minuscule cicatrice au-dessus de sa lèvre supérieure, que j'avais dû embrasser des milliers de fois.

— Arrête, a-t-il murmuré à mon oreille. Arrête de mentir.

Puis il m'a repoussée, comme s'il ne supportait pas de me toucher, et je suis restée là, les mains dans les poches de mon manteau, seule, de nouveau.

— Alors, comment sais-tu ce que tu crois savoir ? ai-je fini par demander.

Je m'accrochais encore à l'espoir vain que je finirais par le convaincre avec ma propre version des faits.

— Eh bien, ma poulette, figure-toi que la mutinerie gronde dans les rangs. J'ai reçu un appel très instructif d'une de tes amies cet après-midi. Je n'ai pas très bien compris qui c'était, tout d'abord, parce qu'elle rigolait tellement qu'elle n'arrivait pas à parler. (Il a plissé le front, avec une mine écœurée.) Comment as-tu pu ?

Je commençais à en avoir marre de ces gens qui me posaient la même question.

— Quoi, comment j'ai pu ?

— Elle m'a raconté que tu me baladais depuis des semaines, que tu leur racontais tous les détails croustillants. J'ai cru comprendre que ce n'était pas aussi bien pour toi que pour moi ?

J'ai porté les mains à mes joues cramoisies.

— Oh, mon Dieu.

Smith m'a jeté un regard dénué de toute émotion.

— J'étais disposé à passer là-dessus parce qu'elle m'a aussi parlé de ta mère, mais ensuite, elle en est venue à un autre sujet fascinant, la question de ton âge, et toutes mes bonnes intentions se sont envolées.

— Ce n'est pas vrai, ai-je martelé, impassible, en

me persuadant que si je ne déviais pas de ma version, il finirait par me croire. Rien de tout ça n'est vrai.

— Oui, elle m'a assuré que tu nierais tout. C'est peut-être la raison pour laquelle j'ai trouvé ça sous mes essuie-glaces en sortant de mon cours. On dirait que le mystère autour de tes occupations quotidiennes est résolu. Tes amies n'ont pas l'air de t'aimer beaucoup. Cela dit, je crois que je peux comprendre pourquoi, a-t-il conclu avec amertume en sortant de sa poche une feuille de papier froissée et un peu humide, qu'il m'a tendue.

Il m'a fallu un moment pour la défroisser, mais j'avais déjà reconnu les armoiries de l'école. C'était mon emploi du temps ; sous mon nom figurait ma date de naissance : 08/08/1989. J'ai maudit la secrétaire de Mrs. Greenwood et sa paperasse tatillonne.

J'étais fichue.

— Je n'ai jamais menti à propos de mes sentiments. De ce que tu représentes pour moi, ai-je répondu d'un ton implorant.

Il a détourné la tête, et le vent a emporté mes mots.

— Épargne ta salive, a-t-il tranché en se rasseyant lourdement sur la balançoire, comme si ses jambes ne le soutenaient plus. Je me fiche de tes sentiments. À vrai dire, Isa, c'était sympa quand tu étais dans un bon jour, mais la plupart du temps, tu m'as pourri la vie.

Il ne disait ça que pour me blesser. Forcément. J'ai agrippé les cordes de sa balançoire.

— Regarde-moi, l'ai-je supplié. Regarde-moi, Smith, je t'en prie.

Il a fini par lever les yeux et, au prix d'un immense effort, j'ai plongé mon regard dans le sien.

— J'ai perdu le contrôle de la situation. Je voulais te dire la vérité, je te jure. Il y a tant de choses que j'aurais voulu partager avec toi, mais je ne pouvais pas à cause de tous ces mensonges. Tu m'embrassais, tu me prenais dans tes bras et tout le reste, toutes ces choses que tu n'aurais jamais faites si tu avais su mon âge. Je t'ai menti mais je ne regrette rien, parce que ça en valait la peine.

Pendant un bref instant, j'ai cru voir ses traits se radoucir et ses lèvres trembler, et j'ai pensé que j'avais touché son cœur. Qu'il avait compris... Ce devait être la lumière qui me jouait des tours.

— Ça suffit, avec tes conneries. Je ne veux plus jamais te revoir.

J'aurais préféré qu'il hurle, qu'il lève les bras au ciel. Il s'est contenté d'attendre, l'air las, que je lâche la balançoire, puis il s'est levé.

Je l'ai regardé s'éloigner, les épaules voûtées à cause du vent qui fouettait les vagues et sifflait entre les kiosques condamnés par des planches.

21

La nuit tombait. J'étais toujours assise par terre, adossée à l'un des poteaux qui supportaient la balançoire. Je savais que j'aurais dû pleurer. Smith n'était plus à moi. Il ne l'avait d'ailleurs jamais été. Ou bien j'aurais dû réfléchir au meilleur moyen de me venger de mes soi-disant amies. Mais je ne ressentais plus rien.

Je me suis levée, m'efforçant d'ignorer la crampe qui me déchirait le mollet après tout ce temps passé recroquevillée sur moi-même. J'ai marché tant bien que mal jusqu'à Montpellier Villas en branchant le pilote automatique, parce que si je m'étais arrêtée pour réfléchir j'aurais fini par passer la nuit sous un pont. Et même moi, je n'étais pas bête à ce point.

Vue d'ici, notre maison semblait pareille à toutes les autres, accueillante. Des rais de lumière filtraient à travers les rideaux du salon et, en passant devant chez nous, un promeneur aurait pu penser qu'une famille ordinaire vivait là. Malgré mes doigts gelés, j'ai réussi à presser la sonnette, j'ai écouté le carillon qui se répercutait dans la maison, un bruit de pas, le grincement de la porte intérieure, et sa silhouette sombre s'est détachée derrière le verre dépoli.

Il n'avait pas d'autre choix que de me laisser entrer. Il ne pouvait pas téléphoner aux services sociaux pour leur demander qu'ils m'emmènent. Peut-être me ferait-il dormir sous le porche ou...

— Isabel ! a-t-il clamé d'une voix de stentor.

Une voix forte, puissante – il pouvait faire passer tant de choses dans ces trois syllabes.

J'ai ouvert la bouche pour parler, dire n'importe quoi, mais il a levé une main menaçante.

— Donne-moi ton portable.

Pour montrer ma bonne volonté, j'ai sorti le téléphone de mon sac en espérant. Il s'est contenté de le glisser dans la poche de sa chemise.

— Tant que tu vivras dans cette maison, tu n'auras droit à la parole que lorsqu'on te parlera. Tu t'abstiendras de mentir et de jurer. Tu resteras dans ta chambre et ne seras autorisée à descendre que pour le dîner. Le matin, je t'emmènerai à l'école et, le soir, tu rentreras aussitôt à la maison. Tu n'as plus le droit de voir tes amis ni de leur parler au téléphone, et je t'interdis formellement de revoir ce garçon. Est-ce que c'est clair ?

J'ai acquiescé en silence, les yeux fixés sur le bout ciré de ses richelieus noirs. Il s'est raclé la gorge et, au prix d'un effort, j'ai levé la tête.

— Oui, très clair.

— Parfait, tu peux entrer, a-t-il déclaré, magnanime, en ouvrant grand la porte.

Le chauffage central était réglé au maximum, j'ai frissonné un peu dans la chaleur.

— Je monte dans ma chambre.

— Tu as dîné ?

Immobile, les bras croisés, il m'a regardée déboutonner mon manteau. Mes doigts refusaient de m'obéir.

— Je n'ai pas faim.

J'aurais préféré mourir d'inanition plutôt que lui demander la permission que j'aille me griller deux tranches de pain. D'un brusque signe de tête, il a indiqué l'escalier.

La première chose que j'ai remarquée, c'est que la serrure de ma porte manquait. Très bien. Qu'est-ce que je pouvais fabriquer là-dedans, selon lui ? Pas grand-chose : il avait déménagé ma télé, mon lecteur DVD et ma chaîne stéréo dans l'après-midi. L'ordinateur était toujours là, mais le câble ADSL manquait.

OK, tous mes privilèges m'avaient été retirés. Il avait dû penser aussi à me priver d'argent de poche. Tout ça n'avait pas grande importance, pourtant. La seule chose qui comptait pour moi m'avait déjà été enlevée.

Pour prendre un bon bain, je n'avais sans doute pas besoin de signer un formulaire. Une fois sous la douche, je me suis frottée à m'en arracher la peau, puis j'ai enfilé un pyjama et je me suis glissée dans mon lit.

Je n'arrivais plus à me réchauffer. Dès que je fermais les yeux, j'entendais cette voix...

Tu m'as pourri la vie...

J'étais disposé à passer là-dessus parce qu'elle m'a aussi parlé de ta mère...

Je ne veux plus jamais te revoir...

Ça ne suffisait pas d'avoir le son, il fallait aussi que je revienne sans cesse au visage de Smith avant qu'il ne s'éloigne. Son expression de profond dégoût. Comme si je ne valais rien. Tout cela parce que j'avais menti.

Le même disque tournait en boucle dans ma tête, et je ne pouvais pas m'empêcher de penser que si j'avais eu d'autres mots ou d'autres gestes avec lui, les choses auraient été différentes.

J'étais à deux doigts de sombrer dans la folie quand j'ai entendu gratter à la porte.

J'ai sorti la tête de sous ma couette, juste à temps pour voir Félix se glisser dans ma chambre. Il a jeté un coup d'œil derrière lui puis il a refermé la porte tout doucement avant de s'avancer vers le lit sur la pointe des pieds.

— Qu'est-ce que tu veux ? lui ai-je demandé d'une voix sans timbre.

Et là, il s'est jeté sur moi.

En temps normal, quand Félix déboule, mieux vaut courir aussi vite que possible dans la direction opposée. En l'occurrence, j'étais entortillée dans ma couette et je n'avais aucun moyen de lui échapper. Il s'est agrippé à mon cou et a éclaté en sanglots.

C'était très déconcertant. D'abord, j'ai cru à un de ses coups fourrés, mais les sanglots ont redoublé, et je n'ai pas eu d'autre choix que de lui tapoter l'épaule.

— Allons, allons.

Réconforter les gens n'était pas ma spécialité. Néanmoins, Félix n'avait pas l'air de s'en formaliser. Dès l'instant où je l'ai touché, il s'est mis à pleurer de plus belle en se collant contre moi. J'ai attrapé la boîte de mouchoirs en papier sur la table de nuit.

Félix a enfoui son visage dans mon cou tout humide de ses larmes, mais je l'ai écarté avec douceur pour essuyer ses joues.

— J'en ai marre, a-t-il gémi.

— Marre de quoi ?

J'ai écarté ses cheveux blond-roux de son visage triste.

— Marre de tout ! s'est-il exclamé. La vie est devenue si triste, *elle* me manque, Isa, et il n'y a personne pour me faire des câlins, et papa et toi, vous n'arrêtez pas de vous disputer, et ça me donne mal au ventre...

Soudain, à l'encontre de toutes mes habitudes, je l'ai serré dans mes bras jusqu'à l'étouffer ; il s'est cramponné à moi tandis que je le berçais.

— Pardon, ai-je murmuré en embrassant ses joues fiévreuses et mouillées. Pardon, pardon.

Je ne sais pas combien de temps je l'ai tenu dans mes bras – assez longtemps pour que ses sanglots laissent place à un hoquet ici et là. Pourtant, quand j'ai essayé de me dégager, il a poussé un grognement pitoyable, et j'ai dû le bercer encore.

— Il faut que tu ailles te coucher, maintenant, ai-je murmuré. Sans quoi papa va venir te chercher et on aura droit à une autre scène.

Il s'est relevé en s'essuyant le nez avec sa manche.

— Berk, c'est dégoûtant. Prends un mouchoir.

Félix a eu un pauvre sourire.

— Si seulement tu n'étais pas aussi méchante avec moi, je t'aimerais davantage.

— Ouais, ouais, à d'autres. Tu n'es pas un saint, toi non plus, petit singe, ai-je soupiré en m'adossant à mes oreillers. Bon, qu'est-ce qui s'est passé aujourd'hui ?

Avec un haussement d'épaules, il s'est mordu les lèvres.

— Rien.

— C'est beaucoup de larmes pour rien, alors, ai-je commenté, désinvolte.

Et là, il s'est lancé dans une longue explication embrouillée, difficile à comprendre sans les sous-titres. Pour l'essentiel, il avait fait tomber la fameuse maquette en rentrant de l'école, et mon père avait piqué une crise monumentale.

— En plus, il m'a forcé à manger des brocolis, a-t-il conclu avec une grimace. Puis il a téléphoné à mamie et ils sont restés à parler de toi pendant des lustres, comme quoi tu étais incontrôlable, qu'il pensait te mettre dans un internat, puis il a dit en rigolant qu'il y en avait bien un qui te garderait pour les vacances.

Oui, j'imaginais que ça le faisait bien marrer, l'idée de m'envoyer en prison et d'oublier jusqu'à mon existence.

— Je ne veux pas que tu t'en ailles, a gémi Félix en se jetant à nouveau dans mes bras. Tu ne peux pas lui demander pardon ?

Bonne question. J'avais tant de choses à me faire pardonner que je ne savais pas par où commencer. Mais il y en avait d'autres – Smith, par exemple – pour lesquelles je n'avais pas à présenter mes excuses, parce que je n'aurais pas été sincère, et je ne voulais plus mentir. J'avais décidé d'arrêter les mensonges.

— Ce n'est pas si simple, ai-je répondu en le prenant par le menton. On a dépassé le stade des excuses. Et toi, tu as dépassé l'heure du coucher, tu ferais mieux de filer.

Félix s'est relevé, puis il a paru hésiter.

— Je t'ai apporté ça, a-t-il dit en sortant une barre Snickers de la poche de son jean. Je crois qu'elle a un peu fondu.

Le mot était faible, mais ça ne m'a pas empêchée de n'en faire qu'une bouchée. Roulée en boule, j'ai léché le chocolat sur mes doigts et j'ai attendu le matin.

J'errais dans un supermarché. Tout était surréaliste, saturé de couleurs, comme dans un dessin animé.

Elle poussait le caddie dans les allées en fredonnant tout bas, et faisait tomber une boîte de conserve après l'autre, les écartant d'un coup de pied quand elles venaient rouler sous le chariot.

Je l'ai tirée par la manche parce que tout le monde nous regardait : elle a posé les yeux sur moi, un sourire distrait sur les lèvres.

— Tu sais bien que ton père ne mange pas de conserves, chérie. (Elle a secoué la tête, l'air contrarié.) Tu n'écoutes jamais, hein ? Nous avons déjà eu cette conversation des centaines de fois.

Nous avons tourné au coin d'une allée, et elle a réservé le même sort à des pots de confiture, qui s'écrasaient sur le sol dans une explosion de verre brisé. J'ai regardé derrière nous : une traînée de confiture de fraises maculait le sol, pareille à du sang coagulé.

C'était bien du sang. Elle en avait maintenant plein les mains, il poissait la poignée du caddie et dégoulinait le long de sa jupe blanche.

— J'ai dû me couper avec le verre, a-t-elle dit en riant, puis elle m'a caressé la joue de ses mains humides et poisseuses. Je t'avais bien dit de ne rien toucher.

Elle m'accusait à tort, mais je n'osais pas protester, aucun son ne sortait de ma bouche, et son visage était de plus en plus pâle...

— Ça va, je suis réveillée ! ai-je crié, m'efforçant de m'arracher à mon rêve qui finirait exactement de la même façon que les autres.

J'ai cherché à tâtons l'interrupteur de la lampe, puis j'ai pris mon exemplaire de *Bonjour tristesse* sur la table de nuit. À quoi bon dormir, de toute manière ?

22

Le nouveau régime totalitaire est entré en fonctions dès le lendemain matin. J'ai avalé deux bols de céréales et une banane sous l'œil sévère de mon père, qui n'a cependant pas réussi à me couper l'appétit, puis nous nous sommes mis en route pour le lycée.

Après qu'il a déposé Félix avec un signe de la main et un mot d'excuse concernant la maquette, j'ai cru qu'on allait passer à un autre chapitre de notre dispute en cours. Je me trompais. Le reste du trajet s'est déroulé dans un silence de plomb. Quand il a freiné devant la grille, j'ai ouvert ma portière avant même qu'il ait coupé le moteur. Mais sa main s'est refermée sur mon poignet.

— Je viens avec toi, a-t-il décrété. J'ai rendez-vous avec Mrs. Greenwood.

Il passait désormais tellement de temps dans mon école qu'il aurait pu s'aménager un bureau dans l'un des placards de fournitures. Les yeux fixés droit devant moi, je me suis efforcée d'ignorer les gloussements qui ont salué notre passage parce qu'il me tenait fermement par le bras.

Le rendez-vous avec Mrs. Greenwood a été un véritable exercice d'humiliation abjecte. Il a commencé par énumérer mes nombreux crimes – et je n'ai rien connu de pire que mon père discutant de ma vie sexuelle avec madame le proviseur –, même si elle a eu l'air désolée pour moi. Néanmoins, elle s'est contentée d'agiter les mains tandis qu'il lisait la liste qu'il avait sortie de sa serviette.

Il a longuement été question de mes notes et de mon travail scolaire : elle a réussi à le distraire quelques instants avec mes bulletins impeccables mais très vite, la situation a tourné au vinaigre. Dorénavant, j'étais tenue de :

— Déjeuner sous la surveillance d'un professeur afin de s'assurer que je ne sortirais pas du lycée ;

— Rester en étude tous les après-midi jusqu'à ce mon père vienne me chercher ;

— M'inscrire à des activités extrascolaires impliquant le travail de groupe, le journal de l'école et le ramassis de ploucs qui s'occupaient des bonnes œuvres à l'échelle locale.

Il a fallu attendre qu'il aborde le sujet épineux de mon casier – qu'il souhaitait fouiller – pour que Mrs. Greenwood ose émettre une objection.

— Je comprends qu'Isabel ait besoin de discipline, mais l'école observe une politique très stricte quant au droit des élèves à la vie privée, a-t-elle exposé d'un ton sévère.

Par-dessus ses lunettes, elle fixait mon père, qui n'a pas fait l'effort de dissimuler son agacement.

— Bien sûr, Mrs. Greenwood, j'entends. Si vous n'êtes pas capable de fournir à ma fille l'encadrement dont elle a besoin, je devrais peut-être songer à la changer d'établissement.

Mrs. Greenwood m'a lancé malgré elle une œillade compatissante.

— Je crois que le moment est mal choisi pour chambouler la scolarité d'Isabel, a-t-elle protesté timidement. Selon moi, nous sommes en mesure d'encadrer nos élèves, et si Isabel acceptait de voir la psychologue scolaire...

— Je veux que son casier soit fouillé, a sommé mon père d'un ton abrupt. J'insiste.

Il a fini par avoir gain de cause. Évidemment. Et, comme par hasard, la sonnerie de l'intercours s'est déclenchée pile à temps pour que la quasi-totalité de l'école puisse assister à la fouille de mon casier. Les preuves de ma culpabilité se résumaient à un paquet de cigarettes vide et deux livres que j'avais omis de rendre à la bibliothèque, mais il n'y avait plus rien à faire. Je n'étais plus Isabel, reine incontestée du lycée. J'étais devenue Isabel, une pauvre tache à qui son papa avait remonté les bretelles devant toute l'école, à cause de quelques cigarettes.

Le point culminant de ma journée. Même l'obligation de déjeuner à une table de quatrièmes goguenardes était loin de l'égaler.

À vrai dire, plus rien ne me touchait. La souffrance, c'est relatif. Si on reçoit un coup de couteau dans le cœur, après, on ne sent rien quand on se coupe le doigt. Alors, toutes ces histoires à l'école, c'était de la roupie de sansonnet.

Le Trio Infernal n'avait visiblement pas réfléchi à tout ça. Il leur a fallu la journée entière pour me mettre la main dessus sans professeur qui me colle aux basques pour s'assurer que je n'allais pas m'envoler. Mais même les professeurs n'avaient pas le droit de m'accompagner aux toilettes.

J'étais en train de me laver les mains tout en rédigeant dans ma tête la cinquième version de ma lettre à Smith – lettre qui nous réconcilierait comme par miracle –, quand la porte s'est ouverte. L'air parfaitement détaché, je les ai regardées faire cercle autour de moi. Mes mains n'ont même pas tremblé tandis que je les séchais sans quitter des yeux le reflet des trois harpies dans le miroir.

Nancy a fini par rompre le silence.

— Alors, Isa, comment ça va ?

Je me suis adossée au lavabo avec nonchalance.

— La pêche. (J'ai esquissé un mince sourire.) On ne peut mieux. Tout baigne. Et toi ?

Elsa a fait un pas dans ma direction.

— On s'est fait beaucoup de souci à ton sujet.

Qu'est-ce que c'est que ces manières de s'enfuir au beau milieu de la nuit ? Alors on a appelé ton père, c'est ce que font les amies dans ce genre de situation.

Je savais qu'elles avaient préparé toute une mise en scène. Elles avaient même dû répéter. Elsa et Nancy avaient du mal à réprimer un sourire de triomphe. Pourtant, c'était Dot que je ne pouvais pas quitter des yeux. Elle avait l'air différent. Elle semblait soudain plus grande, ou plus jolie.

— C'est toi, pas vrai ? (J'ai secoué la tête.) Bien sûr que c'est toi. Nancy ou Elsa n'ont pas assez de cervelle pour manigancer ce petit coup d'État !

— Hé ! s'est écriée Nancy, indignée, mais Dot l'a fait taire d'un geste.

Elsa, de son côté, s'efforçait de comprendre ce que signifiait « coup d'État ».

— Tu m'as toujours sous-estimée, a répondu Dot. Tu t'attendais à ce que je t'obéisse au doigt et à l'œil, à ce que je reste à ma place. Eh bien, c'est fini, Isa. Et devine quoi ? Tu es finie, toi aussi.

— Je me suis lancé un nouveau défi, j'ai décidé d'arrêter de mentir. (J'aurais vraiment préféré qu'Elsa et Nancy ne soient pas présentes : tout ça, c'était entre Dot et moi.) Écoute, je suis désolée de m'être comportée comme la dernière des garces, mais je l'ai fait pour tenir le coup ici, et un jour ou l'autre, tu comprendras de quoi je parle. C'est dur d'être au sommet.

Dot a lissé les bords de sa frange et m'a adressé un sourire proprement effrayant.

— C'est pire, en bas.

Nancy a choisi ce moment pour intervenir.

— Au fait, est-ce que ton chéri a trouvé le papier que j'ai laissé sur le pare-brise de sa voiture pourrie ?

Ce n'était pas sa voix de crécelle qui allait me manquer.

— Vous n'auriez pas dû le mêler à ça. (Je me suis tournée vers Dot qui a détourné le regard.) Il n'avait rien à voir avec nos histoires.

— Il t'a plaquée, a déclaré Nancy.

— C'est toi qui l'as appelé, Dot ? Je ne vais pas me mettre en colère, je veux juste savoir ce que tu lui as dit. (J'étais à deux doigts de la supplier, et je m'en fichais.) Tu peux tout avoir, ce pseudo-pouvoir qui, d'après toi, rendra ta vie meilleure, mais s'il te reste une once de respect pour notre ancienne amitié, alors tu dois...

— Je ne te dois rien ! a aboyé Dot en me poussant contre le lavabo. (Soudain, je ne l'ai plus trouvée aussi jolie.) Ça t'allait bien de débiner tous les garçons qui nous plaisaient, et puis il a fallu que tu t'entiches de ce maigrichon et... Franchement, Isabel, tu aurais dû t'entendre : « Oh, Smith, il est adorable. Il me tient dans ses bras toute la nuit. Il est si intelligent. »

Elle a commencé à minauder, singeant quelqu'un qui n'avait rien à voir avec moi. Elsa et Nancy ont produit des gloussements parfaitement synchrones qui m'ont fait froid dans le dos.

J'ai dû résister à l'envie de mettre mon poing dans la figure de Dot.

— Bon, ai-je conclu en m'écartant du lavabo.

Mauvaise initiative. Elsa et Nancy se sont précipitées pour me barrer le passage.

— Vous avez prévu de me mettre la tête dans la cuvette des W-C, histoire de finir en apothéose ? Bien, dépêchez-vous, je devrais déjà être en colle.

— Laissez-la partir, a décrété Dot, magnanime. On reprendra cette petite conversation ce soir. Je veux que tu sois chez moi à...

— Non. (J'étais déjà sur le seuil.) Je suis punie jusqu'à mes trente ans. Vous serez ravies d'apprendre, j'en suis sûre, que c'est à cause de vos petites machinations. Désormais, on n'a plus à faire semblant d'être amies.

— Oh, mais on ne te déteste pas ! (Elsa semblait sincère. Cela dit, son propos ne signifiait rien : elle n'avait jamais toutes les cartes en main.) Tu es en probation. Ça n'empêche qu'on peut encore traîner ensemble. Tu seras la nouvelle Dot, dorénavant.

— Et toi, tu restes cette bonne vieille Elsa. C'est nul d'être toi, non ?

— Pas aussi nul que d'être toi, a répliqué Nancy en me jetant un regard noir.

— Elsa a raison, a lancé Dot d'un ton doucereux. On ne va pas te laisser tomber. Pas après toutes les vacheries que tu as faites aux autres élèves. Ce serait trop injuste. On a eu une grande conversation hier soir et on a décidé que tu pouvais encore faire partie de la bande, à condition de te plier à quelques petites règles.

Je les ai regardées tour à tour : elles attendaient que je me jette à leurs pieds en les suppliant, littéralement. J'ai tenté de me remémorer tous les bons moments que j'avais partagés avec elles, tous les souvenirs agréables... et rien ne m'est venu à l'esprit. Pas un seul instant heureux remontant à l'époque où, toutes les quatre, on ne s'entendait que sur un seul point : gâcher la vie des autres. J'ai eu une sorte de révélation.

— Vous savez quoi ? ai-je dit d'un ton désinvolte, la main sur la poignée de la porte. C'est vraiment gentil de vous préoccuper de mon sort, mais je crois que je vais me débrouiller sans vous. On n'a jamais été là les unes pour les autres, sauf quand on avait une idée tordue derrière la tête.

Dot s'est tortillée, mal à l'aise.

— Tu aurais fait pareil à notre place, Isa.

— Peut-être. Comment savoir ? Quoi qu'il en soit, on n'est pas amies, on ne l'a jamais été et je n'ai aucune envie de perdre mon temps avec une bande de petites pestes attardées et arrivistes dans votre genre.

La profonde incrédulité qui s'est alors peinte sur leur visage a presque dissipé toutes les humiliations que j'avais vécues ces dernières vingt-quatre heures. Presque.

23

Bientôt, le lycée est devenu mon refuge préféré. Au moins, je n'étais pas chez moi, enfermée entre les quatre murs de ma chambre, avec pour seule récréation le dîner, lors duquel je devais avaler mon repas tant bien que mal sous le regard vigilant de mon père. Un soir, j'ai posé les coudes sur la table : il a failli avoir une apoplexie. Quel bonheur !

C'était toujours moins difficile d'ignorer six cents personnes qui me détestaient à mort. Mes écouteurs vissés sur les oreilles, je noyais les menaces et les ricanements sous un flot de musique agressive. Le fait d'être chaperonnée à chaque instant de la journée m'était d'une grande aide – surtout depuis qu'une élève de quatrième m'avait raconté à la cantine que certaines de ses camarades de classe avaient parié sur la première qui me pousserait dans l'escalier. On se serait cru dans *Les Sopranos*.

J'ai tyrannisé assez de gens pour savoir que, à la minute où on révèle une faille, on est cuit. Mais si on réchappe de la tempête, tôt ou tard l'ennemi fera un faux pas. Le temps était bien long. Les semaines passaient, j'encaissais les coups d'épaule dans le couloir. Un jour, quelqu'un a versé du Coca dans mon sac ouvert. Sur le mur des toilettes, un graffiti disait : « Isabel Clarke est une grosse pétasse, demandez-lui. » Bel effort. Je me répétais à longueur de journée : ce qui n'abat pas renforce.

Je faisais bonne figure et ne laissais jamais transparaître mes émotions devant quiconque. À la place de mon cœur, il y avait un grand vide. Un grand vide laissé par Smith. Et toutes les feuilles A4 que je noircissais de mon écriture serrée n'avaient rien à voir avec les devoirs supplémentaires que mon père m'imposait. J'en étais à la neuvième version de ma lettre destinée à Smith.

Les six premières versions manquaient de poésie. Toutefois, l'absence de rimes était compensée par un ton opiniâtre. J'étais alors en pleine phase de déni, et mes lettres n'étaient que variations sur le mode « tu me manques », « je t'aime », « je te demande pardon » répétées à l'infini, de ma plus belle écriture, comme si mon application démontrait mon repentir.

Puis je suis passée par un stade de grande tristesse, qui se traduisait par des paroles de chansons déchirantes griffonnées sur des Post-it. Je comptais en faire un collage, le scanner sur mon ordinateur et lui envoyer le tout par e-mail via un des ordinateurs de la salle d'informatique.

Mais de plus en plus, je m'abandonnais à la colère. Je commençais à me persuader que son seul but avait été de me mettre dans son lit. Il correspondait à la description que ces filles avaient donnée de lui, et j'avais été trop bête pour le voir. Par conséquent, la version numéro neuf commençait en ces termes : « Tu n'es qu'un salaud. » Seulement, je n'arrivais pas à décoller de la première phrase.

J'ai réduit en boule la feuille de papier qui a atterri à proximité de la poubelle. Puis j'ai entendu un coup frappé à la porte et mon père est entré.

Il a jeté un regard suspicieux autour de lui. Une fois certain que sa loi était respectée, il a croisé les bras et m'a dévisagée d'un œil sombre. Pour être honnête, je n'étais pas franchement irrésistible, ces derniers temps. Mes racines blond cendré commençaient à repousser et, faute d'argent pour me payer le luxe d'une teinture noire, mes cheveux devaient rester tels quels. Enfin, ma pâleur et ma maigreur me donnaient un air de droguée.

Comme il plissait le nez, j'en ai déduit qu'il était du même avis. Assise jambes croisées sur le lit, j'ai attendu qu'il parle. Au moins, puisque je n'avais le droit de parler que lorsqu'on s'adressait à moi, je n'étais pas obligée de faire des politesses.

— Je ne peux pas venir te chercher demain après-midi. Félix a obtenu une excellente note pour sa maquette et j'ai promis de l'emmener au cinéma.

Typique ! Moi, quand j'avais dix-neuf à un devoir,

on me demandait toujours pourquoi je n'avais pas eu vingt.

— D'accord. Qu'est-ce que je suis censée faire ?

J'étais persuadée qu'il avait recouru à une entreprise spécialisée dans la surveillance, mais il a répondu :

— Je compte sur toi pour rentrer directement à la maison après l'école. Si ça te pose problème, tu devras expliquer à Félix pourquoi notre sortie est annulée.

Avec un vague signe de la main, j'ai certifié :

— Parfait. Je rentrerai tout de suite à la maison. Je n'essaierai pas de fuguer ni de te piquer de l'argent...

Je parlais dans le vide : la fin de ma phrase a été couverte par le claquement de la porte.

Vendredi a été une journée des plus rudes. Elsa et Nancy m'ont frappée à plusieurs reprises avec leur crosse de hockey pendant le cours de sport. Elles se confondaient en excuses chaque fois que Mrs. Harris les prenait sur le fait puis retournaient auprès de Dot récolter ses louanges. Je n'aurais jamais imaginé vengeance plus basse, de mon temps. Moi, j'avais du style.

Je traînais les pieds pour aller en cours d'histoire de l'art, ma dissertation inachevée dans mon sac, quand soudain j'ai songé que ça ne servait pas à grand-chose de me montrer. Plus rien ou presque n'avait de sens, de toute manière, aussi ai-je continué à déambuler dans le couloir. Il n'y avait personne dans les parages, je n'entendais que le grattement des stylos, l'écho lointain d'une voix récitant un sonnet de Shakespeare, le sifflement de la flamme d'un bec Bunsen. J'avais du mal à respirer – était-ce cette odeur douceâtre de désinfectant mêlée aux effluves de la cantine, les regards malveillants, les têtes qui se tournaient, ou bien juste la monotonie implacable de tout ça, toujours est-il que je suffoquais.

Je suis sortie dans la cour, j'ai franchi les grilles, puis j'ai couru pour attraper le bus qui venait de marquer l'arrêt.

J'aimais cette sensation d'incertitude. Ne pas savoir où j'allais. Mais tandis que le bus s'engageait le long de la route côtière, j'ai reconnu quelques endroits familiers : le fast-food flanqué d'un dinosaure ridicule ; la rangée de cabines de plage peintes en vert vif ; le café où mon grand-père s'était arrêté pour acheter une glace à Félix en rentrant de l'enterrement, afin qu'il cesse de pleurer.

Le bus m'a déposée devant l'entrée du cimetière. Je n'étais pas sûre de la direction, pourtant mes pas m'ont guidée, comme si l'allée rocailleuse qui serpentait parmi les rangées serrées de tombes et les touffes d'herbe m'était familière. Je n'étais pas venue depuis ce jour-là : le soleil tapait sur la robe légère en coton noir que ma tante Pam m'avait achetée. J'étais restée derrière, en retrait, les yeux fixés sur le bout des seules chaussures élégantes que je possédais, feignant de ne pas remarquer les murmures et les regards dans ma direction.

Sa tombe se trouvait à l'écart, dans un coin tranquille. Elle aurait détesté cette idée. Elle aimait être le centre de l'attention. Il fallait toujours qu'elle sache tout, même si elle n'était pas concernée. Un petit vase rempli de marguerites était posé sur le tertre : mon père avait dû lui rendre visite récemment car les fleurs étaient encore fraîches, les pétales d'un blanc laiteux frémissaient dans la brise.

Et la stèle avait été installée :

FAITH CLARKE
1969-2005
Épouse aimante de David
Mère dévouée d'Isabel et de Félix
Je t'aime sans savoir comment, ni quand, ni d'où,
Je t'aime simplement, sans obstacles ni orgueil :
Je t'aime ainsi car je ne sais aimer autrement.

Les dernières lignes étaient extraites d'un poème de Pablo Neruda, qu'ils s'étaient lu l'un à l'autre le jour de leur mariage. Le jour de cet anniversaire, mon père lui offrait invariablement des marguerites parce que c'étaient les fleurs de son bouquet de mariage, puis il s'agenouillait pour lui réciter le poème en entier et, rougissante, elle lui disait qu'il était ridicule. Mais on voyait bien qu'en son for intérieur elle était ravie qu'il n'ait pas oublié. Ils passaient leur temps à se taquiner, enfermés dans leur univers où il n'y avait de place que pour eux deux.

Ça ne leur avait pas beaucoup servi, d'ailleurs : maintenant, lui était malheureux comme les pierres, déboussolé, et elle... elle reposait dans la terre sous mes pieds.

J'écoutais le rugissement lointain des vagues, les cris des mouettes qui tournoyaient au-dessus de ma tête, les herbes hautes me caressaient les chevilles, et je ne comprenais pas. Je contemplais mes mains que je serrais nerveusement l'une contre l'autre, et je ne comprenais pas comment on pouvait être là, bien vivante, faite de chair et de sang, habitée de rêves et de souvenirs, d'amour et de haine et, l'instant d'après... Le miracle de la vie qui cessait en une fraction de seconde. Comment ces choses-là pouvaient-elles disparaître ? Qu'advenait-il de l'âme, de l'essence ? Et tout ça parce qu'un muscle s'arrêtait de battre ? Ça n'avait aucun sens.

Après l'enterrement, le pasteur était venu me trouver alors que j'étais assise dans le jardin. Il s'était embarqué dans un long discours réservé à ce genre d'occasion. Il m'avait dit que les morts ne disparaissaient pas tout à fait. Qu'on ne pouvait pas les voir mais qu'ils restaient à nos côtés, dans notre cœur.

Ce n'était qu'un sale mensonge. Elle n'était pas avec moi. Elle était partie pour de bon. Elle gisait sous la terre et ne reviendrait pas. Prise d'un accès de rage, j'ai ramassé le vase avec les fleurs, et je l'ai jeté le plus loin possible.

La batterie de mon iPod était morte. J'ai repris sans hâte le chemin de la ville. J'ai caressé l'idée de débarquer à Kemp Town pour donner à Smith ma version numéro quinze de la lettre. Toutefois, puisque mon projet consistait surtout à le traiter de tous les noms, j'ai jugé préférable de suivre les ordres paternels et de rentrer sagement à la maison.

J'ai senti une main sur mon épaule. Aussitôt, j'ai pensé que c'était Smith, que nos cerveaux communiquaient par télépathie et, en une seconde, tout mon être s'est animé. Mais une voix familière s'est élevée :

— J'ai deux mots à te dire.

En me retournant, j'ai trouvé Molly qui me dévisageait d'un air furieux.

— Oh, salut...

— Épargne-moi tes politesses, a-t-elle aboyé, un doigt braqué sur moi. (Au début, j'ai cru qu'elle plaisantait.) Comment as-tu pu faire une chose pareille à Smith ?

D'accord, c'était Molly, et je la vénérais un peu comme une héroïne, mais j'en avais assez de tous ces gens qui me regardaient avec cette mine dégoûtée et déçue.

— Fous-moi la paix, tu veux ?

Molly a ouvert des yeux ronds.

— Dis donc, tu as une mine horrible, toi, a-t-elle dit en baissant la voix.

Là, elle marquait un point. Avec mon estafilade sur la joue (un souvenir du match de hockey), mes cheveux hirsutes et le pull avachi que je portais depuis quatre jours, je devais ressembler à une pauvre orpheline. Mais elle s'est reprise assez vite : forcément, vu la manière dont j'avais traité Smith, ce pauvre garçon sans défense, je méritais ma déchéance.

— Smith m'a raconté ce que tu lui as fait.

« Quel geste noble ! » Je ne m'étais pas aperçue que j'avais parlé tout haut, avant qu'elle m'attrape par le col.

— Qu'est-ce que tu prépares ? Tu vas écrire une chanson là-dessus ? ai-je poursuivi d'un ton goguenard.

J'étais sûre qu'elle mourait d'envie d'aller rapporter à Smith à quel point je souffrais loin de lui.

— Je ne te ferai pas ce plaisir, a-t-elle répliqué d'un air hautain. Je n'écris que sur les gens que j'aime.

— Je pense que je survivrai à la déception. Et tu peux dire à Smith de ma part qu'il n'est qu'un... qu'un...

J'étais à court de mots. Ce n'était même pas clair dans ma tête. J'ignorais si je devais l'aimer ou le haïr. Et puis Molly n'attendait guère la suite avec impatience. Elle m'a agrippée par les revers de mon manteau.

— Ne t'approche pas de lui, m'a-t-elle craché au visage. Il n'a pas besoin d'une psychopathe dans ton genre.

Je me suis dégagée d'un geste brusque et le col de mon manteau n'y a pas survécu.

— J'imagine que ça t'arrange, ai-je crié, et des passants se sont retournés pour me dévisager. Ainsi, tu peux l'avoir pour toi toute seule ! Tu sais qu'il est fou amoureux de toi et tu le fais marcher. Ça doit te plaire, non ?

— Mais de quoi tu parles ? (Molly a levé les yeux de mon luxueux manteau tout déchiré.) Moi et Smith ? Ce serait presque de l'inceste ! Qui t'a raconté ça ?

— Il me l'a dit lui-même, ai-je répondu avec une joie mauvaise. Tu t'en serais rendu compte, toi aussi, si tu ne passais pas ta vie à te regarder le nombril.

— Qui, moi ? s'est-elle indignée. Et toi, tu t'es regardée ?

— Tu ne sais rien de moi et de toute façon, ce ne sont pas tes affaires, ai-je murmuré en portant les mains à mes tempes douloureuses.

— Isabel, tu te sens bien ? a demandé Molly en me prenant par les épaules.

— Ça va ! ai-je aboyé en la repoussant brutalement. Vous pouvez aller vous faire voir, tous les deux !

Mais je ne me sentais pas bien du tout. À vrai dire,

les choses n'auraient pas pu être pires. J'ai couru jusqu'à Montpellier Road. Une fois chez moi, j'ai verrouillé la porte et me suis laissée glisser sur le sol. Il m'a fallu un moment pour me décider à me relever, et c'est alors que j'ai vu le mot scotché sur la rampe de l'escalier, rédigé de sa belle écriture moulée.

Isabel,
Félix et moi serons de retour vers neuf heures et demie.
Il y a des œufs et du fromage dans le frigo, prépare-toi
une omelette pour le dîner.
Je compte sur toi pour rester dans ta chambre jusqu'à
notre retour. J'aimerais que nous discutions de tes futurs
projets.
DC

Même quand il laissait un mot, il était pompeux. Je disposais de cinq heures pour regarder la télé, téléphoner à chacun de mes nombreux amis et me gaver de toutes les cochonneries que je pourrais trouver dans les placards.

Je n'ai donc pas été ravie de découvrir qu'il avait verrouillé la porte du salon : *exit* la télé ! Comme je me dirigeais en titubant vers la cuisine, j'ai découvert que les futurs projets dont il voulait m'entretenir concernaient des formulaires d'inscription universitaire et mes plans pour le week-end.

La porte du bureau n'était pas fermée : c'est vrai, qu'est-ce que j'aurais bien pu fabriquer là-dedans ?

Il ne m'a pas fallu longtemps pour dénicher ce que je cherchais. Les papiers se trouvaient dans le second tiroir que j'ai fouillé : un tas de brochures en papier glacé vantant les charmes de lieux dont les noms comportaient tous le mot « saint ».

Saint Mary's. Saint Augustine's. Saint Ignatius'. Encore Saint Mary's. On n'était même pas catholiques ! J'ai ouvert l'une des brochures et commencé à lire : « ... *l'accent sur l'excellence scolaire dans un environnement exempt de distractions susceptibles de détourner les adolescents fragiles du droit chemin. Notre établissement s'enorgueillit de la qualité de son enseignement : nos maîtres mots sont la discipline et la prière, et nous possédons de nombreuses années d'expérience dans la gestion des adolescents à problèmes.* » Le prospectus en question concernait le deuxième Saint Mary's, mais tous disaient sensiblement la même chose.

Il avait l'intention de m'exiler. Pour de bon. Loin de Félix. Loin de Brighton. Et il ne me laissait aucune chance de réparer les dégâts.

J'ai déchiré une brochure, puis une autre, et encore une autre, jusqu'à ce que le sol soit jonché de petits bouts de papier coloré pareils à des confettis. Puis j'ai contemplé ses livres, rangés avec soin sur les étagères, par ordre alphabétique, qu'il caressait amoureusement lorsqu'il cherchait la bonne référence.

« Ces fichus livres, tu les aimes plus que moi », disait-elle tristement les jours où elle tentait de le faire sortir de sa tanière. Avec un sourire tendre, que je ne lui connaissais plus, il lui répondait : « Il n'y a rien que j'aime plus que toi, mais les livres viennent juste derrière. »

Depuis qu'elle n'était plus là, il ne restait que ses livres et lui. Tout ce qui ne filait pas droit, tout ce qui ne pouvait pas être classé ou rangé sur une étagère, il s'en débarrassait, voilà !

Mes mains saignaient, une fois ma tâche achevée. J'ignorais qu'on pouvait se couper les mains en déchirant des livres, en envoyant valser leurs reliures aux quatre coins de la pièce, en arrachant les pages pour les piétiner. On aurait dit qu'une tornade avait dévasté le bureau et, en contemplant le désastre, j'ai pris conscience que je ne pourrais plus revenir après ça. C'était peut-être pour cette raison que je l'avais fait.

Je n'ai pas pris la peine de rassembler mes affaires, cette fois. Tous mes vêtements étaient sales, d'ailleurs. Je me suis contentée d'emporter les quelques économies qu'il cachait dans le bureau en cas d'urgence, en s'imaginant que je n'étais pas au courant, et je suis partie pour le seul endroit où j'avais une chance d'être accueillie.

24

Dot m'a fait ramper. J'ai attendu sur le seuil, frissonnante, tandis qu'elle consultait Elsa et Nancy. Puis elle s'est tournée vers moi, et la détermination suintait par tous ses pores.

— Je te laisse entrer, mais il y a des conditions.

Je suis restée dehors pendant une autre dizaine de minutes au moins, jusqu'à ce qu'elles soient toutes trois satisfaites de ma petite performance.

— Je suis vraiment désolée d'avoir été aussi vache. Je vous remercie d'accepter de me donner une seconde chance, bien que j'aie encore beaucoup d'efforts à fournir pour m'amender.

Malgré mon manque flagrant de sincérité, ma prestation a été jugée honorable et j'ai été autorisée à entrer. J'étais surprise qu'elles n'aient pas eu l'idée de filmer mon arrivée avec le téléphone de Nancy.

— Est-ce que ta mère est là ? ai-je demandé à Dot.

Curieusement, mon ex-amie ne semblait pas se réjouir de ma capitulation autant que je l'aurais cru.

Après avoir secoué la tête avec force, elle m'a dévisagée de la tête aux pieds.

— Tu es dans un triste état. Qui t'a fait ça au visage ?

J'ai répondu par une grimace qui a rouvert l'égratignure sur ma joue.

— Je ne suis pas encore prête à rejoindre les rangs, c'est ça ?

— Elle ne peut pas sortir avec nous dans cette tenue ! s'est écriée Nancy. On n'arrivera jamais à nos fins avec ce boulet dans les pattes.

Dot montrait des signes d'impatience. Selon toute apparence, ses responsabilités de leader commençaient à lui taper sur le système. « Hé hé. »

— Monte prendre une douche et essaie d'arranger tes cheveux.

C'était tellement plus facile de laisser les autres prendre les décisions à ma place. Docilement, je me suis dirigée vers l'escalier.

— Tu peux m'emprunter des fringues, mais pas mon jean Miss Sixty, ni ma nouvelle jupe noire, ni mon pull vert avec les perles, ni...

Quand Dot est entrée dans la chambre, je portais deux tee-shirts et un pull superposés ainsi qu'un vieux jean, et j'étais en train de me sécher les cheveux. Elle a jeté un coup d'œil derrière elle pour s'assurer qu'on était seules.

— Elles me rendent dingue, a-t-elle grommelé en s'asseyant par terre à côté de moi avant de me tendre une part de pizza. Jusqu'ici, je n'avais jamais remarqué à quel point ces deux-là sont mauvaises.

Je n'aurais pas su dire si elle me testait. Au cas où je me rangeais à son avis, Elsa et Nancy débouleraient peut-être dans la chambre pour me le faire payer au centuple. J'ai donc opté pour un vague grognement.

— On pourrait redevenir amies, toi et moi, a-t-elle poursuivi. Comme avant, sans ces deux harpies. Je voulais que tu le saches.

Elle m'observait avec attention, cherchant sur mon visage des signes de gratitude parce qu'elle m'offrait la chance d'être sa meilleure amie. Elle se mettait le doigt dans l'œil.

— OK, cool, ai-je répondu en me passant une main dans les cheveux. Merci pour les vêtements. Mon père risque d'appeler d'ici quelques heures pour demander que tu me renvoies chez moi, histoire de me torturer un peu.

— Tu as dû morfler, ces deux dernières semaines, pas vrai ?

Oui, plutôt deux fois qu'une, et la faute en revenait surtout à Dot. Visiblement, elle aussi pratiquait l'ironie.

— Eh bien, j'ai vécu mieux. Mais j'ai aussi vécu pire. Tout dépend du point de vue. Tu me connais, je suis plus costaud que j'en ai l'air.

Nous avons échangé un regard lourd de sens, et l'avertissement subtil qui sous-tendait ma réponse

314

ne lui a pas échappé. Pourtant, je commençais à penser sérieusement que je n'étais pas si costaud que ça. Sous la carapace, je me sentais aussi molle que de la guimauve.

— Ça n'avait rien de personnel, Isa. Enfin, si, un peu, mais... L'occasion était trop belle, voilà tout. (Le fait que je ne cautionne pas sa petite dictature semblait agacer Dot au plus haut point.) Je n'ai pas l'intention de te présenter des excuses, mais je voulais que tu le saches.

— T'inquiète, c'est parfait comme ça. Je vais bien. Tout va bien. Alors, qu'est-ce que vous avez prévu ce soir ?

Après son petit résumé de la soirée qui nous attendait, j'ai songé à rentrer chez moi pour affronter la fureur de mon père. Puis j'ai fini par enfiler mon manteau déchiré et j'ai écouté Elsa et Nancy déblatérer au sujet des garçons du parc : on aurait juré que, par un coup de baguette magique, ils s'étaient transformés en apollons depuis notre dernière rencontre.

— Je pense que Rob te donnera une seconde chance si tu lui présentes tes excuses, a déclaré Elsa d'un ton dubitatif tandis qu'on descendait la rue. Mais il te trouve coincée.

— Ouais, il ne sait pas que tu ne craques que sur les étudiants moches, a renchéri Nancy avec aigreur.

Dot l'a fait taire.

— C'est du passé, tout ça, maintenant, pas vrai, Isa ? De l'histoire ancienne.

— Oui, ça date quasiment du paléozoïque, l'ai-je assurée.

Elles m'ont toutes trois jeté un regard noir.

— Ne commence pas avec tes mots interminables que personne ne comprend !

Cette réplique a donné le ton du reste de la soirée. On a retrouvé les garçons à Churchill Square et on les a suivis pendant qu'ils cherchaient des candidats au *happy slapping*. C'était comme se retrouver au beau milieu d'un documentaire sur la délinquance juvénile.

— Ils ne vont quand même pas agresser quelqu'un, si ? ai-je glissé à l'oreille de Dot, tandis qu'ils s'avançaient en bombant le torse vers un pauvre petit gars à lunettes planté devant une librairie.

Dot m'a dévisagée, incrédule.

— Ils se donnent juste du mal pour nous impressionner. Décoince-toi un peu, Isa !

Après quelques bousculades, deux types de la sécurité sont arrivés et je me suis retrouvée en train de courir avec Rob qui me tirait par la main.

— C'était marrant, non ? s'est-il exclamé quand on s'est arrêtés pour reprendre notre souffle.

— Tordant, ai-je répondu d'un ton grave alors que les autres nous rejoignaient. Toi, tu sais ce que veut dire s'amuser.

Mon sarcasme est passé inaperçu. J'imagine que Rob ne savait même pas ce qu'était le sarcasme. Mais, sans aucun doute, il avait décidé qu'en dépit de mon balai de sorcière dans le derrière je méritais une seconde chance. Il m'a prise par l'épaule pour me peloter de sa grosse main et m'a regardée d'un air concupiscent.

— On se partage une petite bouteille ?

Rob se comportait décidément comme un parfait gentleman. Il m'a tenu la porte de l'épicerie et a sorti quelques billets pour payer la bière, histoire de m'en mettre plein la vue. J'ai songé qu'un peu d'alcool m'aiderait à oublier ma misérable existence pendant cinq minutes. Beaucoup d'alcool me permettrait peut-être même de l'oublier un peu plus longtemps.

L'attraction suivante de la soirée consistait à s'envoyer des bières bien au chaud sous un abribus, face à la mer. Assises sur les genoux des garçons, on a balancé nos canettes vides par-dessus le parapet qui nous séparait de la plage. J'étais assez soûle pour ne pas avoir envie d'arracher les yeux de Rob chaque fois qu'il me pinçait la cuisse. J'en venais à ignorer jusqu'aux signes d'encouragement des autres.

— C'est nul, ici ! a annoncé Rob en visant la poubelle la plus proche avec notre dernière canette. (Le projectile a raté son but d'au moins cinq mètres.) On devrait faire un truc vraiment kiffant.

Des murmures d'approbation se sont élevés autour de moi, mais je me suis contentée de grimacer un sourire tellement forcé que j'en ai eu mal à la mâchoire. Je n'aimais pas beaucoup me geler les fesses sur le front de mer par une nuit glacée de novembre avec des gens que je méprisais. J'avais envie d'être à l'abri, au chaud...

— Ouais !

— Bonne idée, Roberto !

J'ai levé des yeux surpris vers mon chevalier servant qui, en donnant un coup de poing dans le vide, avait manqué me faire tomber de ses genoux.

— Hein ? Qu'est-ce que j'ai loupé ?

Nancy a décollé sa bouche de celle de Face de Rat. Elle avait du rouge à lèvres plein le menton, et je n'ai pas pris la peine de l'en informer.

— C'est une surprise, a-t-elle lancé. Allez, on y va !

Notre super-méga-top-soirée impliquait beaucoup trop de marche dans le froid à mon goût. Chaque fois que je frissonnais, Rob y voyait un signal pour me peloter.

— Bon, c'est peut-être une question idiote, mais qu'est-ce que tu as prévu pour la suite ?

Il a souri d'un air niais.

— Il y a toujours un gros naze pour ne pas verrouiller sa portière, m'a-t-il répondu en faisant un essai sur une voiture.

Trop mignon. Il voulait me faire profiter de ses compétences en matière de vol d'autoradios. Typique de l'*Homo sapiens* qui rapporte un mammouth à la caverne pour montrer ses talents de chasseur.

— Bon, ai-je déclaré, en priant pour il n'y ait pas de « gros nazes » dans les environs.

J'étais peut-être la reine du chapardage dans les magasins, mais j'avais tout de même des principes.

— J'en ai une ! a soudain crié Rob.

On l'a rejoint en courant. Le vent me brûlait le visage et les yeux.

Rob s'est glissé sur le siège du conducteur et il a fouillé sous le volant, tandis que le reste du groupe scrutait l'intérieur de la voiture, une Nissan Micra.

— Ah, qu'est-ce qu'on rigole ! ai-je commenté d'un ton faussement enjoué. Je savais bien que je devais sortir plus souvent.

— On se marre, hein ? a renchéri Elsa avec un sourire ravi. C'est dommage que Dot ne soit pas là.

— Elle est retournée au pub, a dit Nancy en haussant les épaules. Elle avait froid. Chochotte.

Le moteur de la voiture a crachoté un peu avant de se mettre à ronronner.

— Montez, vite !

— Je croyais qu'il allait juste piquer le lecteur de CD, ai-je protesté, mais Rob m'a fait asseoir sur ses genoux sans faire cas du volant qui m'écrasait le ventre.

Nancy, Elsa et Face de Rat se sont entassés à l'arrière avant de rabattre le siège passager pour que le soupirant d'Elsa puisse s'installer à l'avant.

— Il n'y a pas de place pour moi ! me suis-je exclamée en essayant de me libérer. On ne peut pas mettre la ceinture de sécurité.

— Détends-toi, a ricané Rob en riant. J'ai fait ça des millions de fois.

— Ouais, arrête un peu de geindre, Isa, a aboyé Nancy.

Facile à dire, elle était tranquille à l'arrière, elle.

En me retenant d'une main, Rob a claqué la portière de l'autre.

— Bon, voyons ce que cette bagnole a dans le ventre.

J'ai senti la panique monter, j'avais de plus en plus de mal à respirer.

— Je veux sortir. Laisse-moi sortir !

— Ferme-la ! a rugi l'un des garçons.

J'ai été projetée contre la portière comme Rob écrasait le pied sur l'accélérateur et s'éloignait du trottoir dans un crissement de pneus.

— Tout va bien. On va juste aller voir les lumières de Rottingdean, a crié Rob par-dessus le bruit du moteur.

Et il m'a donné une grande claque sur le bras, histoire de me réconforter, sans doute. Je me suis agrippée au siège.

— Ça va aller, a renchéri Elsa. Tiens, bois un coup.

Je lui ai arraché la canette des mains et l'ai vidée en trois gorgées, les yeux fermés. Je me suis sentie mieux. Quand Rob a accéléré, j'ai trouvé la sensation de vitesse agréable – la route et les lumières des réverbères se confondaient. J'avais l'impression de voler.

— Cool, hein ?

J'ai jeté un coup d'œil à Rob.

— Oui, ça peut aller.

— Tu veux que j'accélère ?

— Oui, vas-y.

On roulait maintenant sur les hauteurs de la ville. On a dépassé l'école pour filles et pris la direction de Saltdean. J'avais le sentiment que la route ne finirait jamais, qu'on ne cesserait plus de rouler, sans but, de plus en plus vite, et les lumières devant nous étaient si belles, si vives, éblouissantes...

— Merde !

Rob a fait une embardée à gauche et a tourné brusquement le volant dans l'autre direction. J'ai entendu le hurlement frénétique d'un klaxon, puis un craquement quand la voiture a traversé une clôture. Ensuite, un bruit de tôle écrasée tandis qu'on heurtait quelque chose. J'ai été projetée en avant, ma tête a heurté le volant, puis en arrière quand Rob a réussi à immobiliser la voiture.

J'aurais préféré tomber dans les pommes, sombrer dans des ténèbres confortables pour ne pas avoir mal. Mais mon corps ne m'obéissait jamais et, affaissée contre Rob, j'ai poussé un long gémissement de douleur.

— Oh, mon Dieu ! Tout le monde va bien ?

J'ai vaguement entendu Elsa sangloter. Quelque chose me dégoulinait sur le front et m'obstruait la vue : j'ai tenté de m'essuyer le visage du revers de la main.

— Je suis coincée, ai-je balbutié.

Sous le choc, je m'étais mordu la langue et je peinais à articuler.

— Ma main est coincée.

Mon bras était pris entre le siège et la portière ; chaque tentative pour me dégager me mettait à l'agonie. J'ai baissé les yeux vers mon bras. Il semblait toujours attaché à mon épaule, bien que je ne puisse pas m'en assurer à cent pour cent. J'ai essayé de bouger les doigts et j'ai senti des élancements atroces dans tout le bras, qui partaient du coude et s'étendaient jusqu'au bout de mes doigts. Mais la douleur, c'était bon signe, non ? Ça signifiait qu'on était toujours en vie.

— Elle saigne. Isabel saigne.

Rob a bougé à côté de moi, écrasant un peu plus mon bras contre la portière.

— Elle s'est cogné la tête.

— C'est mon bras.

Personne ne semblait s'inquiéter de mon pauvre bras complètement broyé. J'ai jeté un œil par la vitre, je n'ai vu que de l'herbe et des haies.

— On est dans un champ ?

Un souffle d'air froid est entré dans la voiture : le garçon assis à côté de nous venait d'ouvrir sa portière. Il s'est précipité au-dehors et a rabattu son siège pour permettre aux autres de sortir. Le moindre mouvement me faisait tressaillir de douleur, sans parler de cet abruti de Rob qui se tortillait pour se dégager.

— Qu'est-ce que tu fais ? Reste tranquille, ai-je gémi en le retenant par le poignet avec ma main libre.

— Faut que je sorte. On ne peut pas rester ici. Quelqu'un a dû appeler la police.

— Je m'en fiche.

J'ai entendu un gros bang de mon côté comme Face de Rat essayait d'ouvrir la portière ; Rob a profité de ma distraction momentanée pour s'extirper de la voiture. Je me suis affaissée sur le siège et je crois que, si j'avais eu une scie à ce moment-là, je me serais coupé le bras, ça ne devait pas faire plus mal.

Ils ont enfin réussi à débloquer la portière. J'ai tourné la tête en m'efforçant de sourire. Elsa sanglotait toujours, mais Nancy s'est approchée de moi, l'air intrigué, et elle a ouvert de grands yeux affolés.

— Isa, essaie de dégager ton bras. Sors-le de là.

— Bonne idée, ai-je marmonné d'une voix pâteuse. Je me demande pourquoi je n'y ai pas pensé plus tôt.

— Elle est couverte de sang, a hoqueté Elsa.

Face de Rat l'a poussée pour m'examiner à son tour.

— Bon Dieu, tu as l'air mal en point, a-t-il murmuré.

— Je vais bien. C'est juste... J'ai du sang plein les yeux. Est-ce que quelqu'un pourrait m'éponger un peu ? S'il vous plaît ?

Il m'a essuyé le front avec la manche de sa veste : j'avais dû me couper, car j'ai eu l'impression que des milliers de petites aiguilles me piquaient la peau. Pendant au moins cinq secondes, j'ai pu penser à autre chose qu'à mon bras.

— Il faut qu'on appelle une ambulance, a gémi Elsa. On va peut-être devoir l'amputer...

— Elle va bien, a décrété Rob en jetant un œil par-dessus l'épaule de Face de Rat. Je vais te dégager le bras, moi.

— Oh, non, non, ça va. Ne t'inquiète pas pour moi...

— Écoute, il est peut-être cassé, a objecté Nancy. On ne devrait pas la bouger.

Elle a essayé de le retenir, mais il s'est dégagé avec brusquerie.

— Bon, Isabel, tu vas tenir la main de Sean, a-t-il ordonné.

J'ai froncé les sourcils :

— Qui, Sean ?... Face de Rat ?

— Garce...

— Tiens-lui la main et c'est tout. Ça risque de faire un peu mal...

Ce genre de phrase ne présage rien de bon, d'habitude. Je n'ai pas eu « un peu » mal. J'ai eu *très* mal. Si mal que j'ai serré la main de Sean à lui faire craquer les os. Puis, j'ai vomi un flot de bile.

CLAC !

Le corps n'est pas censé faire ce genre de bruit. Il devrait y avoir une loi contre ce genre de choses.

— Voilà, il est cassé, maintenant, ai-je dit.

Puis leurs visages effarés sont devenus de plus en plus flous et l'obscurité a tout englouti.

25

Je n'en avais aucune envie, mais quelqu'un m'a ordonné d'ouvrir les yeux, et j'étais curieuse de voir à quoi ressemblait l'au-delà.

Au prix d'un énorme effort, j'ai réussi à soulever les paupières. J'aurais mieux fait de m'abstenir. L'au-delà, c'était vraiment nul. J'étais allongée sur le dos, à même l'herbe mouillée, tandis qu'Elsa et Nancy me couvaient d'un regard anxieux.

Une multitude de sensations m'ont assaillie en même temps : la puanteur aigre de mes vomissures ; le contact froid et humide de l'herbe à travers mon manteau ; la douleur cuisante sur mon front ; mon côté droit tout endolori. Et je me suis aperçue que, si je me concentrais sur tous ces détails à la fois, j'arrivais presque à oublier mon bras. C'était comme si je commandais à un interrupteur dans mon cerveau, qui me permettait d'en faire abstraction.

— Soulevez-moi, ai-je marmonné. Débarrassez-moi de mon manteau, il est dégueulasse.

— Tu ne devrais pas bouger, tu es peut-être commotionnée, a répliqué Nancy, la voix rauque.

Mais, de ma main valide, j'ai agrippé le bras d'Elsa.

— Je vais bien, ai-je répété pour la énième fois. Qu'est-ce qui s'est passé ?

— Oh, Isa, les garçons nous ont laissées en plan ! s'est écriée Elsa, la voix tremblante d'indignation. Ils t'ont sortie de la voiture, mais ils s'inquiétaient au sujet de la police, alors ils se sont enfuis. Sean a dit qu'ils appelleraient un taxi, mais on a pensé que tu avais peut-être besoin d'une ambulance, en fait, et puis j'ai cru que tu étais morte, et finalement, on ne savait plus quoi faire.

J'ai tenté de me concentrer sur son verbiage inepte tandis que Nancy et elle me relevaient avec mille précautions. Une fois debout, j'ai senti un flot de sang envahir mes veines et Nancy m'a retenue par la taille pour éviter que je tombe en arrière.

— Ouh là, j'ai la tête qui tourne.

J'ai fermé les yeux en attendant que le vertige se dissipe, me demandant si je n'allais pas rendre à nouveau. Mais non. « Pas à dire, mes endorphines, c'est du béton ! »

— Isa, tu es sûre que tu n'es pas commotionnée ?

— Bon... Oh, regardez la voiture.

Je me suis dirigée en titubant vers la Nissan emboutie qui gisait tristement contre le mur qu'on avait heurté. Le côté gauche de la voiture était en miettes. C'est toujours bizarre, quand on voit les dégâts, de penser qu'on a réussi à survivre.

— Vous me l'enlevez, ce manteau, oui ?

Elsa et Nancy s'étaient blotties l'une contre l'autre dans un coin. J'ai claqué des doigts – ceux que je pouvais encore bouger – et elles se sont précipitées vers moi. Au moins, elles avaient compris que c'était de nouveau moi qui tenais les rênes.

— Mon manteau ! Maintenant ! Et ne touchez pas mon bras ou je vous vomis dessus.

Je commençais à reprendre du poil de la bête. J'étais toujours en vie – un point positif ! – et je ne sentais plus mon bras. D'après leurs exclamations révulsées, Elsa et Nancy étaient à deux doigts de se sentir mal en déboutonnant mon manteau. Je n'ai pas bougé pendant que Nancy dégageait mon bras. Je me suis bien mordu la lèvre en sentant quelque chose craquer, mais j'étais trop fascinée par le truc qui sortait de ma manche pour m'en préoccuper.

— Bon, j'appelle une ambulance, Isa. (La voix de Nancy s'était réduite à un murmure.) Qu'est-ce que c'est que ce truc qui dépasse ?

Apparemment, mon coude s'était déplacé de plusieurs centimètres : quelque chose, sans doute un os, formait une énorme bosse sous ma peau.

— Ça va, je ne sens rien, ai-je répondu d'un ton jovial. Bon, c'est quoi, la suite ? Et ne me parlez pas des urgences, on est des fugitives recherchées.

— Je ne sais pas, a gémi Nancy, l'air désespéré.

— C'est pour ça que tu es condamnée à jouer les sous-fifres, Nancy, ai-je rétorqué d'un ton douce-reux. On est perdues dans un champ, alors j'imagine que personne ne peut nous voir de la route. Il va falloir appeler quelqu'un qui veuille bien nous recon-duire en ville.

Je les ai interrogées du regard : il était hors de question que je me tape tout le boulot.

— On pourrait téléphoner au frère de Nancy, a suggéré Elsa. Il nous ramènera chez nous.

Nancy a hoché la tête. Mes dernières paroles l'avaient un peu ébranlée :

— Oui, ça peut se faire.

Au-dessus de ma tête, les étoiles se sont mises à danser.

— Je ne peux pas rentrer chez moi. Il veut m'envoyer chez les cathos.

Et il le ferait. Avec ou sans bras estropié. Après m'avoir obligée à recoller ses livres un par un. Chaque fois que je songeais à ma vie qui avait pris l'allure d'une mauvaise blague, mes pensées se tour-naient invariablement vers Smith, parce qu'il était la seule personne capable de m'expliquer la chute.

Nancy avait déjà sorti son portable.

— Attends... C'est toi qui l'as appelé ? C'est toi qui as appelé Smith pour lui raconter ?

— Isa, je... Ce n'est pas le moment, d'accord ? Si tu savais à quel point je regrette...

Je l'ai coupée net dans ses excuses (et pourtant, quel événement historique !).

— Parce que si c'est toi, tu as toujours son numéro dans ton répertoire, et j'ai besoin de lui.

Nancy s'est recroquevillée dans son manteau. Tout à coup, elle paraissait plus petite.

— Je n'ai pas de réseau.

— Eh bien, tu n'as qu'à marcher jusqu'à ce que tu en aies.

— Je devrais peut-être appeler une ambulance...

— Ce n'est pas la peine. Si tu le fais, ils préviendront la police et... et je leur dirai que c'était ton idée. Tu as vu mon bras ? On dirait qu'un alien est prêt à sortir de là-dessous ! À ton avis, qui vont-ils croire ? Je veux Smith ! Appelle-le immédiatement et demande-lui de venir me chercher !

— Tout ce que tu voudras, Isa, a crié Nancy, exaspérée. (Mais je préférais encore lui inspirer de la haine que de la pitié.) Même avec un bras cassé et un traumatisme crânien, tu trouves encore le moyen de me donner des ordres et d'être désagréable !

— Quoi ! Tu es encore là ? ai-je tempêté, et elle s'est détournée brusquement, le portable brandi devant elle comme une baguette de sourcier. Et mon bras n'est pas cassé !

Elle s'est absentée pendant des lustres. Par bonheur, Elsa s'est montrée beaucoup plus coopérative. J'ai obtenu d'elle qu'elle me ramène mon sac après avoir jeté mon manteau à l'arrière de la voiture. Elle est revenue en courant avec une canette de bière dans chaque main.

— J'ai aussi trouvé ça ! s'est-elle écriée, haletante. Tu devrais peut-être en boire une ou deux gorgées pour te remettre du choc, puisqu'on n'a pas de cognac...

Je n'étais pas sous le choc. J'avais les idées claires, pour la première fois depuis longtemps : cet accident était l'occasion rêvée de récupérer Smith. Mais parce que j'avais cessé de « penser à ne pas penser » à mon bras, ma blessure s'est réveillée.

— Je dois avoir ce qu'il faut pour me brosser les dents dans mon sac.

Ce qu'Elsa m'a aidée à faire, avec un mélange de bière et de dentifrice : j'ai bien cru que j'allais me remettre à vomir. Puis elle m'a tenu mon miroir et, malgré l'obscurité, j'ai essayé de m'arranger un peu.

— Si je te mettais du rouge à lèvres ? a suggéré Elsa. Comme ça, peut-être qu'il ne remarquera pas la plaie sur ton front.

Quand Nancy est revenue, j'étais fin prête pour les retrouvailles avec Smith, et je descendais de la bière à grosses gorgées.

— Il vient te chercher, a-t-elle lancé avant même que je puisse formuler la question. Et, oui, il est toujours très en colère contre toi et... tu ne devrais pas boire !

— Je suis sous le choc, ai-je répliqué d'un air hautain.

Je m'épuisais à tenter d'ignorer la douleur. Peut-être que l'alcool me donnerait un coup de main. Ça ne pouvait pas me faire de mal, de toute façon.

— Si tu meurs parce que tu as bu alors que tu avais un traumatisme crânien, il ne faudra pas venir pleurer, a déclaré Nancy.

— Je pourrai venir te hanter dans ta chambre, je déplacerai tes meubles et j'écrirai sur les murs avec mon sang.

Ah, comme au bon vieux temps ! Au moins, quand je persécutais Nancy, je ne pensais pas à mon bras.

— Trouvez-moi une cigarette.

Il a fallu franchir le fossé qui séparait le champ de la route. L'opération s'est avérée éreintante. Je ne voyais pas où je mettais les pieds et je trébuchais sans arrêt. Pour finir, Elsa m'a poussée pendant que Nancy me tirait en avant, et j'ai réussi à atteindre le bord du bitume, la canette toujours à la main. De nouveau, j'ai été prise de vertiges mais, cette fois, ça n'avait rien d'agréable.

— Il faut que je m'asseye.

Ma voix me parvenait tel un bourdonnement lointain.

— Non, tu vas rester debout jusqu'à ce que ton abruti de copain débarque, a répondu Nancy en croisant les bras. Brrr, ça pèle, ici.

Le froid venait s'ajouter au reste.

— Je pourrais m'allonger un peu sur le bas-côté, ai-je marmonné comme pour moi-même.

— Tu as l'air bizarre, Isa, a dit Elsa en me dévisageant. Tu es toute pâle. Tu devrais peut-être boire un coup de plus.

Nancy m'a arraché la canette des mains.

— Elle ne boira plus une goutte ! Soutiens-la !

Elles se sont postées chacune d'un côté pour m'éviter de tomber. Je tanguais un peu et la douleur qui se propageait dans mon bras m'arrachait des gémissements. Il n'y avait rien d'autre à faire qu'attendre, le regard braqué sur la route chaque fois que des phares apparaissaient au loin. Une voiture s'est arrêtée, mais c'était juste un vieux monsieur qui voulait s'assurer que tout allait bien. Nancy s'est chargée de l'envoyer paître.

C'était plus que je n'en pouvais supporter : à la douleur atroce s'ajoutait la certitude que Smith ne viendrait pas. Puis j'ai entendu un faible coup de klaxon et une voiture est apparue en haut de la colline, nous aveuglant de ses phares.

— C'est lui, ai-je murmuré. Ça va, j'ai l'air présentable ?

Nancy a eu un ricanement incrédule, mais Elsa a pris la peine de me lisser les cheveux.

— Tu es superbe, a-t-elle répondu sans une once de sincérité dans la voix.

J'ai fait un pas en avant – pour ne pas qu'il s'aperçoive qu'Elsa et Nancy me soutenaient – et j'ai attendu patiemment qu'il ouvre sa portière et s'extirpe de son siège.

— Si c'est une de tes blagues tordues et que tu as juste besoin d'un chauffeur pour te ramener en ville, je te laisse en plan ici, a-t-il lancé avec colère.

Il a contourné la voiture sans même m'accorder un regard.

J'ai agité les doigts de ma main valide.

— Salut, toi.

Je croyais qu'Elsa et Nancy avaient réussi à me rendre forme humaine mais, en entendant ma voix, il a levé la tête, et il a dû s'appuyer à la voiture.

— Nom de Dieu, a-t-il grommelé en se tournant vers Nancy. Tu m'as dit qu'elle allait bien.

— Je t'ai dit qu'elle n'allait pas trop mal, a répliqué Nancy d'un ton hautain. Écoute, il faut que tu la persuades d'aller à l'hôpital.

— C'est vraiment grossier de parler de moi comme si je n'étais pas là, ai-je reproché à Elsa, qui m'a donné une petite tape réconfortante sur l'épaule (la valide...).

— Monte dans la voiture, a ordonné Smith en ouvrant d'un geste brusque la portière côté passager.

— Pourquoi es-tu si furieux contre moi ? ai-je gémi en me serrant contre Elsa.

Il m'a jeté un coup d'œil méprisant qui m'a fait regretter le moment où il ne me regardait pas.

Un klaxon a retenti. Nancy m'a lâchée brutalement, j'ai dû me rattraper à la manche d'Elsa.

— C'est mon frère. Viens, Elsa.

Elsa a poussé un soupir de soulagement.

— Faut que j'y aille, Isa. Maintenant que Smith est là, il va sans doute accepter de s'occuper de toi, m'a-t-elle dit d'un air peu convaincu, avant de se tourner vers Smith : Tu peux venir la chercher ? Je crois qu'elle va tomber dans les pommes.

Le visage fermé, Smith s'est avancé vers nous.

— Tu n'iras nulle part tant que tu ne m'auras pas aidé à l'installer dans la voiture, a-t-il menacé.

Visiblement, Elsa n'avait pas envie de s'attarder dans les parages : elle m'a traînée par le bras avec une hâte indécente, m'arrachant un gémissement de douleur à chaque pas.

— Arrête de la secouer, a protesté Smith.

Il m'a installée sur le siège avec mille précautions, avant de refermer doucement la portière. Puis il a dit quelque chose à Elsa, qui a éclaté en sanglots avant de s'enfuir en courant.

Je me suis laissée aller contre l'appui-tête, la main sur mon cœur qui battait la chamade, et j'ai fermé les yeux tandis qu'il montait à son tour dans la voiture. J'ai entendu un léger clic m'indiquant qu'il venait d'allumer le plafonnier. Puis j'ai senti ses doigts sur mon visage, qui me forçaient à relever la tête et écartaient les mèches collées sur mon front.

— Ça m'a l'air profond, je crois qu'il te faut des points de suture, a-t-il déclaré d'un ton calme. Où est-ce que tu as mal ?

Au prix d'un effort surhumain, j'ai ouvert les yeux

et j'ai levé la main pour le toucher. Mais il était trop loin de moi.

— Ramène-moi chez toi. J'ai juste besoin de dormir. Je suis si fatiguée.

— Où est-ce que tu as mal, Isabel ? a-t-il répété, laconique.

— Mon bras.

Il a baissé les yeux et je l'ai vu blêmir. Moi-même, je n'avais plus le courage de regarder : en fait, l'amputation m'apparaissait de plus en plus comme une éventualité.

— Il est cassé, a-t-il fini par dire. En cinquante endroits différents, apparemment. Bon, j'appelle ton père parce que j'imagine que ça n'a pas été ton premier réflexe. Ensuite, je t'emmène à l'hôpital. Rappelle-moi ton numéro.

— Non.

— Tu es vraiment incroyable, tu sais !

Il s'est penché vers moi pour boucler ma ceinture en s'efforçant de ne pas me heurter le bras, et j'ai senti son souffle sur ma joue, doux comme un baiser.

— D'accord, je t'ai menti à propos de tout ou presque, mais quand je t'ai dit que je t'aimais, je le pensais. Je le pense toujours.

— Je vais mettre ces mots sur le compte du traumatisme. Je t'emmène à l'hôpital, et ce n'est pas négociable. Pour le reste, on verra plus tard.

— OK. Promets-moi juste de ne pas te mettre en colère.

Pour toute réponse, il a tourné la clé de contact.

Je ne me souviens pas bien du trajet jusqu'à l'hôpital ; seulement, chaque fois que je parvenais à émerger, il avait la main sur mon genou : il me tenait éveillée, me parlait sans arrêt, me posait des questions stupides et me secouait si je ne répondais pas.

Puis je suis restée un moment seule dans la voiture, à lutter contre la fatigue et la souffrance. Ensuite, je me suis retrouvée sur un chariot qu'on poussait le long d'un couloir éclairé, les lumières au plafond défilant à toute allure. Quelqu'un m'a cogné le bras et j'ai poussé un cri étouffé. La clarté aveuglante m'a obligée à fermer les yeux.

Quand je les ai rouverts, un médecin était en train de m'ausculter.

— Ah, te voilà de retour parmi nous ! Bon, j'ai besoin de savoir exactement ce que tu as trafiqué.

J'étais peut-être une incurable menteuse mais le médecin du Royal Brighton Hospital, lui, n'était pas né de la dernière pluie. Il n'a pas avalé un seul de mes bobards. Ni l'histoire de la chute de vélo, que j'avais bricolée sur l'impulsion du moment, ni mes dix-huit ans au compteur, rien.

Une seringue pleine à la main, il s'est refusé à m'administrer un analgésique sans autorisation parentale.

— J'ai dix-huit ans ! Qu'est-ce que vous ne

comprenez pas dans cette phrase ? ai-je protesté, et il a échangé un regard exaspéré avec l'infirmière.

— Je ne te donne rien tant que tu ne m'as pas dit la vérité.

J'allais opter pour une autre version – celle de la gamine SDF –, quand Smith a écarté le rideau.

— Je suis son frère, a-t-il certifié d'une voix blanche. Nos parents sont partis en croisière, vous tenez vraiment à gâcher leur vingt-cinquième anniversaire de mariage ?

Je n'ai même pas eu de remords à l'idée d'avoir entraîné Smith dans mes déplorables ténèbres : grâce au contenu de la seringue, je ne sentais plus rien. Seul mon cœur me causait encore des souffrances.

Ils m'ont fait passer des radios, puis ils m'ont conduite en salle de soins. Là, deux médecins ont remis mon coude en place avant de m'entourer le bras de gaze et de s'attaquer au plâtre. Durant tout ce temps, Smith ne m'a pas quittée mais, à le regarder, on voyait bien qu'il aurait préféré se trouver à l'autre bout du monde. Un mur infranchissable semblait nous séparer désormais.

Il ne restait plus qu'à soigner la blessure de mon front et à remettre une ordonnance à Smith.

— Je veux que tu passes la nuit ici en observation. Est-ce que ça te paraît possible ? m'a demandé le médecin, tandis qu'une des infirmières allait me dénicher une veste aux objets trouvés.

J'ai secoué la tête avec véhémence. Smith, affalé dans un fauteuil, lui a expliqué d'un ton calme :

— Elle n'écoute jamais personne. On s'habitue, à force.

— J'aimerais juste rentrer chez moi, ai-je dit en descendant du chariot. (Puis j'ai ajouté poliment :) Merci de vous être occupé de moi.

— Oh, pas de quoi, a-t-il répondu d'un ton sec. J'espère que vos parents profitent bien de leur croisière.

Je n'ai pas osé répliquer. Smith s'est levé et il m'a prise par l'épaule. C'était de lui, et seulement de lui, que j'avais besoin.

26

Je savais, d'après la pendule accrochée au mur de la cafétéria de l'hôpital, qu'il était 2 h 27, et pourtant j'avais l'impression qu'il était beaucoup plus tard. J'étais très énervée, comme lorsqu'on est rompu de fatigue et qu'on n'arrive pas à s'endormir.

Sur le mur en face de moi, un miroir me narguait : je n'avais pas d'autre choix que de contempler mon reflet. J'avais l'air de quelqu'un qui vient de réchapper d'un accident de voiture. Mes cheveux étaient poissés de sang, j'avais un teint de cendre et les yeux cernés. Sans parler de toutes les petites égratignures sur mon visage, de l'horrible balafre sur mon front et de la vilaine croûte sur ma joue.

Me forçant à détourner les yeux, j'ai regardé Smith venir vers moi avec un plateau chargé de douceurs. Un spectacle nettement plus réjouissant pour les yeux !

Smith a posé une tasse devant moi, puis il a désigné la nourriture empilée sur le plateau :

— Qu'est-ce qui te ferait plaisir ? Biscuits ? Chips ? Les muffins ont l'air pas mal...

— Un thé, ça ira, ai-je répondu en portant la tasse à mes lèvres. (J'ai fait la grimace.) Berk ! D'accord, j'aime le sucre, mais combien en as-tu mis là-dedans ?

Il a esquissé un sourire.

— Je me suis arrêté de compter à six. Il paraît que c'est bien pour se remettre après un choc, le thé sucré.

— Je ne suis plus sous le choc. La réalité m'est revenue en pleine poire. (Je me suis tue un instant.) Et ça fait mal.

— Tu as toujours mal au bras ? (Il semblait si inquiet que j'aurais presque pu le croire sincère.) Et ce truc sur ta joue... (Smith a montré du doigt ma blessure de hockey, qui commençait à cicatriser.) Ça ne t'est pas arrivé ce soir, pas vrai ?

— Je me suis blessée en cours de sport. Je voulais te demander...

— Et Molly m'a dit qu'elle t'avait vue cet après-midi.

J'avais l'impression que des siècles s'étaient écoulés depuis.

— Oh... Elle m'est tombée dessus au mauvais moment, ai-je répondu avec prudence, soudain tiraillée par une nouvelle angoisse.

Elle avait dû rentrer en courant pour faire à Smith un compte rendu détaillé de notre conversation.

Si c'était le cas, il n'en montrait rien.

— Elle est désolée d'avoir déchiré ton manteau, au fait.

— Il en a vu d'autres, depuis.

J'ai frissonné à la seule pensée de mon pauvre manteau couvert de vomissures à l'arrière de la voiture défoncée.

— Alors on va continuer sur le même mode ? m'a demandé Smith tout à coup, l'air résolu.

— De quoi tu parles ?

J'ai déchiré l'emballage d'un paquet de biscuits avec mes dents. Je me sentais encore nauséeuse, mais mâcher quelque chose m'éviterait de parler.

— Toujours la même... Tu es douée pour éluder. Répondre à une question par une autre.

— J'en ai peur, ai-je confirmé tristement.

Comme c'était bon d'être assise en face de lui, de contempler la courbe de sa lèvre inférieure et le battement de ses cils, d'avoir toute son attention !

— Pourquoi as-tu menti pour moi ?

— Parce que tu souffrais, que tu avais besoin d'un calmant, et qu'il n'était pas disposé à t'en donner.

Il se souciait donc toujours de moi ? Ou bien s'était-il dit que, plus vite ils me soigneraient, plus vite il se débarrasserait de moi ?

— Merci. Je suis désolée de t'avoir embringué dans cette histoire... je ne savais pas qui d'autre appeler.

— Pas de quoi, a-t-il répondu simplement.

Pour me donner contenance, j'ai grignoté le bord d'un biscuit chocolaté qui avait un goût de carton.

Je savais que je ne faisais que retarder l'inévitable. Il finirait de toute façon par me laisser. Peut-être accepterait-il de me déposer quelque part, mais il n'avait aucune envie de rester avec moi. Il ne supportait pas de se trouver dans la même pièce, d'où son air contrarié et ses doigts qui jouaient nerveusement avec les sachets de condiments.

— Excuse-moi, ma belle.

J'ai levé les yeux. Son visage m'était vaguement familier, pourtant je l'ai reconnue à son accent irlandais, à peine perceptible, qui m'a fait l'effet d'un coup de poing dans l'estomac.

— Oh, bonjour, ai-je marmonné à contrecœur.

— Tu t'es cassé le bras ? Ma pauvre. Et comment vont ton père et ton petit frère ?

— Ils vont bien. Tout le monde va bien.

Je sentais que Smith nous écoutait avec le plus grand intérêt. Comme s'il venait de trouver une autre pièce du puzzle. Elle a pris la chaise près de la mienne. Mon Dieu.

— Il me reste cinq minutes avant la fin de ma pause, a-t-elle déclaré, et j'ai eu envie de la frapper au visage – son expression stupide et bienveillante. On a le temps de bavarder un peu. C'est ton petit copain ?

Smith et moi nous sommes écriés en chœur :

— Non !

Mais j'aurais préféré qu'il n'y mette pas tant de véhémence.

— C'est juste un copain.

Smith a levé sa tasse en guise de salut et l'infirmière – comment s'appelait-elle, déjà ? Mary ? Margie ? Maggie ? – m'a lancé une œillade conspiratrice, sans doute persuadée qu'elle venait d'interrompre une querelle d'amoureux.

— Je m'appelle Marie, a-t-elle dit à Smith. Je me suis occupée de la maman de cette jeune demoiselle cet été, pas vrai, mon chou ?

— Je m'appelle Smith. (Ils ont échangé une poignée de main solennelle.) Je me suis occupé d'Isabel cet automne.

Puis il m'a fait un clin d'œil, comme s'il savait que j'avais besoin d'être furieuse contre lui, rien qu'un peu, pour supporter la présence de Marie.

— J'ai pensé à toi, a-t-elle repris en me tapotant la joue. Tu étais dans un état ! Je n'ai jamais rien vu de pareil.

— Mmm, ai-je marmonné en poussant ma chaise de côté pour ne pas voir son air apitoyé.

— Je ne voulais pas t'embêter, a poursuivi Marie en croisant les bras sur sa large poitrine. Mais nous avons tous eu beaucoup de peine pour toi. Perdre sa maman comme ça... Sans parler de ton petit frère, pauvre chéri, j'ai cru qu'il ne s'arrêterait jamais de pleurer.

— Il a pleuré pendant des semaines, ai-je répondu, me remémorant Félix, le corps secoué de sanglots.

— Et toi, tu n'as pas pleuré du tout, mon chou. On s'est fait beaucoup de souci.

Je n'avais aucune envie de raviver ces horribles souvenirs. Cet hôpital n'avait donc pas enseigné le tact à son personnel ?

— Moui, bon, vous n'allez pas être en retard ?

Elle n'a pas eu l'air de le prendre trop mal parce que madame était du genre compréhensive. Elle m'a adressé un sourire entendu et elle s'est levée.

— Fais attention à toi, ma puce. Et soigne bien ton bras.

— Ravi de vous avoir rencontrée, a lancé Smith, voyant que je n'avais pas l'intention d'ouvrir la bouche.

J'ai attendu qu'elle s'éloigne en se dandinant, puis j'ai repoussé ma tasse à moitié pleine et je me suis levée.

— Je déteste cet endroit, il faut que je sorte d'ici. J'ai besoin d'air.

Il m'a rattrapée à la sortie. Je marchais plutôt vite pour une fille estropiée avec le bras dans le plâtre.

— Isa ! Attends une seconde ! a-t-il supplié.

Il m'a retenue par le poignet et m'a entraînée vers une rangée de chaises vides.

Si vous décidez de frapper quelqu'un avec votre plâtre, dites-vous que vous aurez beaucoup plus mal que lui. Je ne le recommande pas.

— Je ne plaisante pas ! ai-je crié en luttant pour me dégager.

Je n'ai pas pris la peine de baisser la voix, malgré le regard éberlué des deux femmes de ménage qui passaient la serpillière dans le couloir.

— Je ne supporte pas cet endroit !... L'odeur. Les murs, j'ai l'impression qu'ils se referment sur moi.

— Arrête ! m'a ordonné Smith. Arrête et viens ici.

Il m'a fait asseoir et m'a serrée fort contre lui pour m'empêcher de me débattre. Je me suis calmée instantanément. Voilà si longtemps qu'il ne m'avait pas touchée ainsi. Mais ses mots n'étaient pas aussi doux que ses mains. D'un geste délicat, il m'a fait tourner la tête, et je n'ai pas eu d'autre choix que de plonger mon regard dans le sien.

— Maintenant, tu vas tout me dire. Ou je m'en vais et tu ne me reverras plus jamais.

Alors je me suis lancée. C'était difficile, au début. J'étais comme rouillée. Pourtant, au fur et à mesure, ma langue s'est déliée. J'ai commencé par des broutilles. L'école. Le passage de mon statut de persécutée à celui de persécutrice et inversement. La maison, qui était devenue Guantanamo, les brochures, mes exploits dans le bureau de mon père, raison pour laquelle je ne pouvais plus rentrer.

À croire que Smith s'était débrouillé en douce pour que le médecin m'injecte un sérum de vérité. Je lui ai même parlé de Rob – sa main s'est crispée sur mon épaule, mais il n'a rien dit. Il m'a laissée poursuivre mon monologue et j'avais l'impression de creuser ma propre tombe.

— ... je l'ai menacée jusqu'à ce qu'elle accepte de t'appeler. Et tu es venu. C'est tout, ai-je conclu tristement, la gorge sèche.

— Non, ce n'est pas tout.

Il m'a obligée à le regarder pour s'assurer que je ne me déroberais pas.

— Tu ne m'as pas parlé de ta mère.

— S'il te plaît, non... ai-je supplié en fermant les yeux pour ne plus le voir.

— Raconte-moi.

Ce que je me rappelais le plus, c'était le bip du moniteur et les chiffres clignotants qui correspondaient à son rythme cardiaque et à sa pression sanguine. Des goutte-à-goutte contre le lit. Un pour les médicaments, un pour les fluides, et un troisième contenant un liquide brunâtre dégoûtant relié par un tube à son estomac.

Elle ne pouvait pas se nourrir parce qu'elle refusait de se réveiller. Mais elle ne dormait pas vraiment. Le sommeil, c'est paisible. Pas pour elle. On lui avait ouvert grand la bouche pour l'intuber, ses yeux nous regardaient sans nous voir, bien qu'on ait persuadé Félix du contraire.

On avait raconté un tas de bêtises à Félix. Notamment, qu'elle pouvait l'entendre quand il lui disait : « Je t'aime. » Et que, au cours de ses crises quotidiennes, elle lui serrait fort la main parce qu'elle avait conscience de sa présence.

À mon avis, elle ne sentait rien. Elle était déjà partie, et tout ce qui restait d'elle, c'était ce corps devenu un champ de bataille, qui luttait à chaque minute, à chaque seconde.

Félix et papa... Ils me faisaient penser à cette phrase dans Peter Pan, « Si vous croyez aux fées, frappez bien fort dans vos mains. » Ils semblaient tellement sûrs qu'elle s'en tirerait. Même quand ses reins ont faibli et que son foie a lâché : son joli visage a pris une teinte jaune horrible qui contrastait avec ses bleus violacés.

Les médecins voulaient qu'on signe un certificat de non-réanimation. Il a répondu, très calmement, qu'ils lui demandaient de signer l'arrêt de mort de sa femme. Il n'a jamais voulu. Pourtant, les chiffres sur les moniteurs continuaient de baisser et les crises devenaient plus fréquentes. Elle n'ouvrait pas les yeux.

Je n'avais plus la force de rester dans le service des soins intensifs. Je ne pouvais pas la regarder mourir. Alors je traînais dans les salles d'attente réservées aux familles, avec leur moquette gris sale et leurs murs imprégnés de nicotine. Marie m'apportait des piles de magazines et je passais mes journées à les feuilleter, à remplir toutes les grilles de mots croisés que je pouvais trouver avec un stylo baveux prêté par Félix. Sur un mur trônait la photo minable d'un coucher de soleil, accompagnée d'un verset de la Bible en lettres cursives : « Il y a un temps pour tout, un temps pour toute chose sous les cieux. »

Il était venu s'asseoir, la tête dans les mains, après une autre prise de bec avec les médecins. Je lui ai lu le verset à voix haute et j'ai ajouté :

— C'est inutile et cruel, ce que tu fais. Elle ne veut plus continuer, tu dois la laisser partir.

Que j'aie raison ne me procurait aucune satisfaction. Il m'a emprunté le Bic qui faisait des pâtés, parce qu'il avait laissé son stylo-plume à la maison, et il a signé le certificat d'un geste furieux, le regard perdu dans le vague.

Mais il continuait d'espérer. Désormais, mon univers se résumait à des repas expédiés en hâte, achetés dans le premier boui-boui en sortant de l'hôpital. Des heures de sommeil grappillées ici et là. Des vêtements froissés piochés dans le panier à linge. Des cigarettes fumées en douce devant l'entrée des visiteurs et des paquets de chewing-gums dérobés à la boutique de l'hôpital. La sonnerie continuelle du téléphone : sa pression sanguine augmentait, ses examens sanguins étaient mauvais... « On appelait juste pour savoir comment va Faith, vous avez des nouvelles ? »

Papa s'était absenté pour rencontrer le doyen de l'université quand les chiffres sur le moniteur ont brusquement chuté. Ils m'ont dit d'aller m'asseoir auprès d'elle et de lui tenir la main : ils affirmaient encore qu'elle pouvait entendre ma voix, qu'elle sentait ma main se cramponner à ses doigts tandis que son corps était parcouru de spasmes. J'ai dû insister auprès de Marie pour qu'elle lui fasse une injection.

Félix a poussé les battants de la porte, débraillé, la cravate défaite.

— Est-ce qu'elle est... ?

— Non, elle est toujours là.

Fébrilement, il s'est mis en quête d'une chaise. Ils manquaient toujours de chaises, à l'hôpital. Pendu à mon bras, le visage enfoui contre mon épaule, il pleurait à chaudes larmes.

On était tous les trois assis auprès d'elle, tels les trois singes de la sagesse, avec les rideaux tirés et le bip du moniteur qui s'emballait de temps à autre. Une infirmière venait alors le régler. Et puis rien.

Les diagrammes continuaient de baisser. Le docteur est venu nous annoncer que les reins et le foie ne « fonctionnaient » plus, et que son cœur ne tiendrait pas le coup. Je ne la reconnaissais même plus. Elle n'était désormais qu'un corps inanimé, presque mort.

J'ai entendu deux personnes rire derrière le rideau et parler de leurs projets pour le week-end. Détournant les yeux du moniteur, je m'étais levée pour aller leur dire de la fermer, parce que quelqu'un était en train de mourir et qu'on s'en fichait pas mal de leur tournoi de bowling, quand la machine a émis un bip continu.

Un son horrible. Pas le pire, cependant : il a commencé à gémir, une plainte qui semblait lui vriller le ventre, puis il a pris son corps brisé, sans vie, dans ses bras et il s'est mis à sangloter.

— Ma chérie, mon amour, mon amour, ne me laisse pas.

Félix, recroquevillé au pied du lit, pleurait lui aussi. Puis les médecins, les infirmières sont accourus mais il était trop tard.

Je ne pouvais en supporter davantage. J'ai poussé de toutes mes forces les deux battants de la porte qui ont heurté le mur avec un gros bang. Le couloir désert était jalonné d'autres portes que j'ai poussées avec la même fureur. Ce n'était pas assez. Devant la salle d'attente réservée aux familles, j'ai fait voler une rangée de chaises soigneusement alignées.

Je ne ressentais rien d'autre qu'une rage aveugle, suffocante, impossible à contenir, qui me donnait envie de hurler et de briser tout ce qui m'entourait.

Mais en sortant du service de soins intensifs, je n'avais nulle part où aller. Alors je me suis blottie dans un coin, derrière les ascenseurs. C'est là que Marie m'a trouvée, une heure plus tard, en train de taper des poings contre le mur.

— Elle m'a ramenée dans la salle d'attente où papa et Félix patientaient pendant qu'on lavait le corps. Je me suis assise à côté de lui, incapable de parler. Je savais que si j'ouvrais la bouche, je me mettrais à hurler et il n'y aurait plus moyen de m'arrêter. Il était voûté sur sa chaise, je me souviens avoir noté qu'il ne s'était pas rasé depuis des jours. Il s'est tourné vers moi et, baissant la voix pour ne pas que Félix l'entende, il m'a dit : « Je ne te pardonnerai jamais. »

Smith était resté silencieux jusque-là, serrant mes doigts dans les siens. Soudain, il m'a lâché la main et j'ai eu l'impression de partir à la dérive.

— Pourquoi ? Parce que tu lui as fait signer ce certificat ?

J'ai frissonné dans ma veste d'emprunt, une veste horrible, d'un vert bilieux.

— J'imagine. Ce n'était pas vraiment le moment de lui demander d'entrer dans les détails. (Je me suis redressée sur ma chaise.) Bon, c'est mon tour, maintenant.

— Ton tour pour quoi ? Tu veux un mouchoir ou tu t'obstines encore à ne pas vouloir pleurer ?

— Ne change pas de sujet.

S'il pensait qu'il allait avoir droit à des larmes en plus du reste, il se fourrait le doigt dans l'œil.

— C'est mon tour d'exiger un peu d'honnêteté de ta part !

— J'ai été honnête avec toi ! a-t-il protesté avec indignation.

Je n'allais pas le laisser s'en tirer à si bon compte.

— Est-ce que tu as mis une fille enceinte, l'obligeant à se faire avorter ? C'est vrai que tu t'es tapé la moitié du campus ? Est-ce qu'à un seul moment tu as vu autre chose en moi qu'une fille facile, une doublure de Molly, une... ?

J'aurais pu poursuivre indéfiniment, sauf qu'il a mis la main devant ma bouche.

— Tu comptais bien plus que ça et tu le sais, alors ne va pas salir ce qu'on a vécu ensemble, a-t-il averti d'un ton brusque. Si j'enlève ma main, tu promets de te taire et de m'écouter ? Bon. J'aime Molly. Je sais que je n'ai aucune chance, mais elle est mon amie, je tiens beaucoup à elle, et si tu ne comprends pas, c'est ton problème. D'autre part, malgré tout ce que tu m'as fait subir, Isa, je tiens beaucoup à toi aussi, même si je t'ai dit le contraire, l'autre jour, dans le parc. Alors je ne vais pas t'aider à te foutre en l'air.

J'ai ouvert la bouche pour protester mais il a levé la main.

— Merci, a-t-il lancé d'un ton ironique en me voyant faire la moue. Comme je le disais, trouve-toi quelqu'un d'autre pour ça. Tu mérites mieux que moi. Vraiment. (Il a esquissé un sourire.) OK, maintenant, tu peux parler.

— Je ne veux personne d'autre que toi, tu ne vois donc pas ? me suis-je lamentée, d'une voix si forte qu'on a dû m'entendre de l'autre côté de la Manche. Mais toi, tu me détestes !

— C'est faux...

— Et je me fiche bien de ce que pensent mes soi-disant copines, ça n'a jamais été un problème. Quant à toutes ces histoires, qu'elles soient vraies ou non, elles ne m'ont pas arrêtée, si ? Je t'aimais quand même.

Je n'aurais jamais cru ça possible : il a souri et a passé un bras autour de mes épaules.

— Isa, je ne sais pas qui t'a raconté ça mais je ne suis pas le Casanova de bas étage que tu t'imagines. Désolé.

— Je ne te crois pas. Tu as dit que tu ne voulais pas d'une relation sérieuse...

— Oui, parce que tu passais ton temps à souffler le chaud et le froid. Tu n'avais pas vraiment l'air de chercher une relation sérieuse. Et d'un coup, tu me déclares ta flamme et tu piques une crise parce que je ne réponds rien. J'aurais dû me douter que tu avais seize ans : tu te comportais comme une fille de cet âge-là.

C'était moche de sa part de déformer ainsi la réalité, surtout que je n'étais pas en état de lutter.

— Quand vas-tu cesser de m'en vouloir pour ces mensonges idiots que je regrette plus que tout au monde ?

On en était réduits à se renvoyer la balle et, juste au moment où j'ai cru que j'avais l'avantage, Smith m'a caressé la joue. Parce que je suis très douée dès qu'il s'agit de faire ce qu'il ne faut pas, je me suis penchée pour l'embrasser. Mais apparemment, m'embrasser n'était pas dans ses projets. Il a préféré porter le coup final :

— Et quand vas-tu cesser de haïr ta mère parce qu'elle est partie quand tu avais le plus besoin d'elle ?

Il a dû croire qu'il avait gagné : jeu, set et match. C'était mal me connaître.

À mon tour, je lui ai caressé la joue et d'une voix suave, je lui ai dit :

— Va te faire foutre.

J'ai profité de sa surprise pour le gifler à toute volée. Il a touché sa joue rougie, l'air hébété, puis il a fermé les yeux comme sous le poids d'une grande fatigue.

— Tu sais quoi, Isabel ? Tu fais tout ton possible pour qu'on te déteste.

27

Je ne crois pas m'être jamais trouvée aussi détestable qu'à ce moment précis. Soudain, je me suis sentie moche, au sens propre et au sens figuré.

Smith s'est déplacé d'un siège pour s'assurer que je ne le toucherais pas, même par accident. Puis il a bâillé longuement, comme si le pauvre drame qui s'était joué dans la dernière demi-heure l'avait épuisé.

J'ai jeté un coup d'œil à la pendule. Il était près de trois heures et demie du matin.

— Il se fait tard, ai-je marmonné. Tu devrais t'en aller.

J'avais appris ma leçon, désormais : déballez vos secrets les plus intimes devant les gens, et ils s'en servent pour vous poignarder dans le dos. D'abord Dot, maintenant Smith...

Il a grimacé :

— Tu serais trop heureuse que je te laisse en plan

ici, pas vrai ? Histoire de jouer encore un peu plus les martyrs, au lieu de demander de l'aide.

— Je n'ai pas besoin de ton aide. Je n'ai besoin de personne.

— C'est ça. Sans moi, tu serais encore sur le bord de la route avec une fracture multiple. (Il a poussé un soupir résigné.) Allez, je te ramène.

Il comptait me ramener où, au juste ? Bonne question. Je pourrais peut-être...

— Avant que tu n'émettes l'idée, je ne te ramène pas chez moi.

Smith semblait savoir lire dans mes pensées maintenant – ce qui m'aurait suprêmement agacée, si j'en avais eu l'énergie. L'effet des médicaments commençait à se dissiper, l'adrénaline était retombée, je touchais le fond.

En fait, je n'aurais pas pu me trouver plus bas. J'avais mal à des endroits dont j'ignorais l'existence jusque-là. Le crâne m'élançait, j'avais les yeux secs et un goût affreux, métallique dans la bouche, que tous les chewing-gums de la terre n'auraient pas réussi à faire passer.

Le début d'un projet me trottait en tête – peut-être pas le meilleur qui soit, mais au moins, je ne serais pas obligée de rentrer chez moi ni de supporter les observations pertinentes de Smith sur ma psyché.

— Où allons-nous, princesse ? a-t-il demandé, l'air impatient, en agitant ses clés de voiture tandis que je me levais tant bien que mal pour gagner la sortie.

— Je vais me dénicher un hôtel en ville, ai-je répondu d'un ton de défi. Avant que tu t'énerves, et bien que ce ne soient pas tes oignons, sache que j'appellerai mes grands-parents à Londres dans la matinée pour leur demander de venir me chercher. Alors, satisfait ?

— Non, a-t-il répliqué en me tenant la porte. Mais bon, on fait la paire.

J'ai ressenti un énorme soulagement en me laissant tomber sur le siège passager, pourtant très inconfortable, de sa voiture. J'ai fermé les yeux au moment où il démarrait et je me suis laissé bercer par le ronronnement régulier du moteur.

— Réveille-toi, Isa. On est arrivés, a dit Smith en me poussant du coude. Promets-moi de ne pas me trucider.

— Trop fatiguée... ai-je marmonné en me pelotonnant un peu plus contre le siège. J'espère que tu m'as trouvé un bon hôtel.

J'ai ouvert les yeux et commencé à me débattre avec la ceinture de sécurité, mais Smith a retenu ma main. Il s'est mordu la lèvre, l'air inquiet.

— Hé, je vais bien, l'ai-je rassuré en m'efforçant de contenir le tremblement de ma voix. Je t'ai dit des choses, tu m'as dit des choses, j'ai vécu la plus longue nuit de ma vie, admettons qu'on n'est pas d'accord, point.

— Je suis désolé... Je fais ça pour ton bien.

Il n'avait pas juste l'air inquiet, il l'était réellement. J'ai tourné la tête : derrière moi, j'ai vu ma maison éclairée, la porte d'entrée ouverte et une voiture de police garée devant chez nous.

— Comment as-tu pu ?

Ma gorge s'est serrée : je venais d'apercevoir un homme, debout sur le perron, qui se protégeait les yeux de la lumière du porche et regardait vers la rue.

Smith a ouvert la portière pour m'aider à sortir. J'ai obéi sans broncher et me suis dirigée vers la silhouette sombre qui se tenait sur le seuil de la maison.

— Il va me tuer, ai-je chuchoté. Il va me couper en rondelles et, ensuite, il me fichera dehors.

— Je viens avec toi, tout va bien se passer, m'a assuré Smith.

Il se trompait : mon père a descendu les marches, il s'est avancé vers nous dans l'allée, et je me suis servie de Smith comme d'un bouclier humain.

— Isabel ! a tonné mon père.

J'ai senti mes entrailles se liquéfier. Il nous a rejoints en trois grandes enjambées, l'air fou de rage : si Smith ne m'avait pas tenu la main, j'aurais décampé dans la direction opposée.

Je m'attendais à l'Inquisition. Mais elle n'a pas eu lieu. Il est resté là à m'observer, et le dégoût se lisait sur son visage. Si le mépris avait le pouvoir de ratatiner les gens, j'aurais fini dans le sac de l'aspirateur.

— Qu'est-ce que tu as encore fichu ? a-t-il demandé calmement.

J'aurais préféré qu'il crie ; en entendant sa voix rauque, insensible, mon sang n'a fait qu'un tour.

— Donne-moi une seule bonne raison de te laisser passer cette porte.

Il m'a prise par le bras – mon bras cassé –, dans le but, sans doute, de m'enfermer lui-même dans la voiture de police. J'ai poussé un gémissement de douleur et il m'a lâchée. Smith s'est interposé.

— Monsieur, je m'appelle Atticus Smith, a-t-il dit poliment en tendant la main. Je suis un ami d'Isabel.

Et j'ignore si c'était l'expression ahurie de mon père serrant la main de Smith ou toute cette histoire de prénom, mais j'ai commencé à glousser et bientôt, j'étais pliée en deux.

— Je crois qu'elle est encore sous le choc, a expliqué Smith avec le plus grand sérieux.

Je me suis redressée en hoquetant un peu. Tant que je ne croisais pas le regard de mon père, tout irait bien.

Je n'ai pas eu à le faire, parce qu'à ce moment-là une femme en uniforme s'est avancée vers nous avec un objet à la main, tandis que Félix, en pyjama, risquait un œil à la fenêtre du rez-de-chaussée.

— J'imagine qu'il s'agit d'Isabel ? a demandé la femme à mon père.

— Oui, oui, a-t-il répondu d'un ton accablé, comme à regret. Elle est rentrée.

Elle a brandi l'objet qu'elle tenait à la main : un bout de tissu rouge et trempé dans un sac plastique transparent.

— Alors, Isabel, s'agit-il bien de ton manteau ? Et si c'est le cas, pourrais-tu me dire exactement ce qu'il faisait dans une voiture qui a été volée plus tôt dans la soirée ?

Passer la nuit enfermée dans une cellule semblait un moindre mal comparé à un tête-à-tête avec mon père : il me regardait comme s'il prenait mes mesures pour mon futur cercueil.

Toutefois, quand la femme policier s'est mise à me sermonner, et ce avant même que mes fesses aient touché le canapé, il lui a jeté un regard glacial. Pensez à la toundra gelée et vous y serez presque.

— Ma fille en a suffisamment bavé pour cette nuit, a-t-il décrété d'un ton professoral.

— Je dois poser à Isabel quelques questions au sujet de...

Il l'a interrompue d'un geste impatient tandis que Smith s'affalait sur le canapé à côté de moi.

— Je parie que tu regrettes ton acte de chevalerie déplacé, ai-je grogné entre mes dents, et il m'a décoché un regard furieux.

— Je pense surtout qu'Isabel a besoin de sommeil et d'un bon repas. Si vous me laissez vos coordonnées, nous pourrons convenir d'un rendez-vous et...

— Il va falloir que vous emmeniez Isabel au poste, monsieur.

Elle m'a jeté un regard sévère, histoire de me faire comprendre que j'étais une très vilaine petite fille.

— Je disais, a repris mon père en détachant chaque syllabe – et Smith a frémi (il commençait sans doute à croire ce que je lui avais raconté à son sujet) –, que vous pourrez passer quand Isabel se sentira mieux. Je suis certain qu'elle se trouvait simplement au mauvais endroit, au mauvais moment.

C'était plutôt gentil de sa part de prendre ma défense. Mais mon père était un homme habile et retors. Il s'agissait sans doute d'une ruse pour m'expédier dans une école catholique avant le lever du soleil.

La policière en était encore à invoquer des procédures quand il l'a raccompagnée à la porte.

— Il n'a pas l'air si terrible, a dit Smith sans grande conviction.

— C'est ça, ai-je chuchoté. Tu n'as pas encore vu son vrai visage.

Félix est entré dans la pièce en tenant devant lui une tasse pleine à ras bord.

— Je t'ai fait du thé, a-t-il lancé d'un air d'importance.

Smith s'est précipité pour lui prendre la tasse des mains afin d'éviter qu'il ne renverse un peu plus de thé sur le tapis. Une fois délivré de son fardeau, Félix s'est jeté dans mes bras avec la délicatesse d'un sanglier.

— Hé... fais gaffe à mon plâtre !

— On croyait que tu t'étais enfuie, s'est-il écrié en ouvrant de grands yeux, la bouche tremblante. Alors il a appelé la police et la femme, là, elle est venue nous apporter ton manteau, et j'ai cru que tu étais morte !

— Tu parles ! Je suis juste un peu cabossée. Regarde, tu pourras dessiner sur mon plâtre.

Félix a tapé du poing sur le plâtre pour en éprouver la solidité.

— Ça fait mal ?

— Oui ! ai-je crié en chœur avec Smith, qui observait Félix d'un œil amusé.

— Et toi, tu es qui ? Le fiancé d'Isabel ? Papa a dit qu'il allait te cravacher, a-t-il déclaré d'un air ravi, comme l'intéressé revenait dans la pièce.

— Je suis certain que je n'ai rien dit de tel.

Mon père s'est passé la main dans les cheveux et il a regardé Smith d'un air songeur. Ce dernier ne savait plus où se mettre, à ma grande joie.

— Je suppose que vous n'avez rien à voir avec le fiasco de ce soir ? a demandé mon père d'un ton aimable.

— Il n'était pas... Je l'ai appelé après l'accident.

— J'ai emmené Isa... Je veux dire Isabel, à l'hôpital et... ah oui ! (Smith a fouillé la poche de sa veste.) Il y a une ordonnance pour des antibiotiques et des analgésiques, et des instructions concernant le plâtre. Il ne faut pas le mouiller, elle va devoir le protéger avec un sac plastique quand elle prendra sa...

— Merci, a répondu mon père en lui prenant les papiers des mains pour y jeter un bref coup d'œil. Félix, veux-tu bien aller te coucher, je te prie ?

— Mais, papa... !

— Ce n'est pas une suggestion, au lit !

Félix a monté l'escalier en grommelant à chaque marche, déçu de manquer le spectacle. Le petit veinard !

Mon père s'est avancé vers moi, frôlant au passage le pauvre Smith qui semblait se demander s'il devait intervenir, et il s'est agenouillé.

— Laisse-moi regarder ce plâtre, m'a-t-il ordonné avec douceur. Tu peux bouger les doigts ?

Je me suis exécutée tant bien que mal, les yeux fixés sur le tapis, là où Félix avait renversé du thé. Il m'a fait tourner la tête vers la lampe pour constater les dégâts par lui-même, et j'ai distingué mon reflet dans ses pupilles.

— Eh bien, tu as réussi à semer la pagaille partout où tu es passée ce soir, a-t-il remarqué. Un point pour l'effort, Isabel.

— Pardon pour tes livres, ai-je répondu d'une toute petite voix. Je suis tombée sur les brochures et j'ai perdu la tête...

— Est-ce que tu t'imagines à quel point je suis fâché contre toi ?

C'était la routine pour nous. Je connaissais mon rôle par cœur.

— Et alors, c'est nouveau ? Même si je ne m'étais pas acharnée sur tes fichus livres, même si je n'avais pas manqué me faire tuer, tu serais encore fâché contre moi. Tu es toujours fâché contre moi ! (J'ai serré les lèvres.) Je parie que tu aurais préféré que je meure. Et un problème de réglé !

— Tais-toi ! a-t-il crié en se relevant.

Il a attrapé un des coussins et l'a jeté à travers la pièce pour s'empêcher de se défouler sur moi.

— Tais-toi, bon Dieu !

J'ai tenté de me lever à mon tour, sans succès : ma main s'enfonçait dans le canapé, et je faisais peser trop de poids sur ma jambe meurtrie. Smith a regardé d'un air circonspect mon père qui me dévisageait en serrant les poings. Le pauvre, personne ne l'avait prévenu qu'il était sur le point d'assister à l'acte IV, scène 5 de ma misérable existence.

— Tu veux savoir la vérité ? Tous mes terribles secrets ? lui ai-je dit.

— Isa... non, a-t-il supplié en m'aidant à me relever. Tu es en colère, épuisée, tu ne sais pas ce que tu dis.

— Non ! C'est pourtant toi qui étais obsédé par la vérité, ai-je poursuivi, un doigt braqué sur sa poitrine. Je croyais que c'était très important pour toi.

— Tu es incapable de dire la vérité, a craché mon père dans mon dos, d'un ton venineux. Tu as détruit cette famille avec tes mensonges et tes vilains petits secrets.

J'ai chancelé et Smith m'a rattrapée. Mes yeux me piquaient, je n'y voyais plus rien, alors j'ai porté la main à mon visage et j'ai senti les larmes couler sur mes joues, réveillant au passage toutes les petites coupures, toutes les égratignures. J'étais capable de pleurer, finalement.

— Il aurait voulu que ce soit moi, et pas elle, ai-je hoqueté en repoussant les mains de Smith qui essayait de me retenir. C'est pour ça qu'il me déteste.

— Je suis certain que non, a-t-il répondu, l'air accablé. Ce n'est pas ta faute si ta mère est morte.

— Ça reste à prouver, a répliqué mon père en effleurant la photo, SA photo, qui trônait sur le manteau de la cheminée. Isabel n'a jamais souhaité revenir sur ce qui s'est passé.

Smith a secoué la tête.

— Je suis navré pour votre femme, mais ce n'est pas juste de blâmer Isabel alors qu'elle n'était pas... Vous n'étiez pas obligé de signer le certificat...

— Tu ne comprends rien ! ai-je crié.

Une digue venait de se rompre en moi : je sentais les larmes monter et, soudain, je me suis laissée glisser sur le sol, mes jambes refusaient de me porter.

— Tu ne comprends rien. Je ne te l'ai pas dit parce que je ne veux pas me souvenir...

— Qu'est-ce que... ?

— J'étais avec elle, espèce d'idiot ! J'étais dans la voiture le jour de l'accident !

Je me suis recroquevillée sur moi-même, mais quelqu'un m'a prise dans ses bras pour me bercer, comme quand j'étais petite.

— Chuuut, Belle, ne pleure plus, a-t-il dit en caressant ma joue humide. Ça n'a pas d'importance.

J'ai enfoui le visage dans le cou de mon père et j'ai pleuré plus fort encore.

— Pardon, pardon. J'aurais voulu que ce soit moi.

— Ce n'est pas ta faute, Belle, a-t-il murmuré d'une voix apaisante, en m'embrassant le front. Elle allait trop vite et elle n'avait pas sa ceinture. J'ai dû le lui dire cent fois, pas vrai ? Et toi, tu mets toujours ta ceinture parce que je te l'ai rabâché. C'est pour ça que tu t'en es sortie indemne.

J'ai appuyé ma tête lourde contre son épaule et je l'ai laissé m'installer sur ses genoux.

— On était en train de se disputer, et elle ne regardait pas la route. Pourtant, je lui ai dit de... Et si je m'étais levée plus tôt ou si j'avais préparé mon sac la veille, tout aurait été différent, et ce camion n'aurait pas été là, et...

28

Elle était insupportable quand papa s'absentait pour une de ses éternelles conférences assommantes sur l'importance du roman à l'ère informatique. Elle se lançait dans des projets absurdes, repeindre l'entrée en vert lagon, par exemple, ensuite elle décrétait qu'elle haïssait cette couleur ; alors Félix et moi, on devait supporter les odeurs de peinture le temps qu'elle repeigne tout en blanc. Et puis elle passait des heures à flirter avec lui au téléphone, à en juger par le ton de la conversation : « Oh, David, minaudait-elle en riant, assise en haut des marches. Tu dis des bêtises. »

Le pire, c'est quand elle essayait de jouer les mères copines. Je n'avais pas besoin d'une autre amie, j'en avais déjà trois qui me tapaient sur les nerfs. Elle débarquait dans ma chambre pour me demander quelle musique j'écoutais, et : « Ce serait drôle de regarder des DVD en mangeant de la glace et en se vernissant les ongles de pied, non ? » En fait, non, ça n'avait rien de drôle.

C'était l'époque où elle se mettait en rogne parce que je sortais le soir et que je rentrais avec des suçons dans le cou. Elle avait peur que je tombe enceinte avant d'atteindre la vingtaine, comme elle, qui était tombée enceinte à dix-neuf ans. Elle, l'étudiante de première année aux yeux brillants, qui ne portait que du noir et mettait trop de rouge à lèvres, lui le thésard fringant qui lui enseignait la poésie du XXe siècle. Et en un rien de temps, elle avait dû laisser tomber parce que les nausées matinales l'empêchaient de finir ses dissertations.

Je n'oublierai jamais. Ses gros soupirs exaspérants quand papa m'aidait à faire mes devoirs.

— Tu sais, ce n'est pas l'unique cerveau de la famille. J'avais d'excellentes notes.

Immédiatement, il m'abandonnait avec mes livres pour la prendre dans ses bras et lui susurrer des niaiseries à l'oreille :

— Toi aussi, tu es intelligente, ma chérie. La preuve, tu m'as mis le grappin dessus.

— Je croyais que c'était toi, répondait-elle avec un léger froncement de sourcils, alors qu'ils avaient la même conversation toutes les semaines. Je n'étais alors qu'une pauvre orpheline, timide et innocente...

— Tu n'étais ni timide ni innocente, répliquait-il, la voix soudain rauque, puis ils disparaissaient à l'étage.

Pas étonnant que j'aie appris à cuisiner aussi jeune.

Mais cette fois, il était parti au moment où les choses se gâtaient. Mrs. Greenwood et la mère de Lily réclamaient ma tête, et on avait dû convenir d'un rendez-vous afin qu'elles puissent m'arracher les ongles un à un pour me faire avouer ce qui leur chantait.

C'était la reine de la gueulante – contrairement à papa, qui exigeait des explications puis démontait une à une mes excuses imparables. Cet après-midi-là, le dernier, en entendant ma clé tourner dans la serrure, elle m'était tombée sur le dos.

— Je vais t'étrangler ! (Ces derniers temps, ce genre d'accueil était devenu coutumier.) Donne-moi ton téléphone à l'instant !

J'ai déboutonné lentement mon cardigan, je l'ai suspendu au portemanteau, et j'ai admiré mes mèches blondes dans le miroir de l'entrée. Puis je me suis tournée vers elle avec le sourire innocent que j'avais mis des années à perfectionner.

— On dit « s'il te plaît ».

C'était facile de lui faire péter les plombs. Elle prétendait que j'étais plus une sœur cadette qu'une fille pour elle, mais elle disait ça pour se rassurer. Il fallait la voir se rengorger quand, dans les magasins, on nous demandait si on était sœurs.

— Il n'y a pas de « s'il te plaît » qui tienne ! a-t-elle glapi. Je veux voir cette photo. Et d'ailleurs, où as-tu appris ce que c'était qu'une fellation ?

— Ça, tu aimerais bien le savoir, l'ai-je narguée en lui tendant mon portable, qu'elle m'a arraché des mains. (Elle s'est mise à trifouiller les boutons.) Je parie que tu ne sais même pas t'en servir.

Elle m'a rendu le téléphone.

— Montre-moi cette photo !

Il n'y avait pas de photo : je n'étais pas assez stupide pour conserver des preuves compromettantes sur mon portable. Alors j'ai passé en revue tous les fichiers jusqu'à ce qu'elle admette sa défaite.

— J'ai dû annuler mon cours de Pilates[1] pour entendre, de la bouche de Mrs. Greenwood, que j'étais une mauvaise mère, s'est-elle lamentée en me suivant dans l'escalier. Attends un peu que j'en parle à ton père ce soir.

Arrivée dans ma chambre, je lui ai lancé une dernière pique avant de lui fermer la porte au nez.

— Je dois réviser mon exam' de maths. Contrairement à d'autres, j'ai l'intention d'avoir une carrière, moi.

Plus tard, elle s'était glissée dans ma chambre tandis que je m'escrimais à mémoriser des formules de trigonométrie.

— Allons, Belle, arrête de faire ta mauvaise tête, m'a-t-elle dit d'une voix cajoleuse. (Elle s'est assise sur mon lit et a ramassé un livre de classe.) Pourquoi passe-t-on notre temps à se chamailler alors qu'on devrait être les meilleures amies du monde ?

J'ai reposé mon cahier avec un soupir.

— Tu n'es pas mon amie, tu es ma mère.

Elle a voulu me caresser les cheveux puis s'est ravisée comme je me dérobais.

— Tu ne me parles plus, tu joues les adolescentes en colère, et ça devient vraiment fatigant.

— Ce n'est pas un jeu : je suis une adolescente en colère.

---

1. Méthode qui repose sur des exercices musculaires dans le but d'améliorer le maintien. (N.d.T.)

Je garde un souvenir très vif de ce moment : elle, assise jambes croisées sur mon lit, vêtue d'un jean et d'une chemise de mon père dont elle avait roulé les manches, ses longs cheveux retombant en cascade sur ses épaules. Elle était très jolie, voire belle avec son teint laiteux et sa bouche généreuse, d'ordinaire souriante – pas ce jour-là. Impassible, je lui ai indiqué la porte d'un geste impérieux. Son visage s'est assombri, ses épaules se sont affaissées : je ne voulais plus être sa meilleure amie.

— Sors d'ici, maman ! Va embêter Félix ou appelle papa pour te plaindre, mais laisse-moi tranquille.

Je ne l'ai pas revue jusqu'au lendemain matin. Je m'étais assoupie sur mes cahiers (en ce temps-là, j'étais capable de m'endormir n'importe où), et elle m'a secouée en criant :

— Je ne vais pas te le répéter cent fois. Debout ! On va être en retard.

Par sa faute, j'avais veillé tard pour réviser ; je n'avais donc pas eu le temps de préparer mon sac pour l'école.

— Tu fais toujours tout au dernier moment ! C'est la même histoire chaque matin ! Ça ne te suffit pas d'être dans le collimateur de Mrs. Greenwood, maintenant je vais avoir droit à un sermon sur mon sens de l'organisation pourri.

On avait à peine cinq minutes de retard, mais elle nous a poussés, Félix et moi, vers la voiture. J'ai englouti un toast au beurre de cacahouète, parcouru mes notes à la va-vite et menacé Félix de lui arracher les yeux s'il continuait à donner des coups de pied dans mon siège : bref, une matinée comme les autres chez les Clarke. On a déposé Félix et elle a allumé la radio : j'ai donc dû subir le bavardage inepte de l'animateur en plus du sien, alors que je m'efforçais de retenir des formules algébriques.

— Éteins ! ai-je aboyé en tendant la main vers le bouton de la radio.

Elle m'a donné une tape sans même détourner les yeux de la route.

— J'écoute, moi, a-t-elle marmonné. Hier soir, tu révisais avec ta hi-fi à fond.

— Mais c'était de la bonne musique, contrairement à cette daube, ai-je lancé par-dessus la radio qui diffusait du rock de grand-mère.

— Sache que je suis une experte en matière de bonne musique. Je t'ai emmenée voir Nirvana quand tu étais encore dans mon ventre, avant même qu'ils soient célèbres. (Elle a soupiré, l'air rêveur.) Enceinte de quatre mois, et je dansais dans la fosse. Ton père était furieux.

— Moi, je ne ferai pas la bêtise de tomber enceinte, ai-je rétorqué avec mépris. Et si ça m'arrivait, je ne t'en parlerais même pas, j'irais directement me faire avorter.

Je disais n'importe quoi : c'était ma façon d'être, ma marque de fabrique. Elle m'a décoché un regard noir.

— Tu es vraiment détestable, par moments, Belle...

— Peut-être que tu aurais dû te faire avorter, toi aussi. Tu n'aurais pas été obligée de jouer les mères au foyer qui n'ont rien d'autre à faire que revivre leur gloire passée et me pourrir la vie.

Je ne me suis même pas rendu compte qu'elle accélérait en arrivant dans Lewes Road. J'ai le vague souvenir d'avoir remis en place ma ceinture de sécurité qui me serrait au niveau du cou.

— J'ai failli le faire, a-t-elle dit sans crier gare, et j'ai sursauté. Tu n'étais pas au courant, hein ? J'avais dix-huit ans, et la dernière chose dont j'avais envie, c'était d'un môme braillard qui me détesterait en grandissant...

— Oh, tais-toi !

Pourtant, au fond de moi, je savais que c'était ce qu'elle avait toujours ressenti. Je l'avais toujours su ! Du coin de l'œil, j'ai observé son visage furieux.

— Tu conduis trop vite.

— J'avais même pris rendez-vous, mais il est passé chez moi la veille pour me demander en mariage, s'est-elle souvenue avec un petit rire amer. (Elle a klaxonné furieusement quelqu'un qu'elle venait de doubler sans ménagement.) Il m'a dit qu'il m'aimait et il m'a promis qu'on serait heureux.

— Mais moi, je n'ai jamais demandé à naître ! ai-je crié. (Le cliché adolescent par excellence !) Et je suis sûre que tu regrettes de ne pas l'avoir fait...

— Quand tu te comportes comme ça, oui, m'a-t-elle rétorqué.

Elle allait me cracher son venin à la figure, ce que j'avais ô combien mérité – elle n'en a pas eu le temps : soudain, un camion s'est engagé dans notre voie, elle a freiné brusquement et donné un coup de volant pour l'éviter.

Tout s'est passé au ralenti, j'ai vu l'arrière du camion se rapprocher avec une netteté terrifiante, ses mains *agripper le volant, braquer à droite, et l'avant de la voiture se plier tel un accordéon sous le choc.*

Il y a eu un bruit terrible. Comme de la glace qu'on pile ou des ongles qui crissent sur un tableau noir, mais amplifié des millions de fois. J'ai levé les mains pour me protéger tandis que le pare-brise explosait et qu'une pluie de verre brisé s'abattait sur nous. Avec en fond sonore nos hurlements, la voiture a encore bougé de quelques centimètres avant de s'immobiliser.

J'ai eu le souffle coupé par la ceinture de sécurité, les airbags se sont déclenchés, puis tout est redevenu calme.

— Belle, tu vas bien ? m'a-t-elle demandé.

Mais il y a eu un autre crissement de pneus, et la voiture derrière nous est venue s'encastrer dans la nôtre, nous écrasant un peu plus contre le mur de métal.

Je me suis évanouie. C'était presque volontaire : l'instant était tellement intolérable, j'étais comprimée par le plastique gonflé à bloc de l'airbag, à tel point que je sentais le coin du tableau de bord m'entrer dans la poitrine. Je l'entendais hurler à côté de moi et ses cris étaient si affreux que je n'avais pas la force de les supporter.

Mon étourdissement n'a duré que quelques secondes. Quand j'ai rouvert les yeux, le monde n'était plus le même. Il y avait des gens agglutinés autour de la voiture. Elle était coincée entre nos deux sièges et elle gisait sur le côté, si bien que j'aurais pu voir son visage s'il n'avait pas été couvert de sang.

Ils ont ouvert ma portière mais j'ai refusé de la laisser. Elle était toujours en vie. Elle s'est mise à geindre fai-

blement, j'ai défait ma ceinture pour la toucher et quand j'ai retiré mes doigts, ils étaient poissés de sang.

— J'ai mal, a-t-elle murmuré. Belle, j'ai trop mal.

— Maman ? Ça va ?

On aurait dit une poupée cassée, aux membres disloqués.

— Maman ?

— J'ai peur... David... Je ne veux pas partir, a-t-elle balbutié, et j'ai pensé que c'était bon signe qu'elle parle.

Qu'est-ce qu'on disait, déjà ? Après un accident, on s'occupait toujours en priorité des gens inconscients, parce que l'état de ceux qui criaient ou gémissaient était moins préoccupant.

— Ne me laisse pas.

Je ne l'ai pas laissée. Bientôt, elle a cessé de parler et de bouger, mais je suis restée là, à lui caresser les cheveux en répétant son nom, jusqu'à ce qu'ils arrosent la voiture avec ce truc qui fumait pour éviter que le moteur ne prenne feu. Et je n'ai pas bougé malgré les vibrations de la machine qu'ils ont utilisée pour découper la portière et la sortir de là.

Je me disais que, si je continuais à la toucher, à lui parler, si je maintenais le lien avec le monde extérieur, elle le saurait, d'une certaine manière, et elle resterait avec moi.

— Mais ça n'a pas marché, ai-je sangloté. (Il a resserré son étreinte et m'a couverte de baisers.) Elle ne voulait pas s'en aller, papa ! Je te le jure, elle voulait rester avec nous.

— Chut, chut, a-t-il murmuré. Je sais, Belle, je sais.

— Tout ça, c'est ma faute. Ç'aurait dû être moi.

— Je ne veux plus jamais t'entendre dire ça, a-t-il protesté avec véhémence. Mon Dieu, Belle, pourquoi as-tu gardé tout ça pour toi ?

— Parce que je préférais faire comme si rien ne s'était passé. Comme si c'était un mauvais rêve : j'allais me réveiller et elle serait encore là.

Butant sur les mots, j'ai frotté mes yeux gonflés de larmes.

— Papa, je suis désolée, tellement désolée.

— Merci d'être restée avec elle, a-t-il répondu, si bas que je pouvais à peine l'entendre. Elle n'aimait pas être seule.

— Elle voulait toujours qu'on fasse des trucs ensemble quand tu n'étais pas là, et ça me tapait sur les nerfs, elle m'étouffait, mais maintenant...

J'ai recommencé à pleurer. C'étaient des larmes de désespoir. La réalité me frappait de plein fouet, avec la même violence que cet ultime impact avec l'arrière du camion : elle n'était plus là.

Il n'a rien dit, il m'a laissée pleurer tout mon soûl, jusqu'à ce que j'en aie la tête cotonneuse. Puis, quand j'ai cessé de pleurer parce que ma gorge était trop douloureuse, il a posé un doigt sur mes lèvres.

— S'il t'était arrivé quelque chose ce soir... (Il a souri d'un air las avant de reprendre :) Quelque chose de pire... Je n'aurais pas pu supporter de vous perdre toutes les deux. Même quand je suis furieux contre toi, même si je t'en veux de t'être comportée comme tu l'as fait, je t'aime, Belle.

— Tu veux m'envoyer dans une école où ils vont me faire prier à longueur de journée. J'ai vu les brochures ! me suis-je écriée dans un sursaut de rébellion.

Il a soutenu mon regard accusateur sans ciller.

— J'admets l'avoir envisagé sérieusement. Tu ne semblais pas vouloir vivre ici et je ne pouvais plus souffrir cette situation, Belle.

— Je ne veux pas partir, je veux rester ici avec Félix et toi, mais tout est si compliqué que je ne sais plus comment recoller les morceaux. Il n'y a pas que maman, il y a aussi le reste. Je me sens si malheureuse.

Ma voix s'est réduite à un gémissement et, de nouveau, il a eu droit aux grandes eaux, tandis que, de mon bras valide, je lui étreignais le cou à l'étrangler.

Il l'a pris avec bonne humeur, m'a tendu un mouchoir et m'a ordonné d'une voix sévère de me moucher, ce qui m'a fait rire malgré moi.

— Je ne veux pas te perdre, Isabel. Ni dans un accident de voiture, ni à cause de ton comportement autodestructeur. On réglera ça plus tard. Cependant, il est hors de question que la situation de ces derniers mois se répète. Est-ce que c'est clair ?

J'ai hoché la tête.

— Pardon, papa. Je sais que c'est ma faute...

— Non, s'est-il étranglé. J'avais besoin de blâmer quelqu'un, parce que si je n'étais pas parti, si j'avais été là... J'ai essayé de maintenir les choses à flot, de ressouder la famille, pourtant j'ai l'impression de t'avoir perdue en même temps qu'elle.

— Non ! Ne dis pas ça ! (C'était mon tour de le réconforter et de le couvrir de baisers.) Je me suis perdue mais j'avais envie qu'on me retrouve, tu le sais bien.

— Je commence juste à le comprendre. (J'ai effleuré les ridules autour de ses yeux.) Je crois que tu es en partie responsable de ces rides et d'au moins soixante-dix pour cent de mes cheveux blancs, a-t-il ajouté.

— Ils te donnent l'air distingué. (J'ai froncé les sourcils.) Enfin, je crois.

— Je t'aime, Isabel, même quand tu me tapes sur les nerfs.

Mes paupières étaient lourdes. J'ai bâillé à m'en décrocher la mâchoire.

— Je te retourne la politesse, papa.

— Au lit, a-t-il décrété en m'aidant à me lever et en me soutenant jusqu'à la porte. Tu dois être épuisée.

— J'ai passé le stade de l'épuisement il y a quelques heures, ai-je répondu en bâillant de plus belle. Hé, mais où est passé Smith ?

— Il s'est éclipsé quand tu as commencé à pleurer. Très diplomate de sa part. Il a l'air plutôt... sympathique pour quelqu'un qui t'a détournée du droit chemin.

— C'est plutôt l'inverse.

Je l'ai trouvé assis sur les marches avec Félix, en train d'engloutir un bol de céréales.

Ils m'ont regardée tous les deux, et Smith s'est levé, le bol de corn flakes à la main. À voir sa tête, on aurait cru que c'était son tour de fondre en larmes.

— Tout va bien, Atticus, a dit mon père. Je n'ai pas mon fusil à portée de main.

Smith est devenu cramoisi.

— Hem... je suis désolé... je ne... a-t-il bégayé.

Mon père a esquissé un sourire. Il pouvait être sacrément flippant, quand il voulait.

— Je vais y aller, si vous voulez bien, monsieur.

— Vous vous sentez capable de conduire ? Il est très tard et vous avez eu une nuit éprouvante.

À mon avis, Smith n'avait qu'une envie, décamper.

— Non, ça ira. Je vais peut-être marcher pour m'aérer la tête.

— Merci pour tout.

Ça me semblait minable, comme phrase, face à ce que je lui avais fait endurer.

— Pardon pour... enfin, pardon pour tout.

Malgré la présence de mon père, Smith s'est approché de moi, et il a déposé un baiser sur le seul endroit de mon visage qui n'était pas égratigné.

— Pas de quoi, a-t-il répondu en souriant. Souviens-toi de ne pas mouiller ton plâtre.

— On s'en occupe, a dit mon père en posant une main – un peu crispée, tout de même – sur l'épaule de Smith. Arrêtez-vous prendre le thé quand vous viendrez récupérer votre voiture.

— Il y aura peut-être du gâteau, a renchéri Félix d'un ton plein d'espoir.

Smith s'est dirigé vers la porte en gardant un œil sur mon père, comme s'il s'attendait à le voir dégainer sa cravache et/ou son fusil. Puis il m'a fait un signe timide de la main avant que mon père ne referme la porte derrière lui.

— Il s'est montré vraiment gentil avec moi.

Mon père a secoué la tête.

— Tout ça peut attendre demain.

— Et moi, c'est sûr que je dois aller me coucher ou je peux rester debout ? Les dessins animés vont bientôt commencer, a dit Félix en montant l'escalier à notre suite.

— Tout le monde au lit, a décrété mon père. Et on va dormir jusqu'à l'heure du déjeuner, au moins.

J'ai trébuché sur la dernière marche, il m'a soulevée dans ses bras.

— Et si je n'arrive pas à dormir ? ai-je murmuré. Et si le cauchemar continue ?

Il a ouvert la porte de ma chambre d'un coup de pied avant de m'installer doucement sur le lit.

— Un jour, en te réveillant, tu t'apercevras que, même si ça fait encore mal, ce n'est plus aussi douloureux, a-t-il répondu en délaçant mes chaussures.

J'ai ôté tant bien que mal ma veste d'emprunt et décidé que je me coucherais tout habillée.

— Mais ça ne s'en va jamais pour de bon, pas vrai ?

Il m'a bordée soigneusement avant de se redresser.

— Non, a-t-il dit, le regard voilé. Ça ne s'en va jamais tout à fait.

— Tant mieux.

Je me suis endormie avant même qu'il ait éteint la lumière.

Épilogue

Pardon pour mon absence.

Il s'en est passé, des choses, mais j'imagine que tu es déjà au courant. Je ne sais pas trop comment ça fonctionne. Est-ce que tu peux me voir tout le temps ? Si c'est le cas, ce doit être bizarre et un peu malsain, surtout si je suis en train de faire des trucs pas catholiques.

Je n'ai pas été à la fête, ces derniers temps. Un vrai film catastrophe. Je ne veux même pas y penser – non parce que je serais dans le déni, mais c'est de l'histoire ancienne, et je suis passée à autre chose.

J'ai eu un autre accident de voiture, il y a quelques mois. Je me suis sérieusement amoché le bras, alors j'imagine que je ne deviendrai ni chirurgienne ni violoniste. Je crois que j'avais besoin de me faire mal physiquement pour que ma peine se décide à sortir.

Papa a été formidable. Je lui ai tout raconté et, pour une fois, il n'a pas joué les insensibles ni les sarcastiques (tu sais comment il est, parfois). Il m'a retirée de l'école malgré les protestations de Mrs. Greenwood et de l'administration. Je retourne au lycée en septembre : peut-être que je passerai le A-levels en un an, peut-être pas.

Je n'ai pas revu les autres. Même pas Dot. Comme elle n'arrêtait pas d'appeler, papa m'a conseillé d'être honnête avec elle, et de lui expliquer pourquoi je ne voulais plus la revoir. Elle me manque, parfois, mais je ne veux plus être cette fille-là. Je ne l'ai jamais voulu, au fond.

C'est très agréable de ne rien faire. Mamie accepte de me reparler. Elle m'a appris à tricoter : il paraît que c'est un bon exercice pour ma main. J'ai fait un étui pour mon iPod et un autre pour celui de Smith. Je te parlerai de lui plus tard. Surtout, cette année, je travaille pour papa : d'accord, il a été formidable, mais il m'en a beaucoup voulu d'avoir saccagé ses livres : il veut une compensation. Et un nouveau système de classement. Dur de le rembourser.

Certains jours, je l'accompagne à la fac et je m'assieds au fond de la salle pendant qu'il fait cours, j'entends ses étudiants se plaindre de lui. Puis je rentre à la maison préparer des plats exotiques. J'ai montré à Félix (il t'embrasse, au fait) comment se servir du four, autant dire qu'on mange beaucoup de gâteaux.

Quoi d'autre ? J'ai fait du bénévolat dans une maison de retraite, mais j'ai laissé tomber parce que je n'aime pas les vieux. Ils sentent mauvais et la plupart sont complètement gagas. Oh, ça va ! Je ne suis pas devenue une sainte du jour au lendemain. Je suis restée la même.

Papa a prévu de prendre son été : il a loué une maison avec piscine dans le Devon. Soi-disant, il veut écrire un livre sur un romancier américain mort (ça t'étonne ?) pendant que Smith me tiendra à l'écart des ennuis. Eh oui, Smith vient aussi. Attention : pas à titre de petit copain.

Je ne sais pas trop comment l'interpréter mais, l'autre soir, on s'est embrassés pour la première fois depuis des lustres. Peut-être que j'ai finalement réussi à retrouver ses bonnes grâces. Ça m'a coûté beaucoup d'efforts, et je ne parle pas juste de l'étui à iPod et des gâteaux. Il faut plus que ça pour regagner la confiance de quelqu'un. Papa, c'était facile comparé à Smith.

Tous ses amis m'en veulent de lui avoir menti et fait du mal. Même lorsque j'étais au plus bas avec mon plâtre, ils quittaient la pièce quand j'entrais. J'imagine que je l'ai mérité. Néanmoins, j'ai l'impression qu'ils se radoucissent, ces derniers temps. Molly, en tout cas : elle va peut-être nous rejoindre dans le Devon. Jane, elle, me déteste à mort mais c'est réciproque. Quant à Smith... c'est un peu mon meilleur ami et, maintenant qu'on s'est à nouveau embrassés, peut-être acceptera-t-il de devenir un ami d'un autre genre.

Je devrais sans doute arrêter de faire une fixation sur ce baiser. Smith dit qu'on est allés trop loin et trop vite, la dernière fois, et qu'on doit lever le pied. Enfin, surtout moi. À croire que j'aurai atteint les quatre-vingts ans d'ici à ce qu'on recouche ensemble. Je l'aime toujours. Je ne peux pas m'en empêcher. Je voudrais bien qu'il en soit autrement parfois, parce que ça fait mal quand ce n'est pas réciproque. Il m'a dit qu'il avait besoin de temps. Je me demande s'il se glisse dans ma chambre quand je dors, et qu'il me le chuchote à l'oreille tandis que je rêve de toi.

Eh oui, je rêve toujours de toi. Sauf que ce sont de bons rêves, désormais. Je n'ai pas envie de me réveiller. Pourtant, je me réveille : la douleur est toujours là, et je ne veux pas qu'elle s'en aille parce que, alors, ça voudrait dire que tu as disparu pour de bon. Mais tu ne me laisseras jamais, je le sais maintenant.

Ils avaient tous raison : je porte un bout de toi dans mon cœur. Et il brille tellement, ce petit coin de mon cœur qui n'appartient qu'à toi, qu'il a réduit en cendres toutes les horreurs qu'on s'est dites ce jour-là : il ne reste que le bon.

Je te vois partout autour de moi. Je te vois dans Félix quand il se concentre sur ses devoirs et que l'effort lui fait tirer la langue. Je te vois dans mes mains qui pétrissent le beurre et la farine, comme tu me l'as appris. Je t'entends chaque fois que papa m'appelle « Belle », comme tu le faisais. À chaque instant, tu restes dans mon cœur. Continue. Ne me quitte jamais.

Je t'aime, maman. Et je t'aimerai toujours.

Note de l'auteur

J'ai commencé *Au cœur de ma nuit* trois mois environ après le décès de ma mère. Comme je n'ai pas eu la chance de lui dire adieu, j'ai écrit ce livre. Trois ans et quelque dix versions plus tard, je l'ai terminé et j'espère qu'il rend hommage à cette femme étonnante qui a nourri mon amour de la lecture et m'a donné les opportunités qu'elle n'a jamais eues. Sans elle, je ne serais jamais devenue écrivain.

J'ajouterai seulement que le titre *Anthems for a Seventeen Year Old Girl* est extrait du magnifique album de Broken Social Scene, *You Forgot it in People*.

Vous avez aimé

Au cœur de ma nuit

**Alors découvrez vite
le journal intime d'Edie
dans la série**

*Journal
d'un
coup de foudre*

Cet ouvrage a été composé par
PCA - 44400 REZÉ

IMPRIMÉ EN FRANCE PAR BUSSIÈRE
Groupe CPI – Saint-Amand-Montrond (Cher)
N° d'impression : 080764/1
Dépôt légal : avril 2008

Imprimé en France

 12, avenue d'Italie

75627 PARIS Cedex 13